第2版

医療事務

診療報酬請求事務──医科

NIメディカルオフィス

はじめに

現代のめまぐるしい生活・社会環境の変化の中には、予測できない病気、けが、死亡などの偶発的な事故が数多くひそんでいます。これらにそなえて、私たちは実に多種多様の保険制度に守られています。

ただ単に「保険」というときは、民間の生命保険や火災保険なども含まれますが、なかでも国の法律で運営されている保険制度は社会保険といわれています。

民間の保険が営利を目的とし、任意の加入なのに対して、社会保険は憲法第25条の「国民として必要な最低限度の権利」を具体的に実現するために、国民すべてを対象として加入を義務づけ、国が責任をもって運営しています。

健康保険法が初めて制定されたのは、大正11年で、現在までおよそ100年間、私たちの日常生活に直接つながる問題として注目されています。福祉国家建設の目標を背景に、医療保険制度が整備拡充され、国民の日常生活に密着してくると同時に、医療機関においても保険診療をのぞいての診療業務は考えられなくなりました。このように医療保険制度は社会保障制度の中核として、常にその整備拡充をめざしている制度なのです。

今日わが国では、労働人口の急激な減少と高齢者人口の急増が同時進行し、加速度的な高齢化が進んでいます。そのため、政府も、そしてすべての医療機関も、かぎられた財源の中で必要かつ適切な医療や保健事業を提供し、運営していくことを要求されています。そして、医療保険制度がさまざまな面で改善を施されていると同時に、公費負担制度においても保健事業の質・量ともにわたる充実と、医療費助成制度のみなおしが行われています。

しかし新たに生まれかわった制度であっても、それを運用し、真に効率的な医療と保健事業の提供の土台をささえるのは、そこに働く医療事務職員にほかなりません。医療事務職員こそが――私たち国民が安心して暮らし、働くことができる――医療と保険をいきたものにする担い手なのだということを自覚し、その知識と技能を発揮できるものといえます。

医療機関が、より充実した医療と保健事業を提供できるだけの財源を確保できるかどうかは、収入の中心である診療報酬を管理する医療事務職員が、適正な算定と保険請求をできるかどうかということにかかっています。また公費負担制度を患者やその家族に紹介・提案することで負担金の確実な回収を可能にできるか、ということもたいせつな問題です。

公費負担制度、高齢者医療確保法と医療保険制度が、合理化への道をすすむためにも、医療事務職の必要性はますます高まるでしょう。医療事務を専門的に処理できる技能者として、制度の基本、また算定の条件をしっかり理解することが、国民医療の向上に直接むすびつくのです。

診療報酬請求事務を正しく行うのに必要な能力を認定するための試験として「診療報酬請求事務能力認定試験」がありますが、これにチャレンジして一応の成果をあげるには、多くの時間を費(つい)やして多くの参考図書を読み、それらの知識を自分のものとしなければなりません。

本書は制度の基礎と算定の条件を問題形式にまとめて、問題に答え、解説を読んでいく過程で基礎力をつけていくという、時間の有効利用をはかった問題集です。試験を受ける受けないにかかわらず、医療事務に関心のある方、もちろん認定試験を受験される方々のために、少しでもお役に立つことができれば幸(さいわ)いです。

NI メディカルオフィス

第Ⅰ部

学 科

第 II 部

実技

本書の利用法

おことわり

本書は、令和 6 (2024)年 6 月改定準拠にて作成しています。

本書は第Ⅰ部「学科」と第Ⅱ部「実技」にわかれています。

第Ⅰ部では「医療保険制度」「療養担当規則」などの項目ごとに基本的な知識を解説し、次に「練習問題」のページをもうけました。「練習問題」のページは、左に問題、右に解答・解説とわけてありますから、すぐに知識の確認ができます。

「診療報酬」では「初診、再診」「投薬」などの区分ごとに、おもな所定点数や加算の条件を簡単に述べました。また右のように区分ごとにインデックスをつけましたので、第Ⅱ部の実技の問題・解説と参照しやすくなっています。なおそれぞれの区分ごとに、練習問題と解答・解説のページをもうけました。

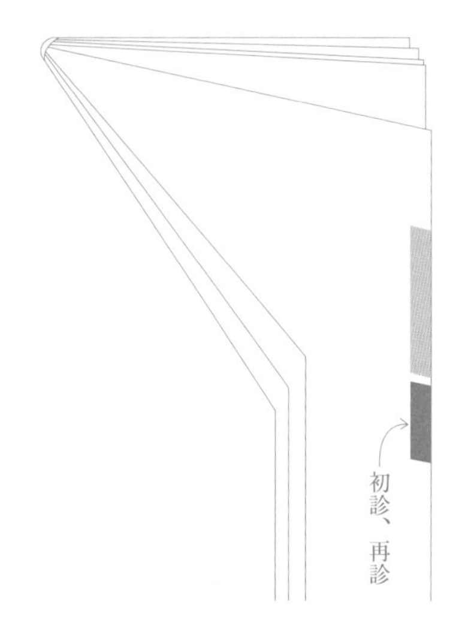

第Ⅱ部の「実技」は、問題の「診療録」、解答例の「診療報酬明細書」と「解説」の 3 つにわかれています。また後ろに薬価基準の抜粋と、「入院外」「入院」の診療報酬明細書のフォーマットも掲載しました。「実技」の構成について、くわしくは 280 ページを参照してください。

なお、「学科」「実技」の解説の中でＡ000、Ｂ001などの青字は点数表*の区分番号を示しています。

＊点数表とは…医療事務において算定する診療報酬点数や施設基準等、すべてが収載されているものです。
2 年に 1 度、厚生労働省による改定が薬価とともに行われます。

注：①本書の内容は以下の改定に準じて作成しています。
②以下、㊗は新設されたもの、㊑は変更されたものです。
③紙幅の関係で主な改定内容を掲げました。

現下の雇用情勢も踏まえた人材確保・働き方改革等の推進

①医療従事者の人材確保や賃上げに向けた取組
新外来・在宅ベースアップ評価料（Ⅰ）・（Ⅱ）
新入院ベースアップ評価料
新看護職員処遇改善評価料
改初診料・再診料・外来診療料

②各職種がそれぞれの高い専門性を十分に発揮するための勤務環境改善、タスク・シェアリング／タスク・シフティング、チーム医療の推進
改医師事務作業補助体制加算
改特定集中治療室管理料等
改外来腫瘍化学療法診療料

③多様な働き方を踏まえた評価の拡充
改特定集中治療室管理料等
改看護補助体制充実加算

④医療人材及び医療資源の偏在への対応
改時間外対応加算
改超急性期脳卒中加算
改DPC／PDPS

ポスト2025を見据えた地域包括ケアシステムの深化・推進や医療DXを含めた医療機能の分化・強化、連携の推進

①医療DXの推進による医療情報の有効活用、遠隔医療の推進
新医療DX推進体制整備加算
新訪問看護医療DX情報活用加算
改遠隔連携診療料
新通院精神療法（情報通信機器）
改小児特定疾患カウンセリング料
改診療録管理体制加算

②生活に配慮した医療の推進など地域包括ケアシステムの深化・推進のための取組
改入退院支援加算１・２
改在宅療養指導料
改認知症ケア加算
改入院基本料等

③リハビリテーション、栄養管理及び口腔管理の連携・推進
改疾患別リハビリテーション料
改呼吸器リハビリテーション料
改療養病棟入院料

④患者の状態及び必要と考えられる医療機能に応じた入院医療の評価
改急性期充実体制加算
改総合入院体制加算
改特定集中治療室管理料等
改DPC／PDPS

⑤外来医療の機能分化・強化等
改生活習慣病に係る医学管理料
改特定疾患処方管理加算
改地域包括診療料等

⑥新興感染症等に対応できる地域における医療提供体制の構築に向けた取組

(改)感染対策向上加算
(改)外来感染対策向上加算
(改)サーベイランス強化加算等
(改)在宅患者緊急訪問薬剤管理指導料

⑦かかりつけ医、かかりつけ薬剤師の機能の評価
(改)地域包括診療料等
(改)時間外対応加算
(改)かかりつけ薬剤師指導料

⑧質の高い在宅医療・訪問看護の確保
(改)在宅療養移行加算
(改)在宅ターミナルケア加算等
(改)在宅時医学総合管理料及び施設入居時等医学総合管理料
(改)包括的支援加算
(改)頻回訪問加算
(新)訪問看護医療 DX 情報活用加算

安心・安全で質の高い医療の推進

①食材料費、光熱費をはじめとする物価高騰を踏まえた対応
(改)入院時の食費の基準

②患者にとって安心・安全に医療を受けられるための体制の評価
(改)一般不妊治療管理料及び胚凍結保存管理料
(改)外来腫瘍化学療法診療料
(改)遺伝学的検査

③高齢者の救急医療の充実及び適切な搬送の促進
(改)救急医療管理加算

④小児医療、周産期医療の充実
(改)小児特定疾患カウンセリング料
(新)新生児特定集中治療室重症児対応体制強化管理料
(新)小児緩和ケア診療加算
(改)小児かかりつけ診療料
(改)小児抗菌薬適正使用支援加算
(改)小児科外来診療料
(改)入退院支援加算 3
(改)母体・胎児集中治療室管理料
(改)ハイリスク妊娠管理加算

⑤質の高いがん医療及び緩和ケアの評価
(改)がん性疼痛緩和指導管理料
(新)小児緩和ケア診療加算
(改)外来腫瘍化学療法診療料
(改)がん拠点病院加算

⑥認知症の者に対する適切な医療の評価
(改)入院基本料等
(改)認知症ケア加算
(改)地域包括診療料等

⑦地域移行・地域生活支援の充実を含む質の高い精神医療の評価
(新)精神科入退院支援加算
(改)療養生活環境整備指導加算
(改)療養生活継続支援加算
(新)早期診療体制充実加算
(新)児童思春期支援指導加算
(新)心理支援加算

⑧生活習慣病の増加等に対応する効果的・効率的な疾病管理及び重症化予防の取組推進
(改)生活習慣病に係る医学管理料
(改)特定疾患処方管理加算
(改)地域包括診療料等

第Ⅰ部

学　　科

医療保険制度

私たちが病気やけがで病院に行くときは、保険証をもっていきます。保険証は被保険者の職域などによって、健康保険被保険者証、船員保険被扶養者証、また国民健康保険被保険者証などにわかれています。昭和36年に国民皆保険が実現して以来、国民のだれもが、保険で医療を受けられるようになりました。

●医療保険のしくみ

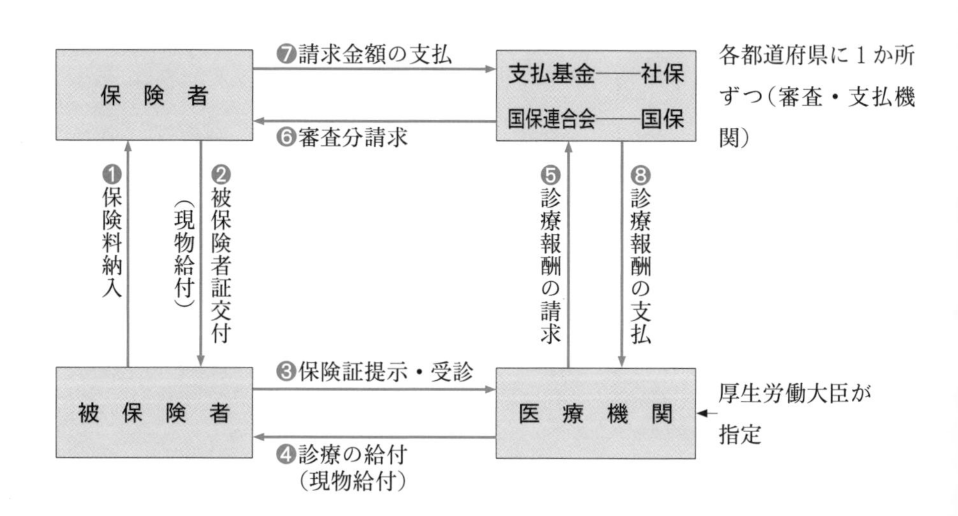

●医療保険制度の主な種類

［被用者保険］

民間のサラリーマンが加入する健康保険と、公務員などが加入する共済組合、そして船員保険などの総称。

▶健康保険

民間サラリーマンが加入する公的医療保険制度。全国健康保険協会管掌健康保険（協会けんぽ）と、組合管掌健康保険（組合健保）があります。協会けんぽは健康保険組合を結成するほど従業員の規模が大きくない中小企業の従業員を対象に、全国健康保険協会が運営しています（2008年9月までは社会保険庁が政府管掌健康保険（政管健保）として運営していました）。また組合健保は、大企業や同種・同地域の事業所が組合を結成して運営しています。

事業所に日々雇われる人々なども健康保険の対象になります。（日雇特例被保険者）。

▶共済組合

共済組合制度には、国家公務員共済組合、地方公務員共済組合（地方公務員が対象）、警察共済組合、公立学校共済組合、日本私立学校振興・共済事業団（学校教職員が対象）がありますが、医療に関する給付は各共済組合法とも健康保険法の場合と同様の内容になっています。

なお共済組合の場合は、被保険者にあたる者を「組合員」、被保険者証に相当するものを「組合員証」とよんでいます。

▶船員保険

2010年1月より、新しい船員保険制度がスタートしました。

従来の船員保険制度は、船員という職業の特性により、医療保険、年金保険、雇用保険、労働者災害補償保険に該当する保険事故の、すべてを給付の対象とする総合的社会保険でしたが、制度の改正に伴い、新船員保険制度は、健康保険相当部分（職務外疾病部門）とILO条約や船員法に基づく船員労働の特性に応じた独自・上乗せ給付を行う制度として全国健康保険協会が運営することになりました。従来含まれていた労災保険相当部分（職務上疾病・年金部門）は労災保険制度に、雇用保険相当部分（失業部門）は雇用保険制度にそれぞれ統合され、厚生労働省の運営になりました。

[地域保険]

上の健康保険などが職域保険とか、被用者保険などとよばれるのに対して、地域保険とよばれます。

▶国民健康保険

商店主、農業従事者などの自営業者や、小さな商店や工場の従業員、無職者などが加入する公的医療保険制度。被用者保険とは異なり、世帯の未成年者も被保険者となります。また、日本に居住している外国人も原則として被保険者となります。都道府県が財政運営の主体となり、市区町村とともに運営されています。

▶国民健康保険組合

また、自営業者であっても、同種同業のものが連合して国民健康保険組合をつくって、独自に運営することもあります（市区町村が行う国民健康保険事業にさしさわりのない場合に限って設立が認められますが、現在ではほとんど新たな設立は認めていません）。略して国保組合とよばれています。医師国民健康保険組合、理容健康保険組合、料理飲食健康保険組合など、多くの国保組合があります。

[退職後の医療保険（健康保険）制度]

▶特例退職被保険者制度

事業所を定年退職した老齢厚生年金の受給資格者が75歳からの後期高齢者医療の適用を受けるまで、特例退職被保険者制度に加入することができます。ただし、保険料は全額自己負担となります。

※特定健康保険組合……厚生労働省令で定める要件を満たし、厚生労働大臣の認可を受けた健康保険組合をいいます。

▶健康保険任意継続制度

社会保険の被保険者は、退職すると翌日から被保険者の資格を喪失し、国民健康保険などに加入することになります。しかし、希望すれば退職前に加入していた医療保険に退職の翌日（任意継続の資格取得日）から2年間に限り継続加入できます。ただし、保険料は全額自己負担となります。

[高齢者医療制度]

70歳以上75歳未満の高齢受給者は、これまでの医療保険制度（社会保険もしくは国民健康保険）に加入し、75歳以上の高齢者、65歳以上で一定の障害認定を受けた人は、都道府県ごとに設置される後期高齢者医療広域連合が運営する後期高齢者医療制度に加入します。

▶後期高齢者医療制度

後期高齢者医療制度とは、高齢者の高額な医療費の抑制と、高齢者の特性に合わせた医療サービスを提供する制度です。

後期高齢者医療制度の運営は、都道府県ごとにすべての市町村が加入する後期高齢者医療広域連合が行い、後期高齢者医療の事務を処理します。

後期高齢者医療制度の被保険者は、広域連合の区域内の住民で、75 歳以上の人（誕生日から適用）、また、65 歳以上 75 歳未満で寝たきりなどの一定の障害認定を受けた人です。後期高齢者医療制度加入後は、国民健康保険・被用者保険の被保険者ではなくなります。

後期高齢者医療における保険料は、高齢化等による医療費の増加を反映して、2 年に 1 度、引き上げられています。

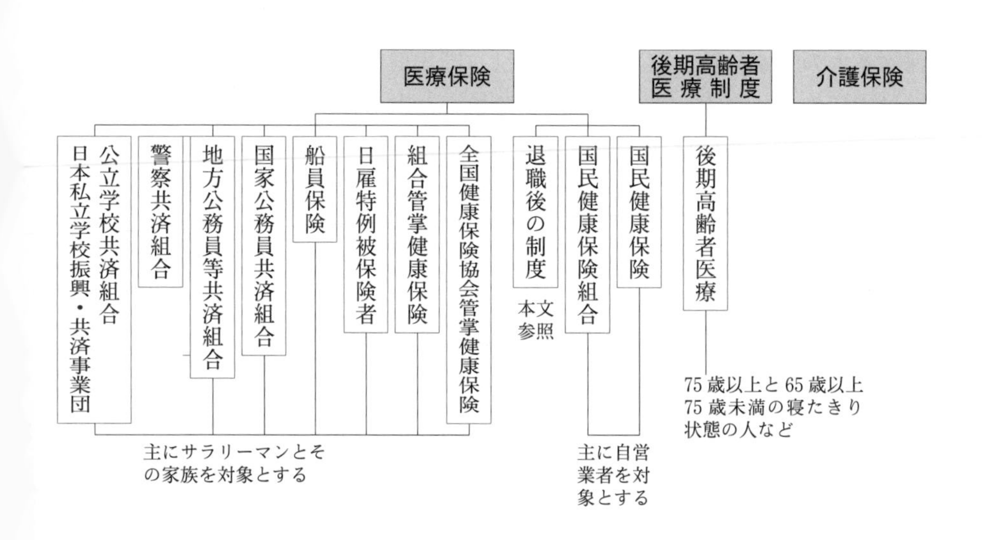

●給付割合と患者負担割合

年齢区分		給付割合	患者負担割合
小学校入学前		8割	2割
小学校入学以降～70歳未満		7割	3割
70歳以上75歳未満（高齢受給者）	一般所得者	8割	2割
	現役並み所得者	7割	3割
75歳以上（後期高齢者）	一般所得者	9割	1割、2割
	現役並み所得者※	7割	3割

＊小学校入学前…6歳の誕生日以降の最初の3月31日までが該当します。ただし、6歳の誕生日が4月1日の場合は、その前日の3月31日までとなります。
＊70歳以上…70歳の誕生日の翌月1日から対象となります。ただし、誕生日が月の初日の場合は、誕生日当日からとなります。
＊75歳以上…75歳の誕生日当日からとなります。
※　現役並み所得者は一定以上所得者ともいいます。
※　75歳以上等の一定以上の所得者の負担割合は2割となります。

●法定給付と付加給付

法定給付（ほうていきゅうふ）とは法律上、保険者が必ず行わなければならない給付で、社会保険本人の7割給付、家族の7割給付、国民健康保険の7割給付（最低保障給付率）をいいます。また、健康保険組合などでは、個々の保険組合の実情に応じて、法定給付に加えて現物、現金給付を行うことができ、これを付加（ふか）給付といいます。

●保険診療の範囲

基本診療料には初診料、再診料、入院料の3種類があり、外来・入院診療の際に算定します。これは医療という一連のサービスを初診、再診及び入院の際に行われる診療や入院サービスの費用のほかに、簡単な検査や処置、入院の場合の皮内、皮下及び筋肉内注射料などの、ふつう行われる基本的な診療行為の費用も含めて一括して算定するものです。

また特掲（とっけい）診療料は医学管理等、在宅医療、検査、画像診断、投薬、注射、リハビリテーション、精神科専門療法、処置、手術、麻酔、放射線治療、病理診断の13に分類されています。これは、基本診療として一括（ひとくく）りにできない、特殊な診療行為についての費用です。

●保険給付の対象とならないもの

医療保険は疾病、負傷という保険事故に対して保険給付をすることになっていますが、次のような場合には保険給付は行われません。保険給付の対象にならないものを「保険給付外」とよんで区別します。

▶疾病とはみなされない場合

保険上の疾病とは、社会通念上、医師が治療を必要と認める程度の疾病をいい、身体に違和（いわ）感がなく日常生活や労働に支障のないものは保険給付外となります。

▶保険の給付制限

給付制限には、懲罰（ちょうばつ）的な性格をもつ給付制限のほかに、保険給付を行うことが事実上困難であるために行われる給付制限と、ほかの制度で同様な給付が行われた場合の調整的な意味合いの給付制限とがあります。

■保険給付制限の例

●日常生活に支障のないもの
「いぼ」「あざ」「にきび」「わきが」など、とくに日常生活に支障のないものは保険の対象にはなりません。ただ、これらがいちじるしく他人に不快感をあたえたり、仕事にさしつかえる場合は保険給付の対象になります。

●美容を目的とするもの
「そばかす」をとって美しくなりたいとか、鼻を高くしたいなどは認められません。ただし、火傷（やけど）や怪我（けが）などの傷跡により、機能上に支障がある場合の整形手術は保険診療の対象になります。

●病気の予防を目的とするもの
家族に麻疹（はしか）の患者が発生して、未感染の家族への感染が予想される場合などの予防注射は例外的に認められますが、一般的に行う予防接種は自費です。

●健康診断
一般の健康診断は保険給付の対象外です。ただし、自分に違和感があって診療を受けたが、病気ではなかった場合の初診料は保険として認められます。

●正常な妊娠と分娩（ぶんべん）
病気ではないので保険扱いとはなりませんが、異常分娩や流産、妊娠中の妊娠中毒症や貧血などは保険給付の対象になります。
注：分娩費用は全額被保険者の負担ですが、保険者から別にうける分娩費でまかなうことになります。

●犯罪、故意による場合
故意の犯罪行為、故意に保険事故をおこした場合は、保険給付が全面的に制限されます。

●けんか、泥酔などによる場合
けんか、泥酔、その他いちじるしい不行跡（ふぎょうせき）によって保険事故をおこした場合は、その事由によって保険給付の全部または一部が制限されます。

●特殊な場合の給付制限
少年院、監獄、留置場などに入っている場合には、事実上保険給付を行うことが難しいため、死亡の給付を除いては保険給付は行われません。ただし被扶養者への保険給付は行われます。

●療養の指揮にしたがわない場合
療養の指揮にしたがわない場合は、正当な理由でない限り、傷病の治ゆを遅らせるものとして保険給付の一部が制限されます。

●不正行為への給付の制限
詐欺などの不正行為で保険給付を受けたり、受けようとした場合には、傷病手当金、出産手当金の全部または一部の支給を制限できます。
注：業務上、通勤による勤労者の疾病、負傷（労働者災害補償保険法が適用される）は医療保険の給付外です。

●高額療養費

保険診療による1か月の自己負担額が高額療養費算定基準額をこえた場合、こえた額を高額療養費として保険者から支給してもらえる制度を高額療養費制度といいます。

70歳未満は一旦窓口で負担額を支払い、後日保険者に申請します。ただし、保険者への事前申請で「限度額適用認定証」の交付を受け窓口で提示した場合は、自己負担の上限月額までの支払となります。

70歳以上は別規定があります。

※ 対象となる費用…保険診療・保険調剤の患者負担分が対象となります。保険外併用療養費の自費分の負担や入院時の食事負担は対象になりません。

<70歳未満の高額療養費>

⑴ 要件

同一患者、同一医療機関（院外処方により調剤された薬局での患者負担分を含む）、入院・外来別、医療・歯科別、1か月間（1日～月の末日）

⑵ 自己負担限度額

区分	対象者	自己負担限度額	多数該当
ア	年収約1,160万円～ 健保：標準報酬月額　83万円以上 国保：年間所得*901万円超	252,600円＋(医療費－842,000円)×1%	140,100円
イ	年収約770万～約1,160万円 健保：標準報酬月額53万～79万円 国保：年間所得600万～901万円	167,400円＋(医療費－558,000円)×1%	93,000円
ウ	年収約370万～約770万円 健保：標準報酬月額28万～50万円 国保：年間所得210万～600万円	80,100円＋(医療費－267,000円)×1%	44,400円
エ	～年収約370万円 健保：標準報酬月額26万円以下 国保：年間所得210万円以下	57,600円	44,400円
オ	住民税非課税	35,400円	24,600円

＊年間所得（イ～エについて同様）…前年の総所得金額などの合計から住民税の基礎控除（33万円）を除いた額をいいます。

＜70歳以上の高額療養費＞

⑴　要件

同一患者、1か月間（1日～月の末日）

⑵　自己負担限度額

<table>
<tr><th rowspan="2">区分</th><th rowspan="2">対象者</th><th colspan="2">自己負担限度額</th><th rowspan="2">多数該当</th></tr>
<tr><th>外来（個人単位）</th><th>外来・入院（世帯単位）</th></tr>
<tr><td rowspan="3">現役並み所得者</td><td>Ⅲ．年収約1,160万円～
健保：標準報酬月額83万円以上
国保・後期高齢者：課税所得690万円以上</td><td colspan="2">252,600円＋（医療費－842,000円）×1%</td><td>140,100円</td></tr>
<tr><td>Ⅱ．年収約770万～約1,160万円
健保：標準報酬月額53万～79万円
国保・後期高齢者：課税所得380万円以上</td><td colspan="2">167,400円＋（医療費－558,000円）×1%</td><td>93,000円</td></tr>
<tr><td>Ⅰ．年収約370万～約770万円
健保：標準報酬月額28万～50万円
国保・後期高齢者：課税所得145万円以上</td><td colspan="2">80,100円＋（医療費－267,000円）×1%</td><td>44,400円</td></tr>
<tr><td>一般所得者</td><td>年収約156万～約370万円
健保：標準報酬月額26万円以下
国保・後期高齢者：課税所得145万円未満</td><td>18,000円（年間上限：144,000円）</td><td>57,600円</td><td>44,400円</td></tr>
<tr><td>低所得者Ⅱ</td><td>住民税非課税</td><td>8,000円</td><td>24,600円</td><td>適用なし</td></tr>
<tr><td>低所得者Ⅰ</td><td>住民税非課税（所得が一定以下）</td><td>8,000円</td><td>15,000円</td><td>適用なし</td></tr>
</table>

●保険者番号の構成

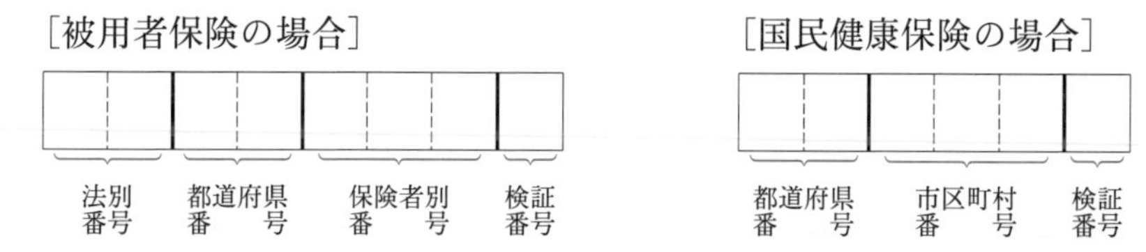

保険者番号は、法別番号2桁、都道府県番号2桁、保険者別番号3桁、検証番号1桁、計8桁の番号です。ただし、国民健康保険（退職者医療を除く）の保険者番号については、都道府県番号2桁、市区町村番号3桁、検証番号1桁、計6桁の番号です。

▶法別番号

最初の 2 桁の数字は保険の種類を示します。

種　　類	法別番号	制度の略称
全国健康保険協会管掌健康保険（協会けんぽ）（日雇特例被保険者の保険を除く）	0 1	㊋協会
船員保険	0 2	㊋船
日雇特例被保険者の保険―一般	0 3	㊐
日雇特例被保険者の保険―特別	0 4	日特または㊋特
組合管掌健康保険	0 6	㊋組
自衛官等	0 7	㊋自
国家公務員共済組合	3 1	㊋共
地方公務員共済組合	3 2	㊋共
警察共済組合	3 3	㊋共
公立学校共済組合 日本私立学校振興・共済事業団	3 4	㊋共
特定健康保険組合	6 3	特退
国家公務員特定共済組合	7 2	特退
地方公務員等特定共済組合	7 3	特退
警察特定共済組合	7 4	特退
公立学校特定共済組合 日本私立学校振興・共済事業団	7 5	特退
国民健康保険法による退職者医療	6 7	㊋退

▶都道府県番号

3 桁めと 4 桁めは保険者が所在している都道府県を示します。

都道府県名	コード	都道府県名	コード	都道府県名	コード	都道府県名	コード
北海道	0 1	東　京	1 3	滋　賀	2 5	香　川	3 7
青　森	0 2	神奈川	1 4	京　都	2 6	愛　媛	3 8
岩　手	0 3	新　潟	1 5	大　阪	2 7	高　知	3 9
宮　城	0 4	富　山	1 6	兵　庫	2 8	福　岡	4 0
秋　田	0 5	石　川	1 7	奈　良	2 9	佐　賀	4 1
山　形	0 6	福　井	1 8	和歌山	3 0	長　崎	4 2
福　島	0 7	山　梨	1 9	鳥　取	3 1	熊　本	4 3
茨　城	0 8	長　野	2 0	島　根	3 2	大　分	4 4
栃　木	0 9	岐　阜	2 1	岡　山	3 3	宮　崎	4 5
群　馬	1 0	静　岡	2 2	広　島	3 4	鹿児島	4 6
埼　玉	1 1	愛　知	2 3	山　口	3 5	沖　縄	4 7
千　葉	1 2	三　重	2 4	徳　島	3 6		

▶保険者別番号

5・6・7 桁めは、保険者別に各都道府県内での一連番号です。

▶検証番号

保険者番号に誤りがないかどうかをチェックする数字です。

練習問題 ･････････････････ ○ ×

□1　現物給付は、医療というサービスを直接被保険者（患者）に給付するもので、療養（りょうよう）の給付、家族療養費などが含まれる。

○1　設問のとおり。

□2　医療保険はすべて、業務外の理由による傷病を対象とする。

○2　設問のとおり。

□3　被用者保険の家族はすべて外来・入院ともに７割の給付である。

×3　義務教育就学前の乳幼児は入院・外来とも８割給付です。

□4　多くの加入者から保険料を徴収し、これを財源として、保険事業を運営する側を被保険者とよぶ。

×4　保険に加入すると、保険者と被保険者という関係が生じます。保険者とは保険をとりあつかう者のことで、保険事業の経営主体となり保険料を徴収して、保険給付を行う運営主体をいいます。

□5　保険によって保障される権利をもっている者のことを保険者という。

×5　保険料を納め、被保険者証を受けとり、その保険によって保障される側を、被保険者といいます。

□6　被用者保険の被保険者は、企業、官庁、学校などの職場で働く人々である。

○6　設問のとおり。

□7　健康保険被保険者の資格喪失（しかくそうしつ）は、退職した日が属する月の翌月１日からである。

×7　健康保険被保険者の資格喪失は、退職した日の翌日からです。ただし、その効力の発生は保険者の確認によって生じます。

□8　保険料は事業主と被保険者が2分の1ずつを負担すると定められているのは、被用者保険である。

○8　勤労者本人の報酬（標準報酬月額）で定められ、源泉徴収（給料から天引）されます。被扶養者は保険料の負担はありません。

□9　前年分の所得に対する一定の割合の額に、世帯員1人あたり均等に定められた額を合算したものが保険料となるのが、国民健康保険である。

○9　国民健康保険は世帯単位で加入するので、世帯の所得、世帯の加入員などを基準にして保険料を定めます。国保では世帯主、家族、大人、子どもなどの区別なく、家族全員が被保険者となります。

□10　被保険者に保険者が一定の保障をすることを、保険給付という。

○10　健康保険法による保険給付には「療養の給付」「入院時食事療養費」「療養費」「家族療養費」「高額療養費」「移送費」「傷病手当金」などがあります。

□11　被保険者が、被保険者証を医療機関の窓口受付に提示することによって、診療の一部の費用を支払うだけで診療を受けることができる。この場合が療養の給付とよばれている。

○11　療養に必要な行為または物を給付することを「療養の給付」とよんでいます。

□12　保険診療は、疾病、負傷、死亡、異常分娩に対して行われるもので、単なる疲労や倦怠は対象外である。

○12　設問のとおり。

□13　被扶養者が診療や食事の提供を受けた場合を療養費の支給という。

×13　療養の給付は被保険者に対して行われるものです。被扶養者に対して行われた場合は家族療養費になります。

□14　50歳をこえたので、近くの病院で健康診断を保険給付で受けた。

×14　一般的な健康診断には保険給付が認められません。

□15　会社で勤務中に足にけがをしたので、保険証を提示した。

×15　勤務中のけがは、労災保険のあつかいになります。

□16　療養のために仕事を休み、給料が支給されない場合の所得を、一定期間に限って保障するものを傷病手当金（しょうびょうてあてきん）という。

○16　傷病手当金は、病気休業中の被保険者と家族の生活を保障する制度で、病気やけがのために会社を休み、事業主から十分な報酬が受けられない場合に支給されます。

□17　傷病手当金と出産手当金は、健康保険法でも国民健康保険法でも任意給付とされている。

×17　健康保険法では法定給付とされています。

□18　評価療養または選定療養を受けた場合、一般の療養と共通する基礎的部分は保険外併用療養費として現物給付される。

○18　患者は基礎的部分の一部負担金と、先進的な医療技術や特別なサービスにかかる費用を負担します。

□19　健康保険の任意継続被保険者が後期高齢者医療の被保険者に該当するに至ったときは、その翌

×19　後期高齢者医療の被保険者となったときについては、その日から資格を喪失します。

日から資格を喪失する。

□**20**　保険外併用療養費の差額部分や入院時食事療養費も、高額療養費の支給対象となる。

×**20**　重い病気で長期入院したときなど、医療費が高額になったとき、一定の金額（自己負担限度額）をこえた部分について払い戻されるのが高額療養費制度ですが、保険外併用療養費の差額部分や入院時食事療養費は対象外です。

□**21**　同一医療機関であれば、医科と歯科両方の診療について高額療養費の対象となる。

×**21**　医科と歯科は別にみた診療でなければなりません。医科と歯科は合算できません。

□**22**　医療保険の給付には、病気やけがをしたときに治療を受ける療養の給付と、病気やけがで職場を休んだ場合の生活補償にあたる傷病手当金や、出産手当金、埋葬料など、種々の手当についての現金給付がある。

○**22**　設問のとおり。このほかに家族移送費、家族出産育児一時金、家族埋葬料などもあります。

□**23**　傷病手当金は、被保険者が療養のため労務に服することができず、事業所から十分な報酬をえられない場合に、標準報酬日額の3分の2相当額が支給される。

○**23**　最初の3日を除き（「待期」といいます）、4日目から1年6か月を限度として支給されます。

□**24**　出産育児一時金は、被保険者が妊娠4か月以上（85日以上）の出産についてのみ支給される。

○**24**　家族の場合は家族出産育児一時金が支給されます。なお、死産や流産の場合でも支給されます。

□25　双生児を出産したときの出産育児一時金は、2人分支給される。

○25　多生児を出産したときは胎児の数だけ支給されます。

□26　被保険者が出産のために会社を休んだときは、いつでも出産手当金が支給される。

×26　被保険者が出産のために会社を休み、事業主から報酬が受けられないときに支給されます。

□27　埋葬（まいそう）料は、被保険者死亡のとき、埋葬を行った家族に対して、故人の標準報酬月額の多少にかかわらず1か月分が支給される。

×27　埋葬料は、一律に5万円が支給されます。

□28　移送費は、療養のために緊急移送を必要とし、寝台自動車等を使用したとき、その実費が支給される。

○28　設問のとおり。ただし保険者の承認が必要です。

□29　医療保険の現金給付を受けるために、医師の証明書、意見書の交付を求められたときは、無償で交付しなければならないが、傷病手当金意見書は該当しない。

○29　傷病手当金意見書交付料として保険給付の対象になります。また出産育児一時金、出産手当金にかかわる証明書は患者の実費負担になります。

□30　健康保険法による被保険者の資格取得は、事業所に使用されるようになった日からである。

○30　設問のとおり。

□31　健康保険の被保険者資格を喪失（そうしつ）した者がいるときは、事業主は10日以内に、保険者に届けな

×31　事業主は5日以内に保険者（地方厚生（支）局、または健康保険組合）に届けなければならな

けれればならない。

いと規定されています。

□32　保険者の行う主な業務は、保険料の徴収、被保険者証の交付、保険給付である。

○32　設問のとおり。

□33　健康保険法によって、被保険者が療養の給付に要する費用の一部を、保険医療機関に支払う負担金を一部負担金という。

○33　設問のとおり。

□34　被用者保険には、全国健康保険協会管掌健康保険、組合管掌健康保険、共済組合などがある。

○34　そのほかにも船員保険等の保険があります。

□35　国民健康保険とは、市町村や特別区などの地方自治体が、独立して保険者となっているものだけをいい、その地域の住民が被保険者となる。

×35　そのほかに、同種同業の事業者やその従業員を包括して、国民健康保険組合（国保組合）を設立することが認められています。

□36　給付率とは、被保険者や被扶養者の医療に要した費用のうち、保険者が負担する割合をいう。

○36　設問のとおり。

□37　国民健康保険の保険者番号は、すべて6桁で構成されている。

×37　国民健康保険の「退職者医療」は、法別番号「67」を用いるため8桁で構成されています。

□38　保険診療の範囲には、美容を目的とするもの、病気の予防を

×38　原則として保険診療の範囲には入りません。ただし、火傷や

目的とするもの、正常な妊娠・分娩も含まれる。

傷がひきつれて、運動機能にさしさわりがある場合の整形手術や、ジフテリア患者などが出て、その家庭内の未感染者に感染が避けられない場合の血清注射、ワクチン注射などは、保険診療としてあつかうことができます。

□**39**　医療機関が診療報酬の支払いを請求する先は、被用者保険分は支払基金に、国民健康保険分は国保連合会にそれぞれ行う。

○**39**　正式には、支払基金は社会保険診療報酬支払基金、国保連合会は国民健康保険団体連合会といいます。

□**40**　支払基金、国保連合会とも、基本的な機能や役割はほとんど同じで、医療機関の事務量の繁雑(はんざつ)さを軽減(けいげん)するための第三者の設置でしかない。

×**40**　支払基金や国保連合会には、診療報酬明細書（レセプト）の内容を審査するという重要な役割もあります。

□**41**　医療機関で使用される点数表は、医科の点数表のみである。

×**41**　歯科のみで使用する歯科の点数表もあります。

□**42**　後期高齢者医療制度による医療を受ける場合は、窓口へ健康手帳を提示すればよい。

×**42**　医療機関の窓口へは、後期高齢者医療被保険者証を提示します。

□**43**　同居している妻の母（別姓）は、健康保険の被扶養者にはなれない。

×**43**　被扶養者の範囲は健康保険法第３条第７項に掲げられています。

❶　被保険者の直系尊属、配偶者、子、孫及び弟妹であって、主としてその

被保険者により生計を維持するもの。

❷　被保険者の三親等内の親族で前号に掲げる者以外のものであって、その被保険者と同一の世帯に属し、主としてその被保険者により生計を維持するもの。

❸・❹略。

❷により妻の母は被扶養者になれます。（後期高齢者の場合を除く）

□**44**　保険医療機関または保険薬局において算定する療養に要する費用は、別に厚生労働大臣が定める場合を除き、介護保険法第7条に規定する要介護被保険者については算定しないものとする。

×**44**　入所者の病状により、介護保険施設では必要な医療を提供することが困難な場合は受診できます。点数算定に制限はありますが算定可能です。

□**45**　後期高齢者医療制度の対象者は75歳以上の者のみである。

×**45**　75歳以上の人もしくは、65歳以上75歳未満で、寝たきりなどの一定の障害認定を受けた人が対象です。

□**46**　健康保険の保険料は、被保険者の所得に応じて定められる。

○**46**　設問のとおり。

□**47**　国民健康保険の保険料を1年間滞納した世帯は、被保険者証の返還が求められ「被保険者資格証明書」が交付される。

○**47**　設問のとおり。この証明書のある患者はいったん窓口で医療費の10割を支払った上で、後日保険者に、支払った額のうち一部負担金を除いた額を「特別療養費」として支給申請します。

□48　出産育児一時金（または家族出産育児一時金）は、被保険者または配偶者である被扶養者の出産について支給される。

×48　配偶者以外の被扶養者の出産についても支給されます。

□49　高額長期疾病患者の対象となる疾患は、慢性腎不全と血友病の2種類である。

×49　慢性腎不全、後天性免疫不全症候群（HIV感染を含む）、血友病の3種類です。

□50　一部負担金という言葉は、被保険者本人についてのみ使用され、被扶養者についての自己負担分は、家族療養費とよばれている。

○50　設問のとおり。

公費負担医療制度

公費負担医療制度とは、社会福祉、公衆衛生の向上発展のための施策で、国や地方自治体が、一般財源を基礎に医療に関する給付を行う制度をいいます。

医療保険制度が、被保険者が保険料を拠出することによって成立している社会的な相互扶助制度であるのに対し、公費負担医療制度による給付は、医療費を地方自治体の税金などの財源によって負担する扶助救済制度です。

公費負担医療制度は、医療費の全部または一部を、特定の疾病を対象として負担する制度と、社会福祉制度として、医療費の自己負担分を公費で負担して、経済的弱者を救済する制度に大別されます。

●公費負担医療制度の概要

公費負担医療の種類		法別番号
感染症の予防及び感染症の患者に対する医療に関する法律	結核患者の適正医療（第 37 条の 2）	10
	結核患者の入院（第 37 条）	11
	一類感染症等の患者の入院（第 37 条）	28
	新感染症の患者の入院（第 37 条）	29
生活保護法による医療扶助（第 15 条）		12
戦傷病者特別援護法	療養の給付（第 10 条）	13
	更生医療（第 20 条）	14
児童福祉法	療育の給付（第 20 条）	17
	小児慢性特定疾病医療支援（第 19 条の 2）	52
	肢体不自由児通所医療及び障害児入所医療（第 21 条の 5 の 29・第 24 条の 20）	79

原爆被爆者援護法 { 認定疾病医療（第 10 条） 一般疾病医療費（第 18 条）	18 19
精神保健及び精神障害者福祉に関する法律による措置入院（第 29 条）	20
麻薬及び向精神薬取締法による入院措置（第 58 条の 8）	22
母子保健法による養育医療（第 20 条）	23
障害者総合支援法 { 精神通院医療（第 5 条） 更生医療（第 5 条） 育成医療（第 5 条） 療養介護医療及び基準該当療養介護医療（第 70・71 条）	21 15 16 24
石綿による健康被害の救済に関する法律による医療費の支給（第 4 条）	66
特定疾患治療費、先天性血液凝固因子障害等治療費、水俣病総合対策費の国庫補助による療養費及び研究治療費、有機ヒ素化合物による環境汚染及び健康被害に係る緊急措置事業要綱による医療費及びメチル水銀の健康影響による治療研究費	51
心神喪失等の状態で重大な他害行為を行った者の医療及び観察等に関する法律による医療の実施に係る医療の給付（第 81 条）	30
肝炎治療特別促進事業に係る医療の給付及び肝がん・重度肝硬変治療研究促進事業による高度該当肝がん・重度肝硬変入院関係医療に係る医療費の支給	38
児童福祉法の措置等に係る医療の給付	53
特定Ｂ型肝炎ウイルス感染症給付費等の支給に関する特別措置法による定期検査費及び母子感染症防止医療費の支給（第 12 条第 1 項・第 13 条第 1 項）	62
中国残留邦人等の円滑な帰国の促進及び永住帰国後の自立の支援に関する法律第 14 条第 4 項に規定する医療支援給付（同法の一部を改正する法律附則第 4 条第 2 項において準用する場合を含む）	25

●公費負担医療制度のしくみ

この公費負担の医療費は、すべて健康保険の例に準（じゅん）じて算定するとともに、健康保険の請求要領に準じて請求するしくみになっています。ただし、請求先が、保険者ではなく制度の実施機関への請求となるわけです。また、これらに係る医療を担当するには、医療機関はそれぞれについて指定を受けることが必要です。（すべての公費負担医療をとりあつかう医療機関はほとんどありません。）

▶公費負担医療の形態

公費負担といっても全額が公費になるとは限らず、次のような形があります。

❶　公費負担医療が優先し、その負担額が医療保険給付に満たない場合に、残りの分について医療保険で給付されるもの…「感染症の予防及び感染症の患者に対する医療に関する法律による結核患者の適正医療」などの公衆衛生的な医療。

❷　医療保険給付が優先し、医療保険給付のうち自己負担分が公費負担されるもの…「生活保護法」「障害者総合支援法による更生医療」などの社会福祉的医療など。

❸　全額が公費負担となるもの…「原子爆弾被爆者医療に対する援護による認定疾病」「戦傷病者特別援護法による療養の給付」など国家補償的な性格を有する医療。

▶〈公費負担者番号〉と〈受給者番号〉

公費負担医療制度にも、医療保険の保険者番号のように公費負担者番号・受給者番号が定められています。

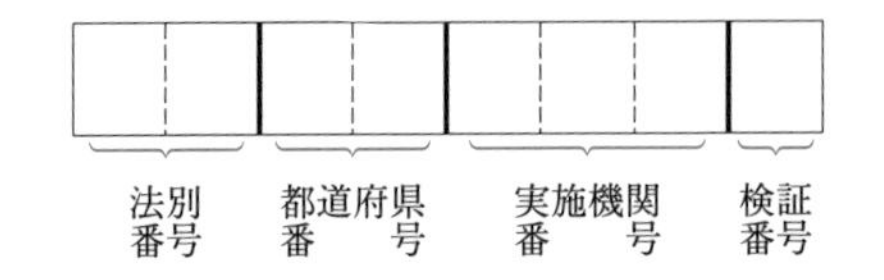

・「法別番号」は、公費負担医療制度のいわば種類別番号になります。
・「都道府県番号」は、医療保険制度で説明したものと同じです。
・「実施機関番号」は、各公費負担医療ごとに保健所とか福祉事務所または担当主管庁ごとに定められた番号です。

▶公費負担医療の請求について

医療費の算定は、医療保険の場合と同様で、診療報酬明細書用紙も同じ用紙を使います。保険の種別と番号・略称が次表のように対応していますので、該当する番号を○で囲みます。

公費負担医療（公費単独）…………	2	公費
後期高齢者医療………………………	3	後期
退職者医療……………………………	4	退職
1種の公費負担医療との併用………	2	2併
2種以上の公費負担医療との併用…	3	3併

注：公費負担医療には、地方自治体が実施の医療助成制度も含まれます。

たとえば特定疾患治療研究事業と生活保護法の2種類の公費の併用（へいよう）の場合は「2種以上の公費負担医療との併用」に該当しますので、3の3併を○で囲みます。

診療報酬明細書の提出先については、社保と公費、公費と公費の併用診療報酬明細書と公費単独の診療報酬明細書は支払基金へ、国保と公費の併用診療報酬明細書は国保連合会へそれぞれ提出します。

支払基金、国保連合会等で審査した診療報酬明細書は保険者へ、公費負担分については公費負担医療の実施機関（生活保護なら福祉事務所）へ、連盟簿という請求された公費分の一覧表が送付されます。

練習問題 ○ ×

□1 戦傷病者特別援護法の更生医療の法別番号は「14」である。

○1 戦傷病者特別援護法は 2 つにわかれています。療養の給付は「13」、更生医療は「14」です。

□2 戦傷病者特別援護法の対象者の一部負担金において、公費対象医療の 95%は戦傷病者特別援護法が負担し、残りの 5%が自己負担となる。

×2 全額公費となります。

□3 「生活保護法」「障害者総合支援法」は公費負担医療が優先する。

×3 公費負担といっても全額が公費になるとは限らず、医療保険が優先するもの、公費負担医療が優先するもの、全額公費負担になるものの 3 つにわかれます。生活保護法、障害者総合支援法などは医療保険が優先します。

□4 生活保護における医療扶助を受ける者は、住所地を管轄する保健所長に対して保護申請を行う。

×4 生活保護の申請は、各地区の民生委員を通じて、福祉事務所に申請します。

□5 特定疾患治療研究事業の特定疾患とは、厚生労働大臣が定める特定疾患である。

×5 この事業の特定疾患とは、原因不明で治療方法が確立していない、いわゆる難病のうちから、治療がきわめて困難で医療費も高額なものをいいます。

□6 特定疾患治療研究事業の対象

○6 設問のとおり。

者は、B001「7」難病外来指導管理料を算定できる。

□7　麻薬及び向精神薬取締法の入院措置の費用は、都道府県及び国が負担することになっている。

○7　ただし、負担能力に応じて自己負担のある場合もあります。

□8　生活保護の被保護者は、75歳になったとしても、後期高齢者医療制度の対象からは除かれる。

○8　設問のとおり。

□9　精神保健及び精神障害者福祉に関する法律第5条に定義される「精神障害者」とは、統合失調症、覚醒剤などの精神作用物質による急性中毒またはその依存症、知的障害その他の精神疾患を有する者をいう。

○9　設問のとおり。不安神経症、ヒステリー、神経衰弱（すいじゃく）といったものは含まれず、公費負担とはなりません。

□10　精神保健及び精神障害者福祉に関する法律と生活保護法の併用の場合、一部負担金は公費対象医療の95％を精神保健及び精神障害者福祉に関する法律が負担し、残りの5％は生活保護法が負担する。

○10　設問のとおり。

□11　精神保健及び精神障害者福祉に関する法律において、措置入院、通院医療とも指定病院のみがとりあつかうことができる。

×11　通院医療は一般保険医療機関も担当できます。

□12　精神保健及び精神障害者福祉に関する法律において、患者の自己負担は全額公費とする。

×12　医療費の5％相当分を負担し、残りは公費負担となります。

□13　原子爆弾被爆者に対する援護に関する法律に規定される医療の給付を受ける者は、厚生労働大臣の認定を受けなければならない。

○13　設問のとおり。

□14　小児慢性特定疾患治療研究事業において、18歳未満の血友病の患者の一部負担金は生じない。

○14　重症認定患者、血友病患者、生活保護患者、住民税非課税患者以外は所得に応じて一部負担金が生じます。

□15　障害者総合支援法の更生医療は、障害者手帳の交付を受けた18歳以上の者に対して、必要な医療の給付が行われる。

○15　設問のとおり。18歳以上の障害者手帳の交付を受けた者が対象です。

□16　障害者総合支援法の更生医療給付申請書等は、居住地の保健所へ申請する。

×16　更生医療給付申請書等は居住地を管轄する市町村へ申請します。

□17　生活保護法には、医療扶助のほか生活扶助、住宅扶助、介護扶助、教育扶助、出産扶助、生業扶助、葬祭扶助がある。

○17　生活扶助は日常生活に必要な費用を支給します。住宅扶助は家賃・補修費等の経費を支給、介護扶助は、介護にあたっての必要な費用を支給、教育扶助は義務教育に必要な経費を支給、出産扶助は出産のために必要な経費を支給、生業扶助は生業に必要な資金・技能修得に必要な経費を支給、葬祭扶助は葬祭の経費を支給するものです。

□18　生活保護の申請は、要保護者が急迫した状況にあるときも、保護の申請にもとづいて開始するものとする。

×18　要保護者が急迫した状況にあるときは、保護の申請がなくても必要な保護を行うことができます。

□19　医療扶助の申請を受けた福祉事務所は、都道府県知事と適否を協議し、都道府県知事は、医療扶助審議会に適否について意見を聞く。

○19　設問のとおり。

□20　国民健康保険の該当者が生活保護の被保護者となる場合は、国民健康保険の一部負担金と入院時食事療養の標準負担額が生活保護で給付される。

×20　国民健康保険の該当者が生活保護の被保護者となる場合、即日国民健康保険の資格を失います。

□21　生活保護法は「健康で文化的な最低限度の生活を営（いとな）む権利」をすべての人々に保障することで、いま生活に困っている者はあらゆる疾病に対し、通院、入院を問わず公費で医療を受けることができると定めている。

○21　医療扶助については、全額あるいは一部を公費で医療を受けることができます。

□22　児童福祉法に定める児童とは満20歳未満の者をいう。

×22　満18歳に満たない者をいいます。

□23　児童福祉法の療育の給付の場合は、公費負担優先で、公費負担されない部分に保険を利用する。

×23　医療保険優先なので、自己負担分が公費となります。

□24　特定疾患治療研究事業の外来患者は、所得に応じた限度額がある。

○24　設問のとおり。ただし病名や重症の程度によっては、患者負担の全部が公費負担となります。

□25　「コレラ」は感染症の三類に含まれる。

○25　設問のとおり。

□26　病院の管理者は、結核患者が入院または退院したときは、ただちに厚生労働省令で定める事項を最寄りの保健所長に届け出なければならない。

×26　管理者は7日以内に届け出を行います。

□27　コレラ、黄熱、狂犬病、ウイルス性肝炎、麻しん等の三類、四類、五類感染症は全額公費だが、所得によって一部負担金が発生する。

×27　三類、四類、五類感染症は公費負担の対象とはならず、通常の医療保険で請求し、外来・入院とも医療費の一部負担金を支払います。

□28　76歳で生活保護を受けている患者は、75歳をこえているので後期高齢者医療が適用される。

×28　生活保護法による患者は、後期高齢者医療は適用されません。

保険医療機関

医療機関が健康保険法による保険診療を行うには、開設者が厚生労働大臣に申請し「保険医療機関」の指定を受けなければなりません。また保険医療機関で保険診療に従事する医師も、厚生労働大臣に申請して「保険医」の登録を受けなければなりません。保険医の処方箋(しょほうせん)によって調剤を行う保険薬局や保険薬剤師も、同じ手続きをとることになっています。

このように医療機関指定方式と医師個人を登録するという二重の方式がとられ、治療費の請求等の事務的、経済的主体としての責任を保険医療機関がにない、医療についての責任は保険医がもつというように、保険診療の責任の分担を明らかにして、保険診療の円滑(えんかつ)な運営がはかられています。

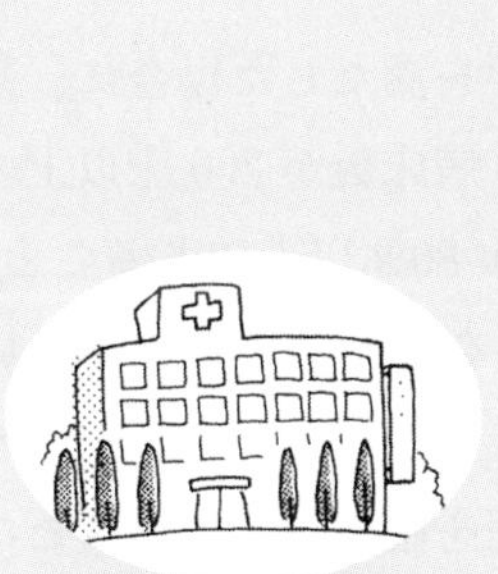

●保険医療機関の指定

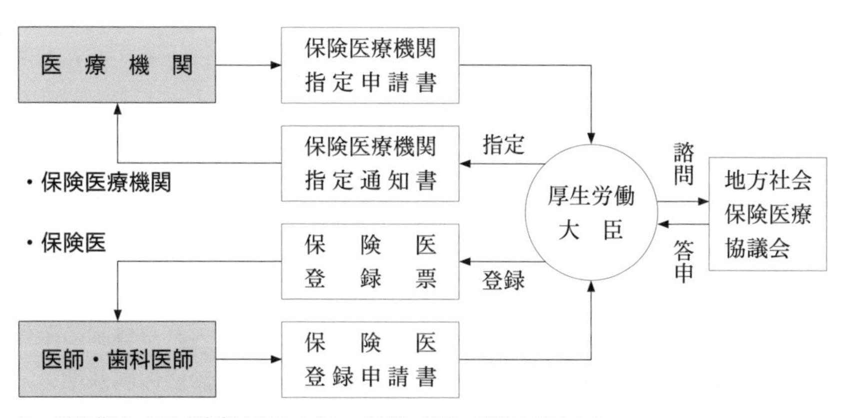

注：保険薬局、保険薬剤師も同じように、承認・指定・登録を受けます。

▶特定機能病院

特定機能病院は、高度の医療を提供するとともに、高度医療の開発と医療研修を行う医療機関です。

特定機能病院は、医療法によって厚生労働大臣の承認する病院で、ベッド数400床以上、原則定められた16の診療科を標榜(ひょうぼう)していること、ほかの病院や診療所からの患者紹介率が50%以上などが指定の条件です。全国の大学病院の本院や、国立がん研究センター中央病院と国立循環器病研究センターなどの特定機能病院の承認医療機関が、現在指定されています。

▶療養病棟

長期入院療養にふさわしい人員配置、構造設備等の療養環境を有する病床を療養病床といい、療養病床から成る病棟を「療養病棟」といいます。

▶地域医療支援病院

地域医療の確保のために必要な支援に関する要件を満たした場合に、都道府県の承認をえて開設できます。承認の条件は、病床数が200床以上の病院であること、他の医療機関からの患者紹介率が80%以上であること、あるいは紹介率65%を上回り、かつ逆紹介率40%を上回ること、あるいは紹介率が50%を上回り、かつ逆紹介率が70%を上回ること、病院の建物、医療機器などを地域の医師等が利用できる体制を確保していることなどです。

▶開放型病院

病院の施設・設備を地域の医師に開放した病床。開放型病院に入院した患者をかかりつけ医が訪問し、病院の医師と共同して治療を行います。患者は退院後、引き続きかかりつけ医のもとで治療を受けます。かかりつけ医と病院の医師が情報を共有することにより、患者は入院中から退院後まで一貫した治療を診療所と病院で受けることができます。

▶在宅療養支援診療所

在宅患者からの連絡を24時間体制で受けることができ、いつでも往診・訪問看護を提供できる診療所。他の医療機関との連携による24時間往診が可能な体制の確保、在宅療養患者の緊急入院を受け入れる体制の確保などの要件が求められています。また、さらに充実した診療体制基準の「機能強化型在宅療養支援診療所」も設定されています。

▶在宅療養支援病院

許可病床200床未満の病院または半径4km以内に診療所が存在しない病院で、24時間の往診・訪問看護が可能な体制等の要件を満たしている病院です。在宅療養支援診療所と同様「機能強化型」も設定されています。

●保険外併用療養費制度

この制度は、高度先進医療や承認前の治験中の薬など、保険給付の対象とするかの評価が必要な「評価療養」と、新たに新設された、国内未承認医薬品等の使用や国内承認済みの医薬品等の適応外使用等を迅速に保険外併用療養として使用できる「患者申出療養」と、特別な病室の提供や予約診療など、患者が特別に選ぶ保険適用外の療養である「選定療養」に分かれます。

●混合診療

一連の医療行為において、保険給付の対象となる医療行為（保険診療）とそれ以外の医療行為（保険外診療＝自由診療）を併用することを混合診療という。日本では混合診療が禁止されており、これを行った場合の費用は自由診療払い（全額患者負担）となります。

●禁止の理由

○　支払能力の格差が医療内容の格差をもたらす。

○　安全性が確立されていない医療行為が横行する。

○　全国民に必要十分な医療を提供する国民皆保険を危うくする。

○　医療資源の配分効率を低下させる。

▶評価療養の種類

○先進医療　○医薬品、医療機器、再生医療等製品の治験に係る診療

○医薬品、医療機器等の品質、有効性及び安全性の確保等に関する法律（医薬品医療機器等法）承認後で保険収載前の医薬品、医療機器、再生医療等製品の使用　○薬価基準収載医薬品の適応外使用（用法・用量・効能・効果の一部変更の承認申請がなされたもの）　○保険適用医療機器、再生医療等製品の適応外使用（使用目的・効能・効果等の一部変更の承認申請がなされたもの）

▶患者申出療養の種類

○先進的な医療を迅速に受けられるよう、審査期間の抜本的な短縮をする。

［前例がある医療］→原則2週間（現行の評価療養は1月程度）

［前例がない医療］→原則6週間（現行の評価療養は6月程度）

○先進的な医療を、地方でも身近な医療機関で受けられる。

⇒抗がん剤の適応外使用の場合、がん診療連携拠点病院（全国400か所程度）等、各都道府県で5～6か所程度の医療機関で受けられることをめざす。

▶選定療養の種類

○特別の療養環境（差額ベッド）　○歯科の金合金等　○金属床総義歯　○予約診療　○時間外診療　○大病院の初診　○大病院の再診　○小児う蝕の指導管理　○180日以上の入院　○制限回数を超える医療行為　○水晶体再建に使用する多焦点眼内レンズ

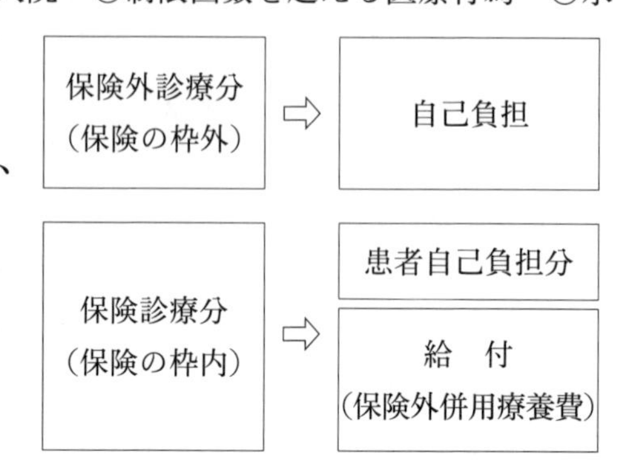

療養全体にかかる費用のうち、先進的な医療技術や特別なサービスにかかる費用は患者が自費で負担します。なお、一般の療養と共通する基礎的部分（診察・検査・投薬・入院料など）は保険が適用され、患者は自己負担分を支払い、その残りは保険外併用療養費（被扶養者は「家族療養費」）として現物給付されます。

つまり被保険者が支払う額は、基礎的部分の自己負担と評価療養・選定療養にかかる費用の合計額になります。

▶長期収載品の選定療養（2024年10月から）

該当品目について、患者が長期収載品を希望した場合、長期収載品の薬価と後発品最高価格との差額の4分の1が保険給付の対象外となり、選定療養の対象となります。なお、保険給付の対象外となった部分には、消費税分を加えて請求します。

練習問題 ○ ×

□1　診療科名の標榜は、それぞれの医療機関で自由に決めることができる。

×1　標榜（広告）できる診療科名は政令によって定めるとしており、医療法施行令によって標榜診療科目が明示されていて、自由に表示することはできません。

□2　特定機能病院は、病院からの申請にもとづいて、社会保障審議会の意見を聞き、厚生労働大臣が個別に承認するものである。

○2　設問のとおり。全国の大学病院本院、国立がん研究センター中央病院、国立循環器病研究センターなどが指定されています。

□3　長期にわたって療養を必要とする患者を収容（しゅうよう）する一群の一般病床であり、長期療養患者にふさわしい療養環境を有する病床群を療養病棟という。

○3　設問のとおり。人的、物的両面に重点をおく病院です。

□4　療養病床は、病院の申請にもとづいて厚生労働大臣が許可する。

×4　療養病床は、原則として病棟単位に、個別に都道府県知事が許可します。

□5　都道府県知事は、地域医療支援病院の承認をするにあたっては、あらかじめ都道府県医療審議会の意見を聞かなければならない。

○5　設問のとおり。

□6　看護体制で、病棟で看護を行うのは看護師及び准（じゅん）看護師である。

×6　看護を行うのは、看護師、准看護師、看護補助者です。

□7　救急病院とは、都道府県知事から指定を受けた病院である。

×7　救急患者の受入れを行う病院として、開設者から都道府県知事に申し出のあった施設のうち、必要と認定され、効力を有する期限を告示する病院をいいます。指定を受けたというわけではありません。

□8　保険医療機関の保険医は、厚生労働大臣が認めている療法以外の特殊な療法や新しい療法を、患者に最も適した療法であると判断した場合は行ってもよい。

×8　保険医は、厚生労働大臣が定める療法のほかは行ってはなりません。ただし、評価療養として認められているものは、この限りではありません。

□9　保険医療機関は、患者から療養の給付を受けることを求められた場合には、その患者の提出する被保険者証によって、療養の給付を受ける資格があることを確かめなければならない。

○9　ただし、緊急やむをえない事由によって被保険者証を提出することができない患者で、療養の給付を受ける資格が明らかなときは、この限りではありません。

□10　保険医療機関は、入院患者に食事療養を行うにあたり、各病棟において量・質ともに不平等のないように提供しなければならない。

×10　入院患者の病状に応じて、適切に行わなければなりません。また、食事の内容の向上にも努めなければなりません。

□11　厚生労働大臣の認める高度な医療を提供して、その高額な医療費と保険による診療報酬との差額の支払を、患者から受けようと

○11　保険外併用療養は、その種類と内容に応じて厚生労働大臣が定める基準にしたがわなければなりません。また、あらかじめ患者

することを、保険外併用療養という。

に対して、その療養の内容と費用について説明し、その同意をえなければなりません。

□12　保険医療機関は、患者から療養費支給申請その他の保険給付を受けるのに必要とする意見書、証明書等の交付を求められたときは、すべて無償で交付しなければならない。

×12　有料にできるものもあります。被保険者が傷病手当金を請求するための保険医の意見書は、保険の診療報酬となる傷病手当金意見書交付料の1割相当額の支払を受けます。また、被保険者が出産手当金を請求するための意見書や、出産育児一時金を請求するための証明書は、任意（にんい）の金額で有料にすることができます。

□13　保険医療機関は、療養の給付の担当に関する帳簿及び書類その他の記録を、その完結の日から3年間保存しなければならない。ただし、患者の診療録にあっては、その完結の日から5年間とする。

○13　診療録（カルテ）完結の日から5年間、その他の記録は完結日から3年間とします。「その他の記録」とはエックス線、ＣＴなどの写真、心電図、脳波図、筋電図、そのほか機械が描写（びょうしゃ）した図をいいます。

□14　保険医療機関は、いかなる場合も医療法にもとづいて許されている病床数の範囲内で、患者を収容しなければならない。

×14　災害などで緊急に患者を収容する必要が生じた場合は、臨時に無許可の病床をもうけて収容することはさしつかえありません。

□15　地域医療支援病院の承認要件の1つは、他の医療機関からの紹介患者に診療を行い、その紹介

×15　紹介率については、①紹介率が80%以上であること。②紹介率が65%を上回り、かつ逆紹

率が60%以上であることである。

介率が40%を上回っていること。③紹介率が50%を上回り、かつ逆紹介率が70%を上回っていること、とされます。

□**16**　保険医療機関は、被保険者証の提示がないなどの理由で自費あつかいにする場合は、受付時に規則を説明して、自費となることを告げておく必要があり、それを告げなかったときは無償で医療を提供しなければならない。

○**16**　被保険者証の提示がない場合は、医療費の全額を患者が自費で支払うことになっていますが、交通事故での負傷など、緊急を要する場合に、資格が明らかなときはこの限りではありません。

□**17**　医療法による病院や診療所の資格または医薬品、医療機器等の品質、有効性及び安全性の確保等に関する法律による薬局の資格を有するのみで、医療保険給付の対象として行うことができる。

×**17**　健康保険法による保険給付を行うためには、さらに健康保険法に規定する資格をも有することが必要であり、保険医療機関の指定と保険医の登録が必要です。

□**18**　保険医療機関の指定は、その指定の日から起算して6年を経過したときに、その効力を失う。

○**18**　設問のとおり。期限日前に再度指定を受けなければなりません。ただし、一定の要件を満たす医療機関は自動的に更新されます。

□**19**　保険医の指定を受けると、指定記号、番号、コードの通知を受けるが、これは診療報酬明細書の請求には使用されない。

×**19**　保険医の記号、番号、コードなどは診療報酬の請求事務にも使用され、明細書に記入のない場合は返戻になります。

□**20**　指定を受けた日から更新の

○**20**　指定効力を失う前6か月か

申請まで、ひきつづき開設者のみが診療に従事しているものは自動的に更新される。

ら3か月の間に、更新の意思のない旨の申出をしない限り、自動的に更新されます。

□**21**　特定機能病院の承認要件の1つとして、病床数が300床以上であることがあげられる。

×**21**　病床（ベッド）数は400以上であることが要件の1つです。

□**22**　特定機能病院は、栄養士が最低1名必要である。

×**22**　特定機能病院は最低1名の管理栄養士が必要です。

□**23**　病院が保険医療機関の資格を得るためには、都道府県知事から指定を受けなければならない。

×**23**　厚生労働大臣の指定を受けます。

□**24**　保険診療を受けた際の一部負担金は、医療機関が自由に減免（げんめん）してはならない。

○**24**　保険医療機関は、患者から所定の一部負担金の支払を受けることとされています。

□**25**　診療報酬の患者一部負担金の支払を受ける際に、一部負担金の額に10円未満の端数（はすう）がある場合は、その端数を4捨5入して得た金額で請求する。

○**25**　設問のとおり。

□**26**　医療法に定める医師及び歯科医師の人員標準をいちじるしく下回る保険医療機関は、入院基本料が減額される。

○**26**　設問のとおり。

療養担当規則

この制度は保険診療において適正な診療を確保するために設けられた制度です。指定、登録を受けた保険医療機関や保険医の、守るべきいろいろな約束ごとや、したがうべき責務(せきむ)を定めたものが、療養担当規則です。

その内容として、保険医療機関に関しては、受給資格の確認、一部負担金の受領、診療録の記載と整備などの義務づけであり、また保険医に関しては、診療方針として特殊療法の禁止、投薬(とうやく)・入院の指示などの具体的な方針などです。

●保険医療機関及び保険医療養担当規則（療養担当規則）の概要

▶（第１条より）療養の給付の担当の範囲

❶ 診察。

❷ 薬剤または治療(ちりょう)材料の支給。

❸ 処置、手術その他の治療。

❹ 居宅(きょたく)での療養上の管理、その療養にともなう世話、そのほかの看護。

❺ 病院または診療所への入院、その療養にともなう世話、そのほかの看護。

▶（第２条より）療養の給付の担当方針

保険医療機関は、懇切丁寧(こんせつていねい)に療養の給付を担当しなければなりません。また、その療養の給付は患者の療養上、妥当適切なものでなければなりません。

▶（第２条の３・第２条の４より）手続きの確保と健全な運営の確保

保険医療機関は、厚生労働大臣等に対する申請、届出等にかかわる手続き、療養の給付に関する費用の請求手続きを適正に行わなければなりません。また、健康保険事業の健全な運営を損(そこ)なうことのないように努(つと)めなければなりません。

▶(第3条より）受給資格の確認

保険医療機関は、患者から療養の給付を受けることを求められた場合には、その患者の提出する被保険者証等によって、療養の給付を受ける資格を確認しなければなりません。ただし、緊急やむをえない事由によって、被保険者証を提出することのできない患者の場合で、その資格が明らかなものについては、この限りではありません。

▶(第4条より）被保険者証の返還

保険医療機関は、患者に対する療養の給付を担当しなくなったとき、そのほかの正当な理由によって、患者から被保険者証の返還を求められたときは、すみやかに当該患者に返還しなければなりません。

▶(第5条の2より）領収書等の交付

保険医療機関は、患者から費用の支払を受けるときは、正当な理由がないかぎり、個別の費用ごとに区分して記載した領収書を無償で交付しなければなりません。

▶(第5条の3第2項より）食事療養費

保険医療機関は、食事療養を行う場合には、食事療養標準負担額の支払を受けることによって、食事を提供するものとします。

▶(第8条・第9条より）診療録（カルテ）の記載及び整備と帳簿等の保存

保険医療機関は、診療録に療養の給付の担当に関して必要な事項を記載し、これをほかの診療録と区別して整備しなければなりません。また帳簿、書類、そのほかの記録は、完結の日から3年間保存し、診療録は完結の日から5年間保存します。

※その他の記録とは、エックス線、CT等の写真、心電図、脳波図、筋電図、その他の機械が描写した図をいいます。

▶(第20条第3項より）処方箋の交付

＊処方箋の使用期間は、交付の日を含めて4日以内です。ただし長期の旅行などの特殊な事情があると認められる場合は、この限りではありません。

＊上記の規定に関わらず、リフィル処方箋の2回目以降の使用期間は、直近の必要期間が終了する日の前後7日以内です。

練習問題 ○ ×

□1　保険医は、特殊な療法または新しい療法等については、厚生労働大臣の定めるもののほかは行ってはならない。

□2　保険医療機関は、病棟などの見やすい場所に、食事療養の内容とその費用についての説明を掲示しなければならない。

□3　内服薬には薬剤投与期間の制限がないので、どのような薬剤でも長期の投与ができる。

□4　処方箋の使用期間は交付の日を含めて4日以内とする。

□5　休養すれば自然に回復するような疲労や酒酔は、「診療の必要があると認められる疾病」ではないので、患者の同意を得て自費あつかいにすることができる。

□6　保険医は、診療にあたっては懇切丁寧を旨とし、療養上必要な事項は理解しやすいように指導し

○1　「厚生労働大臣が定めるもの」とは、診療報酬点数表に収載されている医療と、その準用が通達されている医療のことです。

○2　そのほか、生活療養費や保険外併用療養費などの内容や費用も掲示しなくてはなりません。

×3　例外として麻薬、向精神薬、薬価基準収載後1年以内の医薬品には、投与期間の制限があります。

○4　設問のとおり。ただし、長期の旅行など特殊の事情があると認められる場合はこの限りではありません。

○5　その回復を促進するための薬剤の使用は、保険医としての立場で行うことができませんが、患者の同意を得て自費のあつかいとし、保険医でない立場として行うのであれば、さしつかえありません。

○6　療養担当規則第13条に定められています。この規定は、医師法や歯科医師法による療養指導義

なければならない。

務に、「懇切丁寧を旨とし」という条件と「理解しやすいように」という条件をつけ加えたものです。

□7　単なる疲労回復、正常分娩、または通院の不便などのための入院指示は行わない。

○7　設問のとおり。

□8　保険医は厚生労働大臣が定める医薬品以外の医薬品を患者に施用し、または処方してはならない。

○8　設問のとおり。厚生労働大臣が定める医薬品は、薬価基準に載っている医薬品です。

□9　保険診療で認められていない特殊療法や、薬価基準に収載されていない医薬品だけを、患者負担とすることは認められず、これらの治療を行おうとするときは、保険診療のすべてを放棄して自費診療としなければならない。

○9　保険外併用療養費制度では、先進医療部分は患者の自費あつかい、一般の療養と同じ基礎的部分は保険のあつかいとすることができます。このほかの場合は設問の通りです。

□10　注射は、経口投与によって胃腸障害のおそれのある場合と、経口投与することができない場合に限って行わなければならない。

×10　経口投与によって治療効果を期待することができないとき、迅速な効果を期待する必要があるとき、注射によらなければ治療の効果を期待することが困難であるときは、行うことができます。

□11　注射薬は、患者に適切な注意と指導を行った上で、厚生労働大臣の定める疾患の患者に対し、厚生労働大臣の定める自己注射薬

○11　設問のとおり。

等に限り長期投与が可能である。

□**12**　保険医療機関は、常識の範囲内で保険証が患者本人のものであることを確認する義務がある。

○**12**　設問のとおり。

□**13**　法律上では「保険外併用療養費という療養費を患者に支給したとみなす」ということだが、実務上は「医療の給付」と異ならない。

○**13**　設問のとおり。

□**14**　保険医療機関は、療養の給付の担当に関する帳簿及び書類その他の記録をその完結の日から3年間保存しなければならない。

○**14**　設問のとおり。

□**15**　保険医療機関が院外処方箋を発行する場合は、保険薬局を指定できる。

×**15**　処方箋の発行にあたって、患者に特定の保険薬局で調剤を受けるような指示などを行ってはなりません。

□**16**　保険医は、交付した処方箋について、保険薬剤師からの疑義(ぎぎ)の照会(しょうかい)があった場合には、これに適切に対応しなければならない。

○**16**　設問のとおり。

□**17**　5月15日に治ゆした患者の診療録（カルテ）は、5月15日から5年間保存しなければならない。

○**17**　設問のとおり。

□18　自費診療に係る診療記録は、ほかの保険診療と区別した診療録に記載しなければならない。

○18　設問のとおり。

□19　同じ月に2以上の医療機関に受診したときは、どちらか一方で支払えばよい。

×19　医療機関ごとに支払います。

□20　月の最初の診療が、病室または手術室に直接搬入されて、そのまま入院となったときは、外来時一部負担金は徴収されない。

○20　そのまま入院することになった場合の外来時一部負担金は入院料に含まれます。

□21　地域医療支援病院で2つの診療科に受診した場合、各診療科ごとに算定する。

○21　地域医療支援病院は、各診療科を1つの医療機関として数えます。

□22　糖尿病の患者に対し、療養上必要な事項について適切な注意と指導を行ってインスリン製剤の注射薬を投与する場合は、症状の経過に応じて1回90日分を限度として投与できる。

○22　設問のとおり（療養担当規則第20条第2号）。1回14日分、30日分または90日分を限度とします。

□23　後天性免疫不全症候群の病原体に感染している患者（HIV感染者）を感染予防やプライバシー保護のための個室に入院させた。この場合は、特別の療養環境の提供に係る料金は徴収できない。

○23　治療の目的で個室に入院させた場合には、特別の療養環境の提供に係る料金つまり室料は徴収できません。なお「HIV感染者」を通常の個室に入院させた場合（患者の希望の有無にかかわらず）には、治療上の必要から入院したものとみなすあつかいです。

□24　薬価基準収載後1年未満の新薬は、1回に14日分を限度として投与する。

○24　設問のとおり。

□25　保険医は、患者に対し予防衛生及び環境衛生の思想のかん養に努め、適切な指導をしなければならない。

○25　設問のとおり。

□26　入院食事療養費の患者の自己負担額は、1食あたり一律(いちりつ)490円である。

×26　食事の標準負担額は、一般と標準負担額減額認定該当の低所得者とでは、負担額が異なるので一律ではありません。

□27　療養病床に入院している高齢者は、一律に食費・居住費を自己負担しなければならない。

×27　低所得者は、食材料費相当のみの負担です。

□28　保険医は、リフィル処方箋を交付する場合には、様式第二号またはこれに準ずる様式の処方箋にその旨及び当該リフィル処方箋の使用回数の上限を記載しなければならない。

○28　設問のとおり。

医療関係法規

医療事務担当者には、医療法における医療施設（病院、診療所等）の規定と、医師法等の医療関係者に関する法律による、医療機関の従事者の種類と、その業務についての一応の基礎知識が必要です。

医療事務担当者として、最も重要な法律的義務は「業務に従事して知りえた秘密を、ほかにもらさないこと」です。

●医療機関

医療機関は、公的医療機関と私的医療機関の2つに大別されます。

医療法第31条によれば、公的医療機関とは「都道府県、市町村その他厚生労働大臣の定める者の開設する病院または診療所」と定められています。公的医療機関には、自治体、日本赤十字社、済生会、厚生連、国立大学、逓信、共済組合などが運営する医療機関があります。私的医療機関は、公的医療機関以外の病院や診療所のすべてをいうわけです。

●医療法

この法律で、医療に関する施設、開設の手続き、医療施設の人的構成、構造設備、管理体制を定めるほか、広告の制限などについてもこまかく規定しています。すなわち、医療を行う施設について必要な事項を定めることにより、医療を提供するための体制を確保し、国民の健康の保持（ほじ）に寄与（きよ）することを目的としています。

▶第1条の5では病院・診療所の定義を定めています。

「病院」とは、

医師または歯科医師が、公衆または特定多数の人のため医業または歯科医業を行う場所であって、20人以上の患者を入院させるための施設を有するものをいう。病院は、傷病者が科学的でかつ適正な診療を受けることができる便宜（べんぎ）を与えることを主たる目的として組織され、かつ運営されるものでなければなりません。

「診療所」とは、

医師または歯科医師が、公衆または特定多数の人のため医業または歯科医業を行う場所であって、患者を入院させるための施設を有しないもの、または19人以下の患者を入院させるための施設を有するものをいいます。

▶第3条では、疾病の治療を行う場所であっても、病院でないものが、病院やこれとまぎらわしい名称をつけたり、診療所でないものが、診療所とまぎらわしい名称をつけることを禁じています。

▶また第21条では、病院の人員と施設の基準などについて定めています。

❶病院の医師、歯科医師、看護師その他の従業者。

❷各科専門の診察室、手術室、処置室、臨床検査施設、エックス線装置、調剤所、給食施設、など病院の施設。

p49から4ページにわたって、病院と診療所の定義（法定人員と施設など）について、表にまとめてありますので参考にしてください。なお表中の㊧は療養型病床群を有する病院を示しています。

●医療従事者に関する法規

医師法第17条では「医師でなければ、医業をなしてはならない」と定めていますが、近代的な医療は医師だけでは実現しません。医療の現場において、高度の医療を実現するために、医療の分業化が進み、多くの医療従事者が必要とされています。

医療機関で医療に係る業務に携わる多くの人たちは、その業務が、国民の健康や生命に直接影響をあたえる重要性をもつだけに、国はそれらの業務を行うことができる者に対して免許制度を定め、その資格と権利義務、業務の範囲などを厳格に定めています。

医療従事者の種類は非常に多く、秘書や病棟クラーク、医事課の事務職などをのぞいて、ほとんどが公的な資格を必要とします。医師、歯科医師をはじめ、看護師、保健師、助産師、診療放射線技師、臨床検査技師、理学療法士、作業療法士、視能訓練士、薬剤師、管理栄養士、栄養士、調理師や、義肢装具士、臨床工学技士、言語聴覚士などの資格集団で組織されています。また、こうしたいわゆる「医療に従事するために必要な資格」のほかにも、電気技師やボイラー技師など、施設部門を担当して病院の環境整備に欠かせない人々もいるわけです。

▶医師法

医師の資格（身分）とその権利義務について定めたもので、総則、免許、試験、業務などにわけて規定していますが、最も重要なのは、医師の業務についての規定です。

第1条では、医師の任務について定めており、「医師は、医療及び保健指導を掌(つかさど)ることによって公衆衛生の向上及び増進に寄与し、もって国民の健康な生活を確保するものとする」とされています。医師は厚生労働大臣の免許が必要で、医師以外の者が、医師またはこれにまぎらわしい名称を用いることを禁止しています。

▶薬剤師法

薬剤師の資格や業務などについて定めたものであり、薬剤師は国家試験に合格し、厚生労働大臣の免許を受けなければなりません。

薬剤師の主な業務は調剤ということで、原則として薬剤師でなければ調剤はできないとされていますが、医師、歯科医師が「自己の処方箋」によって調剤することは、さしつかえないと定めています。また調剤にあたっては、処方箋によらなければならないとされ、この「処方箋」に関してもこまかく定めています。

▶保健師助産師看護師法

保健師、助産師、看護師、准看護師の資格や業務について定めています。主治医(しゅじい)の指示のあった場合のほかは、診療機械の使用や医薬品を授与するなどの行為をしてはならないことになっています。保健師、助産師、看護師は厚生労働大臣の、准看護師は都道府県知事の免許を受けなければなりません。

▶診療放射線技師法

放射線の定義や、診療放射線技師の業務などを定めています。診療放射線技師とは、「厚生労働大臣の免許を受けて、医師又は歯科医師の指示の下に、放射線の人体に対する照射（撮影を含み、照射機器を人体内に挿入して行うものを除く）をすることを業とする者をいう」と定めています。

▶臨床検査技師等に関する法律

臨床検査技師の業務などを定義づけています。

臨床検査技師とは、医師や歯科医師の指示で、微生物学的検査、血清学的検査、血液学的検査、病理学的検査、寄生虫学的検査、生化学的検査と政令で定める生理学的検査を行います。臨床検査技師は、国家試験に合格して厚生労働大臣の免許を受けなければなりません。

▶理学療法士及び作業療法士法

理学療法士、作業療法士の業務などを定義づけています。

理学療法士は、医師の指示のもとに、身体的障害のある者に、治療体操などの運動を行わせ、また電気刺激やマッサージ、温熱などの物理的手段を加えて、その基本的な動作能力を回復させる業務を受けもちます。

また、作業療法士は、医師の指示のもとに、身体または精神に障害のある者に、その応用的動作能力や社会的適応能力を回復させるために、手芸や工作そのほかの作業を行わせる業務を受けもちます。理学療法士、作業療法士ともに厚生労働大臣の免許を受けなければなりません。

以上のほか「栄養士法」、「視能訓練士法」、「あん摩マツサージ指圧師、はり師、きゆう師等に関する法律」、「柔道整復師法」、「社会福祉士及び介護福祉士法」、「精神保健福祉士法」、「臨床工学技士法」、「義肢装具士法」などがあり、それぞれ資格や業務範囲などを定めています。

また医療従事者にはその業務の性格上、個人の人権にかかわる秘密にふれることも多いので、業務上知りえた秘密を守る義務が課せられています。この業務上知りえた秘密の保守義務は、刑法（134条）でも定められています。

医療事務を担当する職員は、どの患者がどんな病気なのか、レセプトをみればすぐにわかります。しかし、それらの秘密をもらすことは、病院の信用問題にかかわるわけです。

施設		定義	病床数	診療科
診療所		❶ 公衆又は特定多数人のために医業又は歯科医業を行う場所 ❷ 19床以下	0～19	規定なし
病院	一般病院	❶ 上に同じ ❷ 20床以上 ❸ 科学的で適正な診療を行うために組織・運営されるものであること	20以上	規定なし
	地域医療支援病院	病院としての条件を満たし、 さらに ❶ 200床以上（ただし、知事の許可を受けた場合は200床未満も可） ❷ 紹介制（紹介率80%以上、65%を上回りかつ逆紹介率40%を上回る、紹介率50%を上回りかつ逆紹介率70%を上回る、のいずれかを要件とする） ❸ 施設・機器等の共同利用 ❹ 救急医療の提供 ❺ 地域の医療従事者の研修	200以上	特定機能病院に準ずる
	特定機能病院	病院としての条件を満たし、 さらに ❶ 高度医療を提供する能力を有す ❷ 高度医療技術の開発・評価を行う能力を有す ❸ 高度医療に関する研修を行わせる能力を有す ❹ 高度な医療安全管理体制 ❺ 紹介による診療を基本とする ❻ 400床以上 ❼ 右の条件を満たすこと	400以上	原則定められた16の診療科を標榜していること

<table>
<tr><th colspan="2">施　設</th><th>施　設　基　準</th><th>構　造　設　備</th></tr>
<tr><td colspan="2">診療所</td><td>規定なし
※療は、
・機能訓練室</td><td></td></tr>
<tr><td rowspan="3">病院</td><td>一般病院</td><td>❶　各科専門の診察室
❷　手 術 室
❸　処 置 室
❹　臨床検査施設
❺　エックス線装置
❻　調　剤　所
❼　給　　食　施設
❽　診療に関する諸記録
❾　分べん室及び
新生児入浴施設（産婦人科又は産科）
❿　その他都道府県の条例で定める施設
※療は、さらに
・機能訓練室</td><td rowspan="3"></td></tr>
<tr><td>地域医療支援病院</td><td>上記①～⑩（＋）
⓫　集中治療室
⓬　病院の管理及び運営に関する諸記録
⓭　化学・細菌・病理検査施設
⓮　病理解剖室
⓯　研 究 室
⓰　講 義 室
⓱　図 書 室
その他厚生労働省令で定める施設</td></tr>
<tr><td>特定機能病院</td><td>上記①～⑰（＋）　その他厚生労働省令で定める施設</td></tr>
</table>

	病　院	※療
1病室の病床数	規定なし	4床以内
病室の床面積	6.4㎡/人	6.4㎡/人
廊下幅 片廊下	1.8m	1.8m
中　〃	2.1m	2.7m

療…療養型病床群を有する病院（以下同じ）

<table>
<tr><th rowspan="2" colspan="2">施　設</th><th colspan="2">人　員　基　準</th></tr>
<tr><th>医　　　師</th><th>看護師(+)准看護師</th></tr>
<tr><td colspan="2">診療所</td><td>規定なし</td><td>規定なし</td></tr>
<tr><td rowspan="3">病院</td><td>一般病院</td><td>$\dfrac{\dfrac{1日外来患者}{2.5}+1日入院患者-52}{16}+3$
（端数切上）
※眼科・耳鼻咽喉科は
$\dfrac{1日外来患者}{5}$ を用いる
※歯科は除く

※(療)
$\dfrac{1日入院患者}{3}$ を用いる</td><td>$\dfrac{1日入院患者}{3}+\dfrac{1日外来患者}{30}$

※(療)
$\dfrac{1日入院患者}{4}+\dfrac{1日外来患者}{30}$</td></tr>
<tr><td>地域医療支援病院</td><td>同　　上（一般病院と同じ）</td><td>同　　上（一般病院と同じ）</td></tr>
<tr><td>特定機能病院</td><td>$\dfrac{\dfrac{1日外来患者}{2.5}+1日入院患者}{8}$</td><td>$\dfrac{1日入院患者}{2}+\dfrac{1日外来患者}{30}$</td></tr>
</table>

<table>
<tr><th rowspan="2" colspan="2">施設</th><th colspan="2">人員基準</th><th rowspan="2">開設</th><th rowspan="2">その他</th></tr>
<tr><th>薬剤師</th><th>栄養士</th></tr>
<tr><td colspan="2">診療所</td><td>医師3名以上の場合は専属を置く</td><td>規定なし</td><td>知事への届出
※医師以外の開設は許可を要す</td><td></td></tr>
<tr><td rowspan="3">病院</td><td>一般病院</td><td>$\frac{1日入院患者}{70}+\frac{1日処方箋数}{75}$</td><td>100床以上は1人以上</td><td>知事の許可</td><td>病院の場合は原則として医師を宿直させなければならない。</td></tr>
<tr><td>地域医療支援病院</td><td>同上
(一般病院と同じ)</td><td>同上
(一般病院と同じ)</td><td>知事の承認</td><td>❶ 施設の共同利用と専用病床数の確保
❷ 重症救急患者の常時受入れと転医救急患者受入れ体制の確保
❸ 地域の医療従事者の研修
❹ 諸記録の体系的管理
❺ 諸記録の閲覧の提供</td></tr>
<tr><td>特定機能病院</td><td>$\frac{1日入院患者}{30}$</td><td>管理栄養士を1人以上</td><td>厚生労働大臣の承認</td><td></td></tr>
</table>

練習問題 ○ ×

□1 医療法は、医師の資格について定めた法律である。

×1 医療法は、病院や診療所などの開設と管理に関しての必要な事項や、これらの施設の整備を推進するために必要な事項などを定めた、医療施設に関しての法律です。医師の資格について定めた法律は医師法です。

□2 看護師は、医師の監督下でエックス線撮影を行うことができる。

×2 エックス線撮影を行うことができるのは、医師、歯科医師、診療放射線技師に限られています。

□3 病院、診療所が医業を行うものである場合は、その管理者は医師でなければならない。

○3 設問のとおり。医療法第 10 条に定められています。

□4 医療法では、医療に関する施設、開設の手続き、医療施設の人的構成、構造設備、管理体制を定めるが、診療科名の広告の制限はない。

×4 診療科名の広告の制限なども医療法第 6 条の 5 に規定されています。

□5 病院とは患者 20 人以上の入院施設を有し、科学的かつ適正な診療を受けられることを目的として組織され、運営されるものでなければならない。

○5 設問のとおり。医療法第 1 条の 5。

□6 診療所とは、患者の入院施設

×6 診療所は、患者の入院施設を

を有しないものと定められている。

有しないもの、または19床以下の入院施設を有するものです。医療法第1条の5。

□7　地域医療支援病院は、紹介制で、都道府県知事の承認をえた病院でなければならないが、紹介率の％は関係がない。

×7　地域医療支援病院は、都道府県知事の承認をえた病院で、しかも紹介率80％などの要件を満たした病院です。

紹介率の算定式：

$$\frac{(A+B)}{C}\times 100(\%)$$

A：紹介患者の数
B：緊急に入院し、治療を必要とした救急患者の数
C：初診患者の数

□8　医療法では、病院、診療所などを開設しようとする者に対して、許可をあたえないことができると定めている。

○8　設問のとおり。医療法第7条の2などに定められています。

□9　医師は、公衆衛生の向上と増進に寄与し、国民の健康な生活を確保することが任務であるとされている。

○9　設問のとおり。医師法第1条に定められています。

□10　薬剤師は、処方箋がなくても調剤してよい。

×10　薬剤師は調剤にあたって、処方箋によらなければならないとされています。

□11　病院の栄養士の員数(いんずう)は、100床以上は1人以上とする。

○11　設問のとおり。2024年4月以降、1名以上の栄養士または管

理栄養士の配置が求められています。

□12　保健師、助産師、看護師、准看護師は、主治医の指示がなくても、診療機械の使用や医薬品の授与をしてもよい。

×12　保健師、助産師、看護師、准看護師は、主治医の指示のあった場合にのみ、器械の使用や、医薬品の授与などの行為をしてもよいとされています。

□13　公的医療機関とは、複数科の病院をいう。診療所は、公的医療機関とは認められていない。

×13　公的医療機関とは、都道府県、市町村の地方公共団体と、そのほか厚生労働大臣が定める者が開設する病院、または診療所をいいます。

□14　診療放射線技師は、照射機器を人体内に挿入して照射を行ってはならず、放射線を人体に照射・撮影することを業とする。

○14　設問のとおり。診療放射線技師法第2条。

□15　臨床検査技師は、厚生労働省令で定められている生理学的検査を行ってもよい。

○15　臨床検査技師は、検査のための採血も、医師の指示があれば行うことができます。

□16　理学療法士は、患者の基本的動作能力の回復をはかることを、その業務の内容とし、作業療法士は、患者の応用的動作能力または社会的適応能力の回復をはかることを、その業務の内容とする。

○16　設問のとおり。理学療法士は、治療体操、マッサージ、温熱・光線・電気療法、スポーツなどの物理的療法を行います。また作業療法士は、工作、造園、玩具操作などの療法を行います。

□**17**　病床数100以上の病院で、薬剤師数は法律で定められているが、栄養士は定められていない。

×**17**　病床数100以上の病院では、栄養士1人を標準として定められています（P.54 設問11参照）。

□**18**　正当な理由がなく、故意に療養に関する指揮にしたがわない者には、2週間の期限を定めて、その期間、その者に対して傷病手当金の一部を支給しないと定めている。

×**18**　故意に医師の指示にしたがわない場合、正当な理由もない場合は、10日間の期限を定めて、その期間、その者に対して支給すべき傷病手当金の一部を支給しないことができると定められています。

医薬品と医療用語の基礎知識

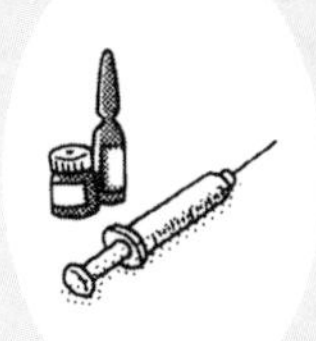

薬価基準は、診療報酬点数表にもとづく医薬品の購入価格の内容を示したものです。医薬品は、内用薬、注射薬、外用薬、歯科用薬剤にわけられています。薬価基準は2年に一度の全面改定のたびに、新しい医薬品が追加され、製造を停止した医薬品などは削除されます。

診療報酬請求事務を行うためには、医薬品の用語、病名、検査法、及びこれらの略称などについて概略の知識をえておく必要があります。

●投薬に関する用語

患者にあたえる薬剤の種類を決め、その使用量や使用方法を医師が決めることを「処方」といい、その内容を記載した書類を「処方箋」といいます。薬剤師は、医師の処方箋によらなければ、販売または授与の目的で調剤してはならないと、薬剤師法に規定されています。その処方箋にもとづいて、薬剤師が医薬品を配合して、1つの薬にしあげて容器に入れ、その薬の使い方を指示することを「調剤」といいます。また、患者に薬剤をあたえることを「投与（とうよ）」といい、調剤済みの薬品を投与することを「投薬（とうやく）」といいます。

●医薬品

1回に投薬できる医薬品の量は、内服薬、外用薬ともに「予見（よけん）することができる必要期間に従ったもの」と、療養担当規則に定められています。注射薬は、自己注射などに限って投与することが認められていて、その量は、症状の経過に応じたものでなければなりません。ただし、麻薬・向精神薬・薬価収載1年以内の新薬など、厚生労働大臣が定める内服薬・外用薬・注射薬については、1回14日、30日、90日の投与日数の上限があります。

●医療用語

診療録に記載される医療用語には、病名、検査、画像診断、処方などの用語があります。また、診療報酬の請求に使用される略語もあります。

▶病名の略語　※異なる略号を2つ以上持つものを含みます。

［A］

AA …………再生不良性(さいせいふりょうせい)貧血
AB …………喘息様気管支炎(ぜんそくようきかんしえん)
AC block …肺胞毛細管(はいほうもうさいかん)ブロック
ACⅠ ………急性肝不全(かんふぜん)
AD …………アルツハイマー病
AF …………心房粗動(しんぼうそどう)
Af …………心房細動(さいどう)
AG …………狭心症(きょうしんしょう)
AGE ………急性胃腸炎(いちょうえん)
AH …………急性肝炎(かんえん)
AMⅠ ………急性心筋梗塞(しんきんこうそく)
AN …………不安神経(ふあんしんけい)症
Anemia ……貧血(ひんけつ)
AP …………狭心(きょうしん)症
APB, APC …心房性期外収縮(しんぼうせいきがいしゅうしゅく)
Aplas ………再生不良性貧血
APO ………脳卒中(のうそっちゅう)
Appe ………虫垂炎(ちゅうすいえん)
ARF ………急性腎不全(じんふぜん)／急性呼吸不全(こきゅうふぜん)
ATL ………成人T細胞白血(はっけつ)病
AVH ………急性ウイルス性肝炎

［B］

BA …………気管支喘息(きかんしぜんそく)
BBB ………脚ブロック
BC …………膀胱(ぼうこう)ガン
BPH ………前立腺肥大(ぜんりつせんひだい)症

［C］

Ca …………ガン
CAH ………慢性活動性肝炎
CAT ………白内障(はくないしょう)
CDH ………先天性股関節脱臼(こかんせつだっきゅう)
CF …………心不全(しんふぜん)
CH …………(慢性)肝炎
CHD ………先天性心疾患(しんしっかん)
CHF ………うっ血性心不全
Chole ………胆嚢炎(たんのうえん)
CⅠ …………脳梗塞(のうこうそく)
CⅠS ………上皮内癌(じょうひないがん)
CMP ………心筋(しんきん)症
CN …………慢性腎炎(じんえん)
COVID-19 …新型コロナウイルス感染症
CP …………脳性麻痺(のうせいまひ)
CRBBB ……完全右脚ブロック
CRF ………慢性腎不全

［D］

D ……………うつ病
DG …………十二指腸潰瘍(じゅうにしちょうかいよう)
DⅠ …………尿崩(にょうほう)症
DK …………大腸ガン
DM …………糖尿病
DS …………ダウン症候群
DU …………十二指腸潰瘍

［E］

EH …………本態性(ほんたいせい)高血圧症
EM …………子宮内膜症
Ep …………てんかん

［F］

FUO ………原因不明熱(げんいんふめいねつ)
Fx …………骨折

[G]

GC …………胃ガン
GL …………緑内障(りょくないしょう)
GS …………胆石(たんせき)症
GU …………胃潰瘍(いかいよう)

[H]

HA …………A型肝炎
HB …………B型肝炎
HBV ………B型肝炎ウイルス
HC …………C型肝炎
HCC ………肝細胞性ガン
HHD ………高血圧性心疾患
HT …………高血圧
Hy …………ヒステリー

[I]

ICH ………脳内出血
IDA ………鉄欠乏性(てつけつぼうせい)貧血
IDDM ……インスリン依存性糖尿病
IM …………伝染性単核球(たんかくきゅう)症
IRBBB ……不完全右脚ブロック

[J]

JE …………日本脳炎
JRA ………若年性関節(じゃくねんせいかんせつ)リウマチ

[K]

KK …………子宮体部ガン
KKK ………喉頭(こうとう)ガン

[L]

LBP ………腰痛(ようつう)
LC …………肝硬変(かんこうへん)
LCC ………先天性股関節脱臼(こかんせつだっきゅう)
LK …………肺ガン

[M]

M ……………躁病(そうびょう)
MCNS ……ネフローゼ症候群
MCTD ……膠原(こうげん)病
MD(MS) …メニエール病
MDG ………胃十二指腸潰瘍
MDI ………躁うつ病
MG …………胃潰瘍
MI …………心筋梗塞
MK, M-ca …胃ガン
ML …………悪性リンパ腫(しゅ)
MMK ………乳ガン
MRA ………悪性関節リウマチ
MU …………子宮筋腫(きんしゅ)

[N]

N ……………神経症
NIDDM …インスリン非依存型(ひいぞんがた)糖尿病
NPH ………椎間板(ついかんばん)ヘルニア

[O]

OD …………自律性(じりつせい)運動機能失調(しっちょう)症
Odem ………浮腫(ふしゅ)
OK …………食道ガン
OM …………中耳炎(ちゅうじえん)
Osteo ………骨髄炎(こつずいえん)

[P]

PA …………悪性貧血
PAC ………心房性期外収縮
PAT ………発作性頻拍(ほっさせいひんぱく)症
PBC ………原発性胆汁性(げんぱつせいたんじゅうせい)肝硬変
PC …………慢性咽頭炎(いんとうえん)
PE …………肺気腫(はいきしゅ)
PID ………性病
PKK ………膵頭部(すいとうぶ)ガン
PKU ………フェニールケトン尿症
Polio ………ポリオ(脊髄性小児麻痺)
PPP ………掌蹠膿疱(しょうしょのうほう)症
PsAn ………統合失調症
PSD ………心身(しんしん)症

[R]

RA …………慢性関節リウマチ
RBBB ………右脚ブロック

RF(RnF)　…リウマチ熱腎不全
Rhaller　……アレルギー性鼻炎
RIND　……脳血栓症
RK　…………直腸ガン
RnA　………急性鼻炎

[S]

S　……………統合失調症
SAH　………くも膜下出血
SD　…………老年性認知症
SFD　………心内膜欠損症
SH　…………血清肝炎
SK　…………S状結腸ガン／大腸ガン
SLE　…………全身性エリテマトーデス
SMON　……スモン病
SPMA　……脊髄性進行性筋萎縮症

[T]

TB, Tbc　…結核
TIA　………一過性脳虚血性発作
TS　…………耳管狭窄症

[U]

UD　…………十二指腸潰瘍
UTI　………尿路感染症
UV　…………胃潰瘍
UC　…………潰瘍性大腸炎
URI　………上気道感染症

[V]

VDH　………心臓弁膜症
VDS　………梅毒
VT　…………心室性頻拍脈

▶検査用語の略語（診療報酬明細書記載上の略語）

インピーダンス／コマク　…鼓膜音響インピーダンス検査
エストロ　………エストロゲン
眼底血圧　…網膜中心血管圧測定
矯正　………矯正視力検査
凝固　………全血凝固時間
頸管スメア　…子宮頸管粘液の細胞診
抗CLβ_2GPI複合体抗体　…抗カルジオリピンβ_2グリコプロテインI複合体抗体
語音　………標準語音聴力検査
ゴナド　…………ゴナドトロピン
残気　………機能的残気量測定
自記オージオ　…自記オージオメーターによる聴力検査
色盲/Q　……定量的色盲表検査
出血　……………出血時間
純音　………標準純音聴力検査
心カテ　…………心臓カテーテル法による諸検査
心外膜マッピング　…心外膜興奮伝播図
スリットM　……細隙燈顕微鏡検査
PLA_2　…………ホスフォリパーゼA_2
精眼圧　…………精密眼圧測定
精眼底　…………精密眼底検査
精眼筋　……眼筋機能精密検査及び幅輳検査
精視野　…………精密視野検査
精密スリットM　…細隙燈顕微鏡検査（前眼部および後眼部）
タン分画　………蛋白分画
膣スメア　………膣脂膏顕微鏡標本作製
ツ反　……………ツベルクリン反応
トレッドミル／フカ　……トレッドミルによる負荷心肺機能検査
尿カテ　…………尿管カテーテル法

肺気(はいき)分画 …肺気量分画測定
プレグナ ………プレグナンジオール
ヘパトグラム …肝血流量
卵管(らんかん)通過 …卵管通気・通水・通色素検査
両視機能 ………両眼視機能精密検査
レチクロ ………網赤血球数
1,5-AG ………1,5-アンヒドロ-D-グルシトール
1,25(OH)$_2$D$_3$ …1,25 ジヒドロキシビタミンD$_3$
5-HIAA ………5-ハイドロキシインドール酢酸(さくさん)
11-OHCS ……11-ハイドロキシコルチコステロイド
17-KGS ………17-ケトジェニックステロイド
17-KGS 分画 …17-ケトジェニックステロイド分画
17-KS 分画 ……17-ケトステロイド分画
17α-OHP ……17α-ヒドロキシプロゲステロン

[A]

ABO …………ABO 血液型
ACE …………アンギオテンシンⅠ転換酵素(てんかんこうそ)
ACTH 精密 …副腎皮質刺激ホルモン
ADA …………アデノシンデアミナーゼ
ADNaseB ……抗デオキシリボヌクレアーゼB
AFP …………α-フェトプロテイン
ALD …………アルドラーゼ
ALP …………アルカリホスファターゼ
ALT …………アラニンアミノトランスフェラーゼ
Alb ……………アルブミン
Ald ……………アルドステロン
Amy …………アミラーゼ
Amy アイソ …アミラーゼアイソザイム
APTT …………活性化部分トロンボプラスチン時間
ASE …………溶連菌(ようれんきん)エステラーゼ抗体
ASK …………抗ストレプロキナーゼ定性
ASO …………抗ストレプトリジンO定性
ASP …………連鎖球菌(れんさきゅうきん)多糖体抗体
AST …………アスパラギン酸アミノトランスフェラーゼ

[B]

B-〜 …………血液検査
B-A ……………動脈血採血
B-C ……………末梢採血（静脈以外、耳朶(じだ)・指尖(しせん)など）
B-V ……………静脈採血
B-像 …………末梢(まっしょう)血液像
BFP …………塩基性フェトプロテイン
BIL/総 ………総ビリルビン
BIL/直 ………直接ビリルビン
BMR …………基礎代謝量
BS ……………血糖、グルコース
BS-〜 …………血清検査
BUN …………尿素窒素

[C]

C-AMP ………サイクリック AMP
C-PTHrP ……副甲状腺ホルモン関連蛋白C端フラグメント
CAP …………シスチンアミノペプチダーゼ
CAT …………幼児児童用絵画統覚検査
CBC …………血球計算
CEA …………癌(がん)胎児性抗原
CH$_{50}$ ……………血清補体(けっせいほたい)価
ChE ……………コリンエステラーゼ
CK ……………クレアチンキナーゼ
CPR 精密 ……C-ペプチド
CRP 定性 ……C反応性蛋白定性
CRP …………C反応性蛋白

[D]

D-Bil …………直接ビリルビン

[E]

E-〜 …………内視鏡検査
E-胃 …………胃鏡検査
E-胃カメラ …ガストロカメラ
E-関節 ………関節鏡検査
E-胸腔 ………胸腔鏡検査
E-クルド ……クルドスコピー
E-コルポ ……コルポスコピー
E-喉頭 ………喉頭鏡検査
E-喉頭直達 …喉頭直達鏡検査
E-食道 ………食道鏡検査
E-直腸 ………直腸鏡検査
E-腹 …………腹腔鏡検査
E-ヒステロ …ヒステロスコピー
E-鼻咽 ………鼻咽腔直達鏡検査
E-ブロンコ …気管支ファイバースコピー
ECG …………心電図検査
ECG 携 ………ホルター型心電図検査
ECGフカ ……負荷心電図検査
Echo …………エステル型コレステロール
EEG …………脳波検査
EF-〜 …………ファイバースコープ検査
EF-胃・十二指腸 …胃・十二指腸ファイバースコピー
EF-嗅裂 …嗅裂部ファイバースコピー
EF-喉頭 ………喉頭ファイバースコピー
EF-十二指腸 …十二指腸ファイバースコピー
EF-小腸 ………小腸ファイバースコピー
EF-食道 ………食道ファイバースコピー
EF-胆道 ……胆道ファイバースコピー
EF-中耳 ……中耳ファイバースコピー
EF-直腸 ………直腸ファイバースコピー
EF-腹 …………腹腔ファイバースコピー
EF-鼻咽 ………鼻咽腔ファイバースコピー
EF-ブロンコ …気管支ファイバースコピー
EF-副鼻腔 …副鼻腔入口部ファイバースコピー
EF-膀胱尿道 …膀胱尿道ファイバースコピー
EMG …………筋電図検査
ENG …………電気眼振図
EOG …………眼球電位図
ERG …………網膜電位図
ESR …………赤血球沈降速度
E_2 ……………エストラジオール
E_3 ……………エストリオール

[F]

F-〜 …………糞便検査
F-集卵 ………虫卵検出(集卵法)(糞便)
F 塗 ……………糞便塗抹顕微鏡検査
FDP …………フィブリン・フィブリノゲン分解産物(尿)
FSH …………卵胞刺激ホルモン
FTA-ABS 試験…梅毒トリポネーマ蛍光抗体吸収試験
FT_3 ……………遊離トリヨードサイロニン
FT_4 ……………遊離サイロキシン

[G]

G-6-Pase ……グルコース-6-ホスファターゼ
G-〜 …………胃液検査
GFR …………糸球体濾過値測定
GH ……………成長ホルモン
GLU ……………グルコース(血糖)
GU ……………グアナーゼ

[H]

Hb ……………血色素測定
HbA_1 …………ヘモグロビン A1
HbA_{1c} …………ヘモグロビン $A1_c$
HbF …………ヘモグロビン F
HCG …………ヒト絨毛性ゴナドトロピ

ン

HCG-β ………ヒト絨毛性ゴナドトロピン-βサブユニット

HCVAb ………HCV抗体

HDL-Ch ………HDLコレステロール

HGF …………肝細胞増殖因子

HPL …………ヒト胎盤性ラクトーゲン

HPT …………ヘパプラスチンテスト

Ht ………………ヘマトクリット値

HVA …………ホモバニリン酸

[I]

Ig ………………免疫グロブリン

[L]

L-CAT ………レシチン・コレステロール・アシルトランスフェラーゼ

LAP …………ロイシンアミノペプチダーゼ

LD ……………乳酸デヒドロゲナーゼ

LH ……………黄体形成ホルモン

[M]

MAO …………モノアミンオキシダーゼ

M b 定性 ……ミオグロビン定性

MED …………最小紅斑量測定

[N]

NAG …………N-アセチルグルコサミニダーゼ

NEFA …………遊離脂肪酸

[P]

P ………………リン(無機リン・リン酸)

P-〜 …………穿刺／穿刺液検査

P-関節 ………関節穿刺

P〜上ガク洞 …上顎洞穿刺

P-ダグラス …ダグラス窩穿刺

PAP …………前立腺酸性フォスファターゼ抗原

PCG …………心音図検査

PCR 検査 ……新型コロナウイルス等の検査

PF ……………P-F スタディー

PF_4 ……………血小板第 4 因子

PH ……………プロリルヒドロキシラーゼ

PK ……………ピルビン酸キナーゼ

PL-〜 …………脳脊髄液検査

PL-検 …………髄液一般検査

P l ……………血小板数

POA …………膵癌胎児性抗原

PRA …………レニン活性

PRL …………プロラクチン

PST I …………膵分泌性トリプシンインヒビター

PT ……………プロトロンビン時間

PTHrP ………副甲状腺ホルモン関連蛋白

PTH …………副甲状腺ホルモン

[R]

R ………………赤血球数

RBC …………赤血球数

RBP …………レチノール結合蛋白

Ret ……………網赤血球数

RF ……………リウマトイド因子

RSV 抗原 ……RS ウイルス抗原定性

[S]

S-〜 …………細菌検査

S-M ……………排泄物、滲出物、分泌物の細菌顕微鏡検査(その他のもの)

S-暗視野M ……同上(暗視野顕微鏡)

S-位相差M ……同上(位相差顕微鏡)

S-蛍光M ………同上(蛍光顕微鏡)

S-同定 …………細菌培養同定検査

S-培 ……………簡易培養検査

S-ディスク ……細菌薬剤感受性検査

S-薬剤感受性 …細菌薬剤感受性検査
SCC 抗原 ……扁平(へんぺい)上皮癌関連抗原
sIL-2R ………可溶性インターロイキン-2 レセプター
SLX …………シアリルLe^{x}_{-i} 抗原
SP-A …………肺サーファクタント蛋白-A
STS ……………梅毒血清反応
STS 定性 ……梅毒血清反応定性

[T]

T-Bil …………総ビリルビン
T-〜 …………病理組織検査
T-M …………病理組織標本作製
T-M/OP ……術中迅速病理組織標本作製
TAT …………トロンビン・アンチトロンビン複合体
TBA …………胆汁酸
TBC …………サイロキシン結合能
TBG …………サイロキシン結合グロブリン
Tcho …………総コレステロール
TDH …………腸炎ビブリオ耐熱性溶血毒(ようけつどく)
TdT ……………ターミナルデオキシヌクレオチジルトランスフェラーゼ
TG ……………中性脂肪
TIBC …………総鉄結合能測定
TK 活性 ………デオキシチミジンキナーゼ活性
TP ……………総蛋白
TPA …………組織ポリペプタイド抗原
TSH …………甲状腺(こうじょうせん)刺激ホルモン
TTD …………一過性閾値上昇検査
TTT …………チモール混濁(こんだく)反応
T_3 ……………トリヨードサイロニン
T_4 ……………サイロキシン

[U]

U-〜 …………尿検査
U-U ……………ウロビリノゲン(尿)
U-インジカン …インジカン
U-検 …………尿中一般物質定性半定量検査
U-ジアゾ ……ジアゾ反応
U-タン ………尿蛋白
U-沈 …………尿沈渣(にょうちんさ)(鏡検法)
U-沈/染色 …尿沈渣(鏡検法)(染色)
U-デビス ……デビス癌反応検査
U-トウ ………尿グルコース
UA ……………尿酸
UCG …………心臓超音波検査
UIBC ………不飽和鉄(ふほうわてつ)結合能
UN ……………尿素窒素

[V]

VCG …………ベクトル心電図
VMA …………バニールマンデル酸

[W]

W ……………白血球数
WBC …………白血球数

[Z]

Z ………………糖
Zn ……………(血清)亜鉛(あえん)
ZTT …………硫酸(りゅうさん)亜鉛試験
α_1-AT ………α_1 アンチトリプシン
α_2-MG ………α_2 マクログロブリン
β-LP …………β-リポ蛋白
β_2-m …………β_2-マイクログロブリン
γ-GT …………γ-グルタミールトランスペプチダーゼ
γ-GT・アイソ …γ-グルタミールトランスペプチダーゼ・アイソザイム

▶画像診断に関する略語

アンギオグラフィー(AG)	血管造影、動脈撮影
エンツェファログラフィー	造影剤使用脳脊髄腔撮影（気脳(きのう)法）
キモグラフ	動態(どうたい)撮影
スポット撮影(SP)	狙撃(そげき)撮影
トモグラフィー(トモ)	断層(だんそう)撮影
バリウム透視	造影剤使用消化管透視診断
ピエログラフィー	造影剤使用腎盂(じんう)撮影 (ＩＰ―静脈性、RP―逆行性)
ブロンコ	気管支造影
ポリゾ	重複撮影
ミエログラフィー(ミエロ)	脊髄造影撮影
リンフォグラフィー	リンパ管撮影
レトロ	逆行性腎造影
AG	動脈造影
CT	コンピュータ断層撮影
ＤＩＣ	点滴静注(てんてきじょうちゅう)胆管・胆のう造影
ＤＩＰ	点滴静注腎盂造影
HSG	子宮卵管造影
MRI	磁気共鳴画像診断
X-D	Ｘ線透視診断
X-P	Ｘ線写真撮影

▶処方に使われる略語

A	アンプル／管
Add	「加える」の意味
C（Cap，K，Kap）	カプセル
g（gr）	重さの単位
mL（cc）	液体の容量の単位
S（Syr）	シロップ
Sol	溶液
Suppo	坐剤(ざざい)
T（Tab）	錠剤　2T は 2 錠のこと。
ＤＩＶ	点滴(てんてき)注射
ＩＭ	皮内、皮下及び筋肉内注射
Ｉnj	注射
ＩＰ	腹腔(ふくこう)内注射
ＩＶ	静脈内注射
×10	10 倍散（レセプトには 10% と記載）
×100	100 倍散（レセプトには 1％ と記載）

V ……バイアル／瓶(びん)
Rp，Rx ……「処方せよ」のこと。処方の最初に記す。
b.i.d. ……「1日2回にわけて服用」bis in die
b.i.n. ……「夜中に2回」bis in nocte
dieb.alt. ……隔日(かくじつ)（1日おき）に服用
h.s. ……「就寝時に服用」hora somni
o.m. ……「毎朝」omni mane／omn man
omn. 4hr ……4時間おきに服用
6st×4 ……6時間おきに1日4回服用
n.d.E. ……「食後に」nach dem Essen
例：3×n.d.E.＝1日3回食後に服用
v.d.E. ……「食前に」vor dem Essen
z.d.E. ……「食間に」zwischen dem Essen
sofort v.d.E. ……食直前に服用
sofort n.d.E. ……食直後に服用
分3，3×，3×T，3×Tgl ……1日3回にわけて服用するということ。分3と3×を使うことが多い。
P ……何回分、何包。屯服薬の場合に記される。
1W ……1週間分
TD，T ……何日分。処方の末尾の3TDまたは3Tは3日分のこと。Tは何錠の意味と何日分の意味に使われるが、薬剤名のすぐ後に3Tとあれば3錠の意味だから、Tの文字の位置でどちらの意味かがわかります。例：Rp.ゲンドン3T(3錠)／分3×2T(2日分)
do ……「同上の、前と同じ」。dittoの略でディトーと読みます。カルテの中で投薬、注射、処置などさまざまな場合に使われます。

【医薬品】
アトモヒ ……モルヒネ・アトロピン
アモバル ……アモバルビタール
アンナカ ……安息香酸(あんそくこうさん)ナトリウムカフェイン
塩カル ……塩化カルシウム
塩ナト ……塩化ナトリウム
塩パパ ……塩酸パパベリン
塩プロ ……塩酸プロカイン
塩モヒ ……塩酸モルヒネ
果 ……果糖(かとう)
カマ ……酸化マグネシウム

強ミノC ……………………………………強力ネオミノファーゲンC
サリソ ……………………………………サリチル酸ナトリウム
ジギ ……………………………………ジギタリス
重ソ ……………………………………炭酸水素ナトリウム
硝ビス ……………………………………次硝酸（じしょうさん）ビスマス
生食 ……………………………………生理食塩液
タンナルビン ……………………………………タンニン酸アルブミン
チオペン ……………………………………チオペンタールナトリウム
ニコアミ ……………………………………ニコチン酸アミド
ハイポ ……………………………………チオ硫酸ナトリウム
ビカ ……………………………………炭酸水素ナトリウム
ヒコアト ……………………………………オキシコドン・アトロピン
メルカプ ……………………………………ジメルカプロール
硫アト ……………………………………硫酸アトロピン
硫ク ……………………………………硫酸マグネシウム
リンコデ ……………………………………リン酸コデイン
Aq ……………………………………注射用水
B_1 ……………………………………塩酸チアミン（ビタミンB_1剤）
B_2 ……………………………………リボフラビン（ビタミンB_2剤）
B_{12} ……………………………………シアノコバラミン（ビタミンB_{12}剤）
C ……………………………………アスコルビン酸（ビタミンC剤）
G ……………………………………ブドウ糖注射液
I N(A)H ……………………………………イソニコチン酸ヒドラジド
I ns ……………………………………インスリン
PSP ……………………………………フェノールスルホンフタレイン
PZC ……………………………………ペルフェナジン
R ……………………………………リンゲル液
EM ……………………………………エリスロマイシン
SM ……………………………………硫酸ストレプトマイシン

練習問題

1　次のA群の略語に該当する病名を、B群から選びなさい。

[A群]

(1) Appe (　)	(2) BA (　)	(3) DG (　)
(4) CF (　)	(5) GU (　)	(6) DM (　)
(7) IDA (　)	(8) CH (　)	(9) MI (　)
(10) NPH (　)	(11) EH (　)	(12) Anemia (　)
(13) OM (　)	(14) AP (　)	(15) Rhaller (　)
(16) RnA (　)	(17) MMK (　)	(18) Polio (　)
(19) SAH (　)	(20) PA (　)	(21) LC (　)
(22) Fx (　)	(23) SD (　)	(24) EM (　)
(25) AD (　)	(26) LBP (　)	(27) PSD (　)
(28) HT (　)	(29) MCTD (　)	(30) D (　)

[B群]

① 虫垂炎	② 心不全	③ 鉄欠乏性貧血
④ 椎間板ヘルニア	⑤ 老年性認知症	⑥ 急性鼻炎
⑦ くも膜下出血	⑧ 気管支喘息	⑨ うつ病
⑩ 肝　炎	⑪ 腰　痛	⑫ 狭心症
⑬ 乳ガン	⑭ 本態性高血圧症	⑮ 十二指腸潰瘍
⑯ 糖尿病	⑰ アレルギー性鼻炎	⑱ 心筋梗塞
⑲ 貧　血	⑳ ポリオ	㉑ 肝硬変
㉒ 骨　折	㉓ アルツハイマー病	㉔ 子宮内膜症
㉕ 悪性貧血	㉖ 心身症	㉗ 高血圧
㉘ 中耳炎	㉙ 胃潰瘍	㉚ 膠原病

●解　答

(1)―①　(2)―⑧　(3)―⑮　(4)―②　(5)―㉙　(6)―⑯　(7)―③　(8)―⑩
(9)―⑱　(10)―④　(11)―⑭　(12)―⑲　(13)―㉘　(14)―⑫　(15)―⑰　(16)―⑥
(17)―⑬　(18)―⑳　(19)―⑦　(20)―㉕　(21)―㉑　(22)―㉒　(23)―⑤　(24)―㉔
(25)―㉓　(26)―⑪　(27)―㉖　(28)―㉗　(29)―㉚　(30)―⑨

2　次のA群の略語に該当する検査名を、B群から選びなさい。

［A群］

(1) BS（　）	(2) U-〜（　）	(3) ChE（　）
(4) ECG（　）	(5) F-〜（　）	(6) B-タン分画（　）
(7) HbA_1（　）	(8) Ht（　）	(9) NEFA（　）
(10) P-関節（　）	(11) RBC（　）	(12) B-〜（　）
(13) TP（　）	(14) TL（　）	(15) S-〜（　）
(16) E-〜（　）	(17) Z（　）	(18) Tcho（　）
(19) BMR（　）	(20) B-像（　）	(21) ABO（　）
(22) B-V（　）	(23) Amy（　）	(24) CBC（　）
(25) EEG（　）	(26) HDL-Ch（　）	(27) EMG（　）
(28) MVV（　）	(29) TG（　）	(30) W（　）

［B群］

① 脳波検査	② ヘモグロビン A_1	③ 心電図検査
④ ABO 血液型	⑤ 内視鏡検査	⑥ 筋電図検査
⑦ 中性脂肪	⑧ 尿検査	⑨ 白血球数
⑩ ヘマトクリット値	⑪ 最大換気量測定	⑫ 総脂質
⑬ 糖	⑭ 末梢血液像	
⑮ コリンエステラーゼ	⑯ 蛋白分画	⑰ 関節穿刺
⑱ 血液検査	⑲ 細菌検査	⑳ アミラーゼ
㉑ 遊離脂肪酸	㉒ 総コレステロール	㉓ 静脈採血
㉔ 血球計算	㉕ 血糖、グルコース	㉖ 糞便検査
㉗ 総蛋白	㉘ 赤血球数	㉙ 基礎代謝量
㉚ HDL コレステロール		

●解　答

(1)—㉕　(2)—⑧　(3)—⑮　(4)—③　(5)—㉖　(6)—⑯　(7)—②　(8)—⑩
(9)—㉑　(10)—⑰　(11)—㉘　(12)—⑱　(13)—㉗　(14)—⑫　(15)—⑲　(16)—⑤
(17)—⑬　(18)—㉒　(19)—㉙　(20)—⑭　(21)—④　(22)—㉓　(23)—⑳　(24)—㉔
(25)—①　(26)—㉚　(27)—⑥　(28)—⑪　(29)—⑦　(30)—⑨

3　次の(1)～(30)の略語と、語句または意味がすべて正しい組み合わせは、①～⑥うちのどれですか。

(1) SP—スポット撮影
(2) トモ—コンピュータ断層撮影
(3) キモグラフ—気管支造影
(4) ブロンコ—リンパ管撮影
(5) CT—エックス線写真撮影
(6) ポリゾ—重複撮影
(7) IM—静脈内注射
(8) o.m.—毎　朝
(9) Rp—同上の
(10) v.d.E.—食間に
(11) omn.4hr—4時間おきに服用
(12) 6st×4—6錠を4日分
(13) b.i.d.—夜中に2回
(14) C—アンプル
(15) T—錠　剤
(16) カマ—塩化ナトリウム
(17) 生食—生理食塩液
(18) Aq—注射用水
(19) B_1—塩酸ピリドキシン
(20) ハイポ—ニコチン酸アミド
(21) n.d.E.—食間に
(22) G—アスコルビン酸
(23) Syr—坐　剤
(24) EEG—筋電図検査
(25) B-V—静脈血採取
(26) WBC—赤血球数計算
(27) Ins—インスリン
(28) Z—蛋　白
(29) TG—中性脂肪
(30) TP—総脂質

① (2)・(8)・(12)・(18)・(30)
② (4)・(9)・(13)・(19)・(28)
③ (3)・(6)・(10)・(16)・(24)
④ (5)・(12)・(20)・(23)・(27)
⑤ (1)・(6)・(11)・(17)・(29)
⑥ (1)・(7)・(14)・(15)・(22)

●**解答**　⑤

●**解説**—正しく対応しているのは(1)・(6)・(8)・(11)・(15)・(17)・(18)・(25)・(27)・(29)。(2)トモは断層撮影。(3)キモグラフは動態撮影。(4)ブロンコは気管支造影。(5)CTはコンピュータ断層撮影。(7)IMは皮内、皮下及び筋肉内注射。(9)Rpは「処方せよ」。(10)v.d.E.は「食前に」。(12)6st×4は「6時間おきに1日4回服用」。(13)b.i.d.は「1日2回にわけて服用」。(14)Cはカプセル。(16)カマは酸化マグネシウム。(19)B_1は塩酸チアミン。(20)ハイポはチオ硫酸ナトリウム。(21)n.d.E.は「食後に」。(22)Gはブドウ糖注射液。(23)Syrはシロップ。(24)EEGは脳波検査。(26)WBCは白血球数。(28)Zは糖。(30)TPは総蛋白。

医学・薬学の基礎知識

人体の主要な部位、筋骨・内臓などの名称、それぞれの機能、病的な状態などの医学上の知識と、医薬品の種類、名称、規格、剤形、単位など、薬学上の知識についても、一応の基礎知識をえておきましょう。

●人体の主要部位

▶骨格（図1．図2．）

人体には、平均206個の骨があります。頭蓋に28個、躯幹に58個、両手・両足に合計120個の骨があり、個々の骨はたがいに組みあわさって、1個の人体の骨格を形づくっています。骨格は、頭蓋、脊椎、胸郭、肩、骨盤、上肢、下肢に大きくわけられます。

▶筋（図3．図4．）

身体には、その名称のついた筋が600以上あります。筋はそれ自身運動する力があり、図3と図4に示したような骨格筋のほかに、心臓や消化管の壁も多くの筋組織を含み、動いています。

＊骨や筋や関節の病気には、骨髄炎、膝蓋骨軟骨軟化症、肉離れ、むちうち症、捻挫、脱臼、ヘルニア、腱鞘炎、ページェット病、椎間板ヘルニア、ばね指、骨粗しょう症、骨軟化症、外反母指、慢性関節リウマチ、全身性エリテマトーデスなどさまざまなものがあります。

▶心臓（図5．）

心臓はそのほとんどが筋肉でできていて、大きさはだいたいその人の握りこぶしくらいです。心臓は電気的な刺激で動くポンプのようなもので、収縮と弛緩をくりかえして、血液を循環させています。心臓の内部は図5のように左心房、右心房、左心室、右心室の4つの部屋にわかれています。

＊心臓の病気は、冠動脈疾患、狭心症、心筋梗塞、先天性心疾患、心不全、心臓弁膜症などその他さまざまです。

▶呼吸器（図6.）

呼吸器は鼻などの上気道と、気管、肺などからなっています。肺は心臓の両側にあり、左の肺は心臓をおさめるために、右の肺よりもやや小さくなっています。両方の肺にはあわせておよそ3億個の肺胞があり、ガス交換を行っています。空気は鼻腔から咽頭、喉頭、気管、気管支、細気管支を通り、肺胞管、肺胞嚢そして肺胞に到達して、毛細血管内の血液とガスの交換をします。

＊呼吸器の病気は、かぜ、慢性鼻炎、アレルギー性鼻炎、咽頭炎、喉頭炎、急性気管支炎、慢性気管支炎、喘息、肺気腫、肺炎、肺結核、肺ガン、肺水腫などさまざまです。

▶消化器（図7.）

消化管は口から肛門へつづく1本の長い管です。食物は口から入って舌下腺などの唾液腺から分泌される消化液とまざって食道へくだり、胃を通って十二指腸に入り、ここで肝臓とすい臓から消化液が送りこまれます。次には6～7メートルの長さの小腸と、1.7メートルほどの大腸がつづき、ここから直腸、最後に肛門へと運ばれます。この間に食物は消化酵素の働きをうけて、簡単な物質に分解して吸収されます。

＊虫歯など、歯と歯ぐきの病気以外の消化器の病気は、口内炎、食道ガン、胃炎、胃潰瘍、十二指腸潰瘍、胃ポリープ、胃下垂症、腹膜炎、腸閉塞、腸結核、虫垂炎、過敏性大腸炎、大腸ポリープ、大腸ガン、痔核、裂肛、A型急性肝炎、B型急性肝炎、脂肪肝、肝硬変、胆石症、すい臓ガン、細菌性食中毒などの感染症などさまざまです。

▶内分泌腺（図8.）

下垂体、甲状腺、副甲状腺、松果体、すい臓、副腎、卵巣、精巣などの内分泌腺があります。これらの内分泌腺でつくられるホルモンは、身体の細胞や組織や器官の働きを促進したり抑制したり、あるいは身体の成長・発育に影響する物質です。消化腺には消化液を分泌するための管がありま

図1. 骨 格（前面）

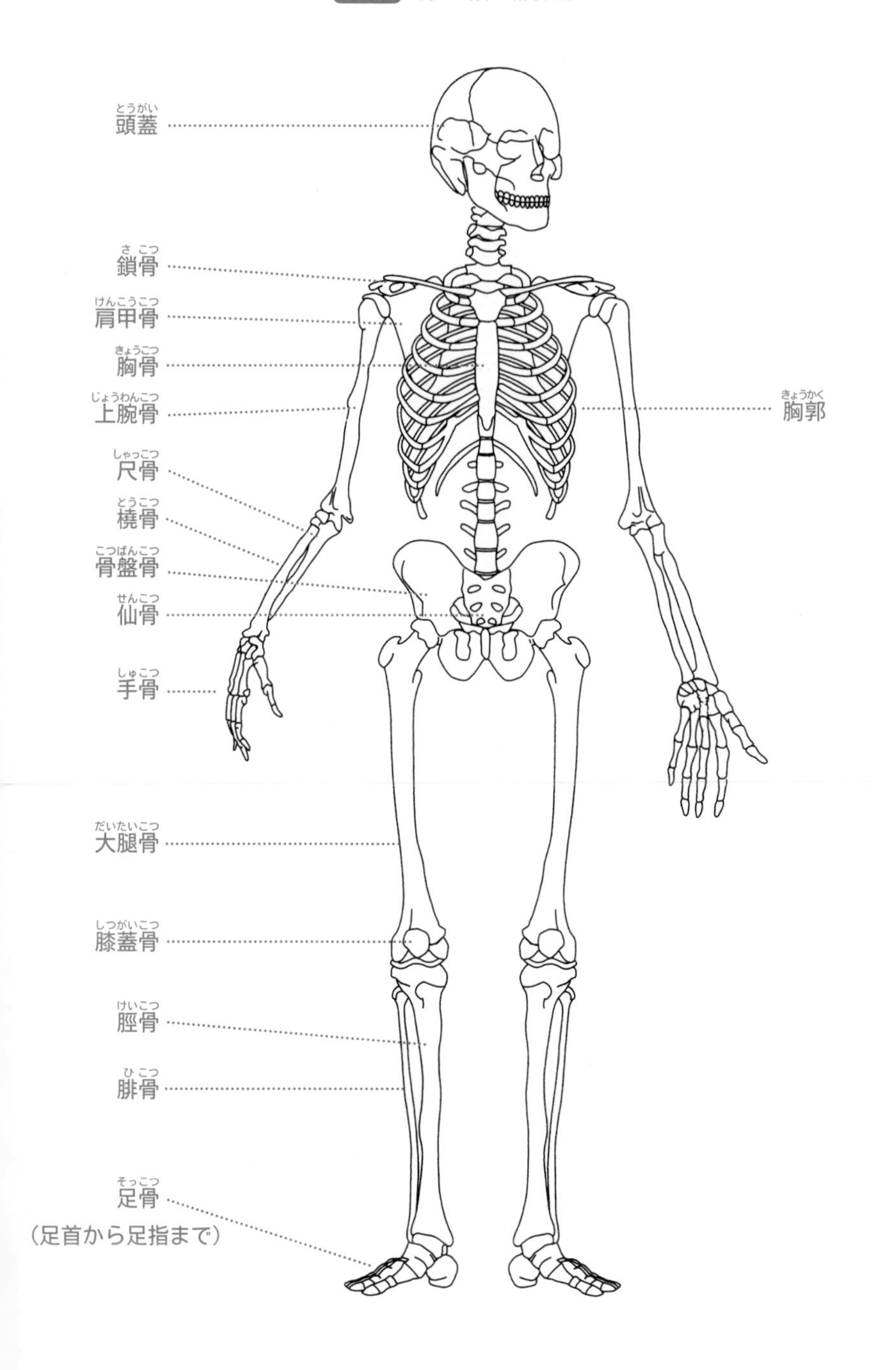
とうがい
頭蓋
さこつ
鎖骨
けんこうこつ
肩甲骨
きょうこつ
胸骨
じょうわんこつ
上腕骨
しゃっこつ
尺骨
とうこつ
橈骨
こつばんこつ
骨盤骨
せんこつ
仙骨
しゅこつ
手骨
きょうかく
胸郭
だいたいこつ
大腿骨
しつがいこつ
膝蓋骨
けいこつ
脛骨
ひこつ
腓骨
そっこつ
足骨
（足首から足指まで）

図2. 骨 格（背面）

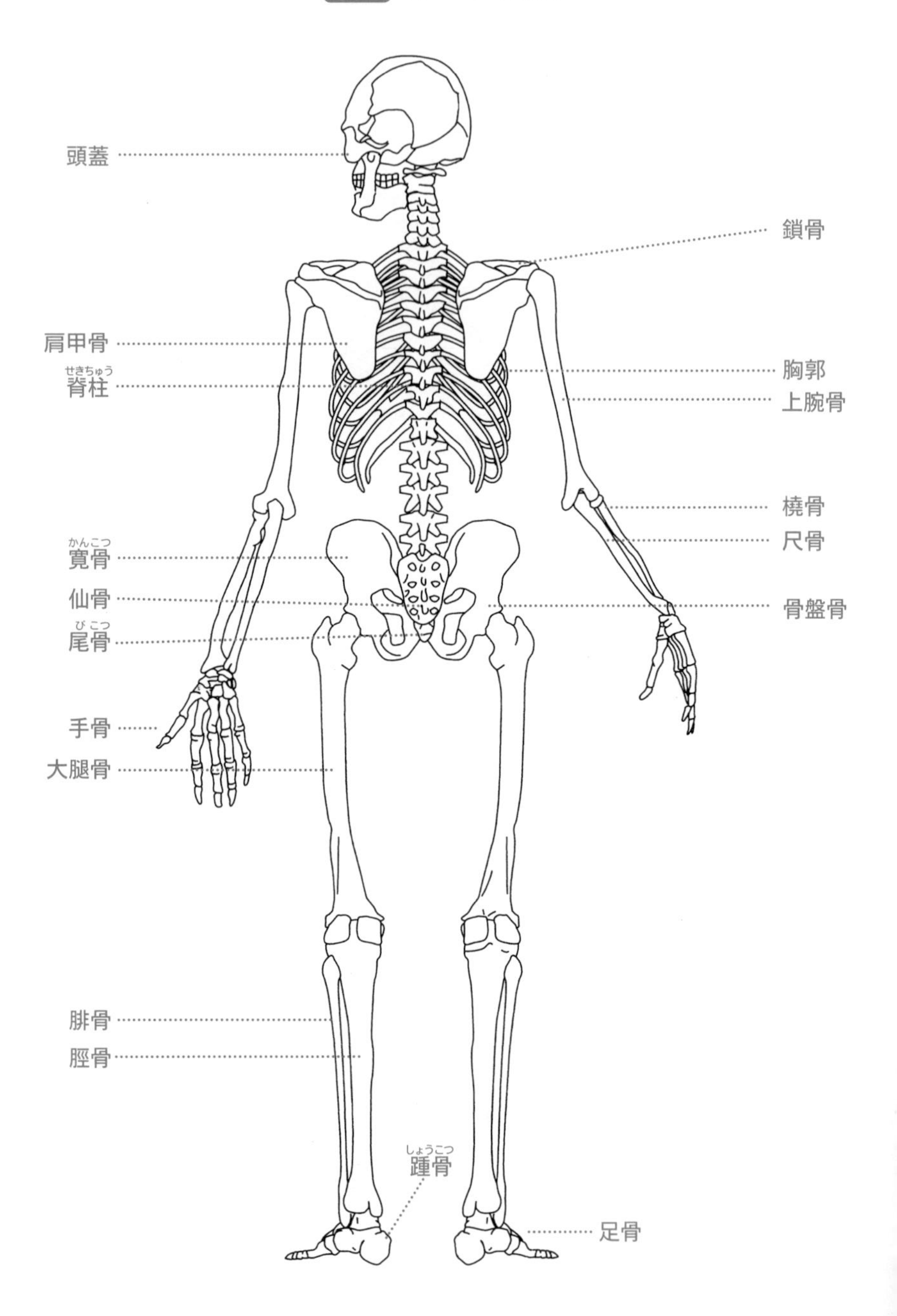
頭蓋
鎖骨
肩甲骨
せきちゅう
脊柱
胸郭
上腕骨
橈骨
尺骨
かんこつ
寛骨
仙骨
骨盤骨
びこつ
尾骨
手骨
大腿骨
腓骨
脛骨
しょうこつ
踵骨
足骨

図3. 各部の筋肉（前面）

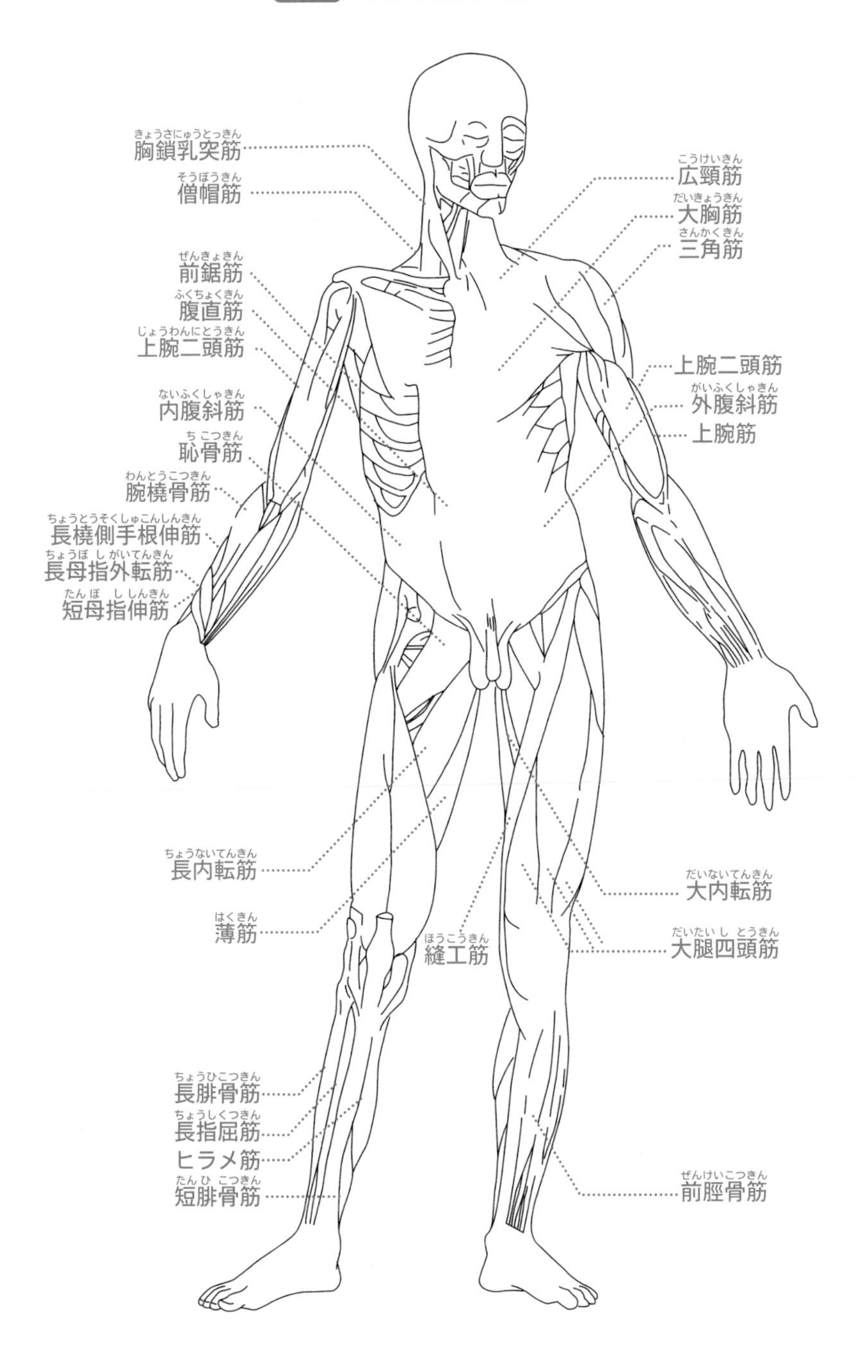
胸鎖乳突筋
僧帽筋
前鋸筋
腹直筋
上腕二頭筋
内腹斜筋
恥骨筋
腕橈骨筋
長橈側手根伸筋
長母指外転筋
短母指伸筋
広頸筋
大胸筋
三角筋
上腕二頭筋
外腹斜筋
上腕筋
長内転筋
薄筋
縫工筋
大内転筋
大腿四頭筋
長腓骨筋
長指屈筋
ヒラメ筋
短腓骨筋
前脛骨筋

図4. 各部の筋肉（背面）

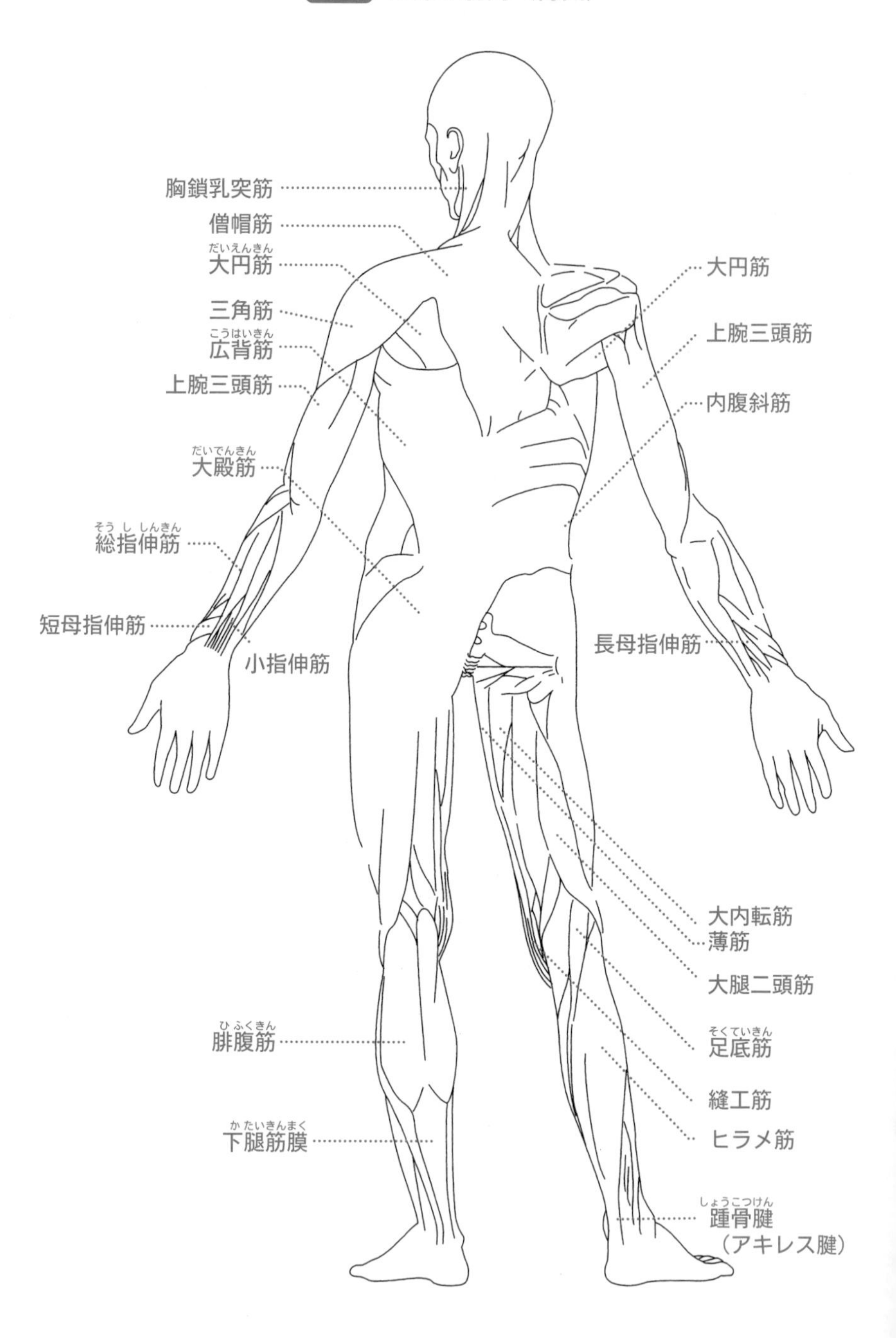
胸鎖乳突筋
僧帽筋
大円筋
三角筋
広背筋
上腕三頭筋
大殿筋
総指伸筋
短母指伸筋
小指伸筋
腓腹筋
下腿筋膜
大円筋
上腕三頭筋
内腹斜筋
長母指伸筋
大内転筋
薄筋
大腿二頭筋
足底筋
縫工筋
ヒラメ筋
踵骨腱
（アキレス腱）

図5. 心　臓

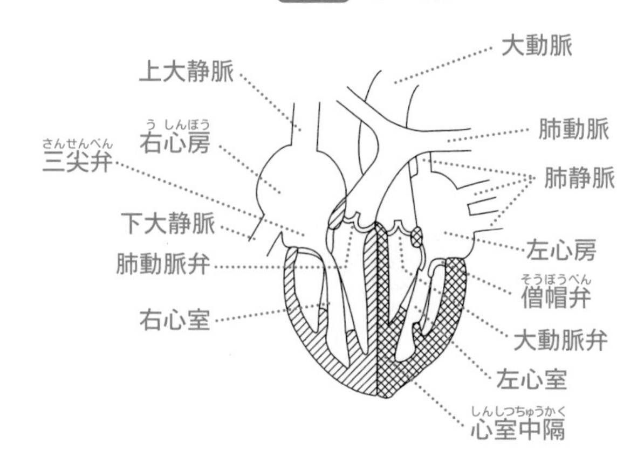
大動脈
上大静脈
肺動脈
右心房
三尖弁
肺静脈
下大静脈
左心房
肺動脈弁
僧帽弁
右心室
大動脈弁
左心室
心室中隔

図6. 呼吸器系

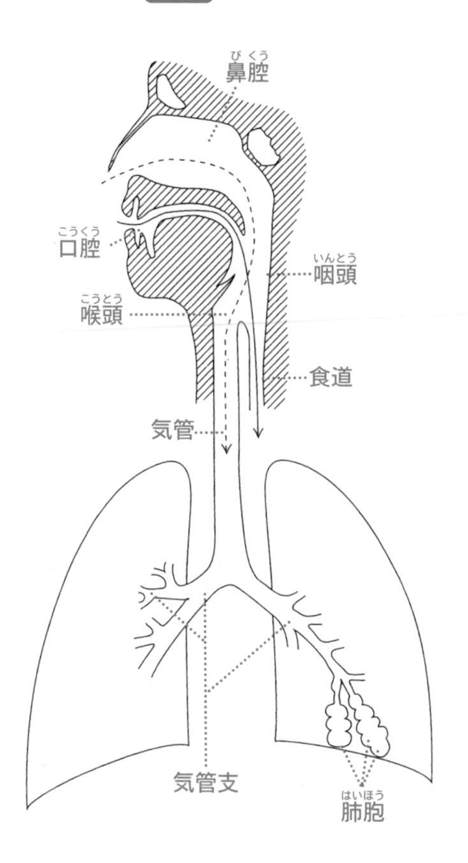
鼻腔
口腔
咽頭
喉頭
食道
気管
気管支
肺胞

図7. 消化器系

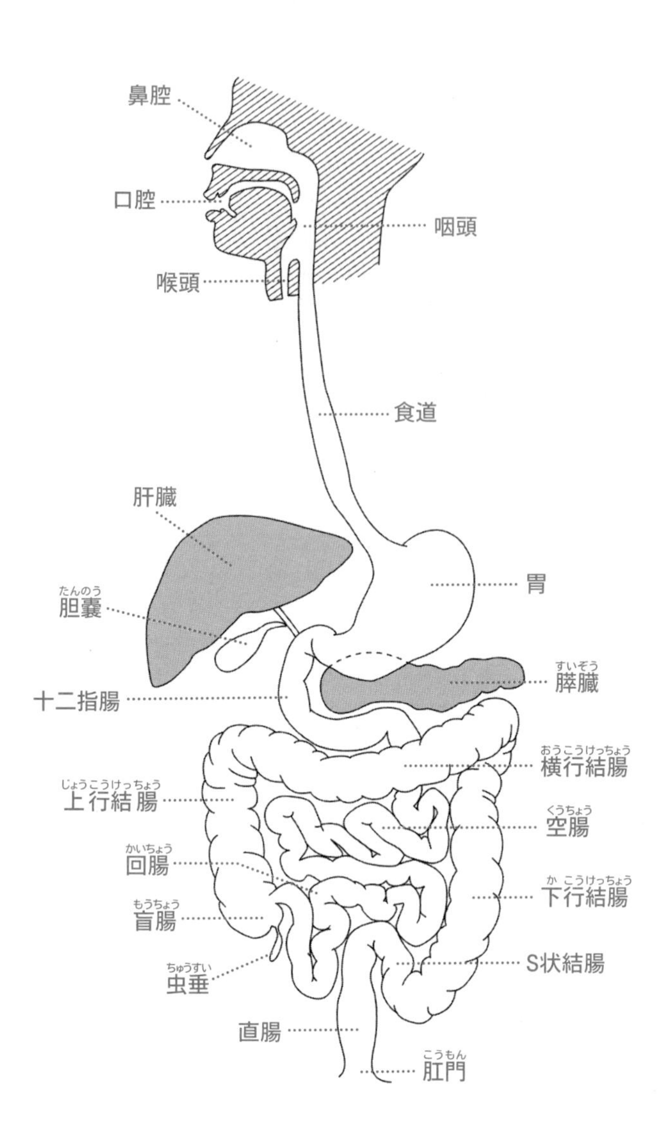

鼻腔
口腔
咽頭
喉頭
食道
肝臓
胃
たんのう
胆嚢
すいぞう
膵臓
十二指腸
おうこうけっちょう
横行結腸
じょうこうけっちょう
上行結腸
くうちょう
空腸
かいちょう
回腸
かこうけっちょう
下行結腸
もうちょう
盲腸
S状結腸
ちゅうすい
虫垂
直腸
こうもん
肛門

図8. 内分泌腺

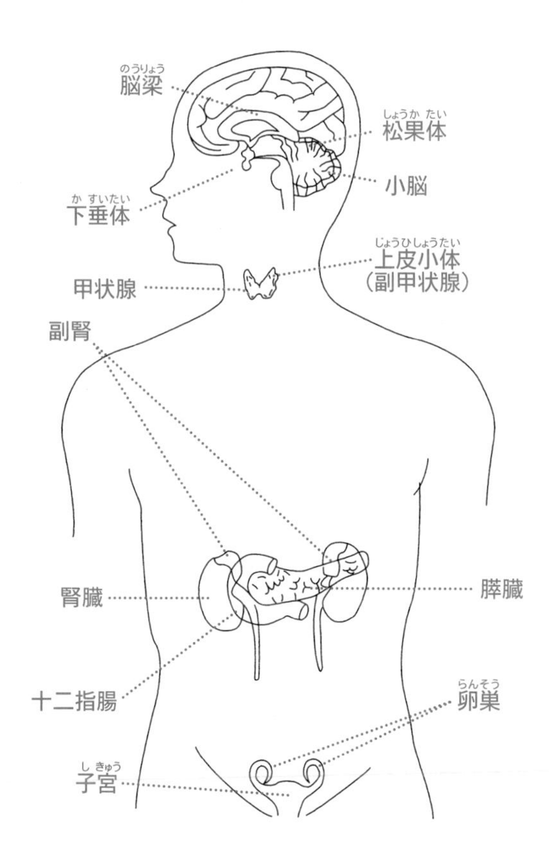

すが、内分泌腺にはそれがなく、分泌されたホルモンは直接血液の中に入って、身体のいろいろな組織に送られます。

＊内分泌の異常には、末端巨大症、巨人症、尿崩症、糖尿病、アジソン病、低血糖症、甲状腺炎、甲状腺機能亢進症、甲状腺機能低下症、副甲状腺機能亢進症、副甲状腺機能低下症などさまざまなものがあります。

▶特殊感覚器官（眼と耳：図9. 図10.）

特殊感覚には視覚、聴覚、平衡感覚、味覚、触覚がありますが、人間をとりまく外界の情報の多くを感ずるのは、視覚と聴覚です。

眼球は眼窩の中にあって外傷から守られています。眼球には数種類の筋がついていて、焦点は自動的に結ばれ、いろいろな方向に旋回することも

図9. 眼（断面図）

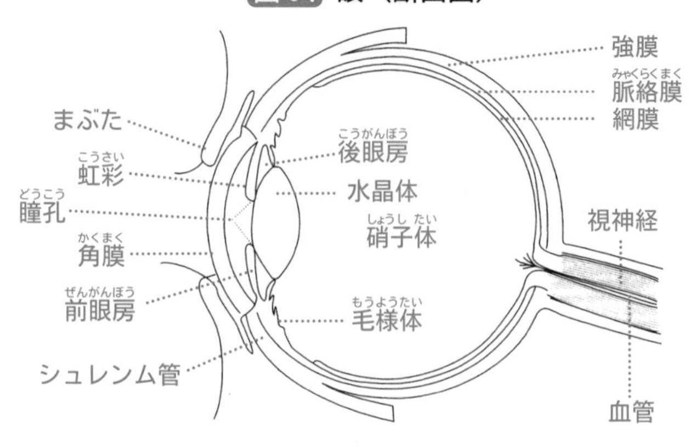

図10. 耳（断面図）

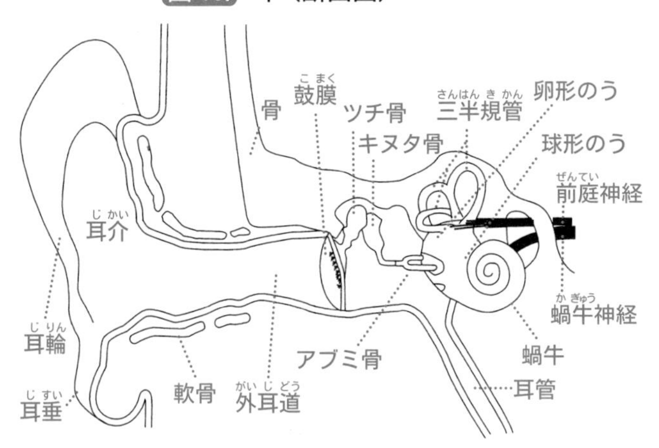

できます。また、眼は明るい所にも暗い所にも順応できます。

空気の振動は内耳につたえられて内耳液を振動させ、その振動は神経の先端を刺激して、脳にその興奮がつたえられて音として感じられます。耳は外耳、中耳、内耳の3つの部分に大きくわけられます。また、耳は聴覚のほかに、三半規管によって平衡感覚もつかさどります。

＊眼の病気には近視、遠視、乱視などの屈折異常のほか、急性結膜炎などの感染症、白内障、緑内障、網膜剥離、視神経炎、眼の腫瘍などがあり、耳の病気には外耳の腫瘍、外耳炎、中耳炎、鼓膜裂傷、メニエール病、内耳炎、突発性難聴、職業性難聴などがあります。

●医薬品の分類、名称

▶医薬品の分類

医薬品の分類方法にはさまざまな方法がありますが、主なものをまとめると、次のようになります。

分類		医薬品	要件
薬の作用による分類	生理作用	機能亢進薬（興奮薬）	人体に作用し、細胞の働きを高める医薬品。
		機能抑制薬（麻痺薬）	人体に作用し、細胞の働きを抑える医薬品。
	作用の強さ	毒薬・劇薬	毒性又は劇性が強いものとして、厚生労働大臣の指定を受けた医薬品。人体に使用した場合、極量（劇薬・毒薬について、大人に対する1日分又は1回分の制限量）が致死量に近いものをいう。
		普通薬	毒薬・劇薬以外の医薬品で、比較的安全性があり、ある程度大量に使用しても、人体に毒性をあらわさないものをいう。
原料による分類		生薬	動植物又はその分泌物を原料とする医薬品。
		合成薬	化学合成によって作られた医薬品。
法規による分類		局方薬	薬局方（国が医薬品の規格を定めた公定書）に品質、純度などの基準を定め、常用量、極量などが規定されている医薬品。
		家庭薬	医療用医薬品以外の医薬品をさし、家庭で使用する一般用医薬品のことをいう。

▶医薬品の名称

医薬品には種々の名称がありますが、まとめると次のようになります。

❶ 学術名：研究者によって命名された名称。
❷ 一般名：有効成分の名称。
❸ 化学名：Chemical Abstractsなどの命名法により命名された名称。
❹ 局方名：各国の薬局方に収載された名称。
❺ 商品名：各メーカーで独自に決めた名称。

▶医薬品の剤形と例

医薬品は、その性状、作用の仕方、使用目的、使用法などによっていろいろな形につくられますが、これを剤形(ざいけい)といい、次のように分類されます。

散(さん)剤、顆粒(かりゅう)剤、細粒(さいりゅう)剤、丸(がん)剤、錠(じょう)剤、カプセル剤、液(えき)剤、軟膏(なんこう)剤・パスタ剤、坐(ざ)剤などです。また、たとえば錠剤や外用液剤は、その用法によって次のように分類されます。

・錠剤の用法による分類

❶ 内服錠…内服する錠剤で、ほとんどの錠剤が該当する。
　例：アスピリン錠

❷ 舌下(ぜっか)錠…舌下部の口腔粘膜から吸収されるものをいう。
　例：ニトログリセリン錠

❸ バッカル錠…頬側(きょうそく)部の口腔粘膜から吸収されるものをいう。
　例：アフタッチ

❹ 口中錠…口中で徐々に溶解させて口腔、咽喉などに適用する。
（トローチ）　例：アクロマイシントローチ

❺ 外用錠…溶解して消毒、洗浄、含嗽(がんそう)(うがい)を目的に使用する。
　例：アスゾール腟錠

❻ 咀嚼(そしゃく)錠…口中でかみくだいて服用するもので、抗生物質などに使用する。
　例：シングレアチュアブル錠

・外用液剤の用法による分類

注入(ちゅうにゅう)剤	含嗽(がんそう)剤	湿布(しっぷ)剤	吸入(きゅうにゅう)剤
噴霧(ふんむ)剤	浣腸(かんちょう)剤	塗布(とふ)剤	清拭(せいしき)剤
浴(よく)剤	消毒(しょうどく)剤	点鼻(てんび)剤	点耳(てんじ)剤
点眼(てんがん)剤	洗眼(せんがん)剤	リニメント剤	ローション剤

●医薬品の規格、単位

▶計量単位（メートル式）

・重量(weights)

ガンマ	(γ) = 1/1,000 mg
マイクログラム	(μg) = 1/1,000 mg
ミリグラム	(mg)＝1/1,000 g
センチグラム	(cg)＝1/100 g
デシグラム	(dg)＝1/10 g
グラム	(g)＝1g
キログラム	(kg)＝1,000g

・液量（measures）

ミリリットル	(mL)＝1/1,000 L
デシリットル	(dL)＝1/10 L
リットル	(L)＝1L
キロリットル	(kL)＝1,000L

※mL＝cc　薬学上は同一の単位としてとりあつかう。

▶パーセント（%）

❶　重量%（g/100g）

散剤の100g中に何gの成分量が含まれているかを表します。

［例］　アスコルビン酸散10%1gというのは、1g中にアスコルビンが、
10%＝0.10g（100mg）　含まれるということ。

❷　容量%（mL/100mL）

溶液100mL中に、何mLの成分量が含まれているかを表します。

❸　グラムデシリットル（g/100mL）

溶液100mL中に何gの成分量が含まれているかを表します。

［例］　ブドウ糖注射液5%　20mL　1管というのは、20mL中にブドウ糖が、
5%＝1g（1,000mg）　含まれるということ。

▶倍用散

きわめて強い作用の薬は、適正な使用量が非常に微量なために、確実に服用できないことがあるので、特に作用のないものを混合し、うすめて使用します。このうすめるためのものを賦形剤（ふけいざい）といい、乳糖（にゅうとう）やでんぷんなどが使われています。また、うすめる以前の薬は原末（げんまつ）といい、原末に賦形剤を加えて一定の倍率にうすめたものを倍用散（ばいようさん）といいます。

❶**10倍散**（10倍にうすめたもの）は1g中に原末10%を含む（原末1：賦形剤9）→薬価基準には10%1gなどと表示されています。

［例］　ガスコン散10%1g→「10倍散」を意味します。

❷**100倍散**（100倍にうすめたもの）は1g中に原末1%を含む（原末1：賦形剤99）→薬価基準には1%1gなどと表示されています。

［例］　イノリン散1%1g→「100倍散」を意味します。

❸薬価基準に%の表示がなく、ただ1gとか10gと表示されている場合は「原末」を意味しています。

▶錠剤、カプセル剤

医薬品に賦形剤を加えて固めたものが錠剤で、医薬品を液状、粉末状、顆粒(かりゅう)状などにして、ゼラチン製のカプセルに入れたものがカプセル剤です。カプセル剤には硬(こう)カプセル剤と、軟(なん)カプセル剤があります。

錠剤やカプセル剤の量は、薬価基準には○mg 1錠、○mg 1カプセルなどと表示されていますが、この○mg というのは1錠、1カプセルに含まれている原末の量を示しています。

▶液　剤

水や蒸留水(じょうりゅうすい)またはエタノール、グリセリンなどの薬剤で調整した、液状の製剤を液剤といいます。液剤には、内用に用いる内用液剤と、洗浄、含嗽(がんそう)(うがい)、浣腸、点眼、点鼻などに用いる外用液剤があります。

内用液剤も外用液剤も、薬価基準には○% 1 mL とか、○%10mL などと表示されていますが、これは 1 mL または 10mL の液体の中にとけている薬の量が○%である、ということを示しています。

▶mg 表示された薬剤の規格と使用量

カルテ、処方箋には「○mg」と薬剤が記載されることがあります。ところが薬価基準では「○%○g」とか「○%○mL」などと表示されています。このような場合、次の換算式によって薬剤の規格と使用量を調べることができます。

A % B g
A % B mL ］ A × B ×10＝X mg

［例］ 処方箋に、フェノバルビタール散 160mg とある場合。

薬価基準では「フェノバルビタール散 10% 1 g」と表示されています。

10% 1 g を換算すると、

$10 \times 1 \times 10 = 100$mg

となり、160mg では

$160 \div 100 = 1.6$g　を処方したことになります。

診療報酬

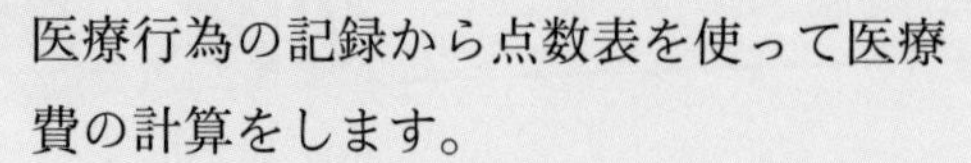

医療行為の記録から点数表を使って医療費の計算をします。

保険医療機関が担当して行った診療行為に対する報酬については、それぞれの定めるところによって、請求を行い、審査機関を経て支払われるしくみになっています。

診療報酬請求事務は点数単価方式によって行われており、「診療報酬点数表」がその基準となります。

診療料は基本診療料と特掲診療料の 2 つに大別されています。

[基本診療料]

初診料、再診料、入院料の 3 つが基本診療料で、外来診療、入院診療の際に必ず算定されます。また、特掲診療料に掲げられていない、普通行われる基本的な診療行為——血圧測定などの簡単な検査や吸入などの簡単な処置、入院時の皮内、皮下及び筋肉内注射や静脈注射料などは、基本診療料に含まれ、別に算定することはできません。

[特掲診療料]

特掲診療料は、基本診療料に含まれない診療項目として個々に点数を定めています。点数表では、特掲診療料は次の 13 部にわかれています。

第 1 部	医学管理等	第 8 部	精神科専門療法
第 2 部	在宅医療	第 9 部	処　置
第 3 部	検　査	第 10 部	手　術
第 4 部	画像診断	第 11 部	麻　酔
第 5 部	投　薬	第 12 部	放射線治療
第 6 部	注　射	第 13 部	病理診断
第 7 部	リハビリテーション		

初診、再診

●初診料算定の基本

❶　初診時（カルテの開始日）に限って算定します。

❷　情報通信機器を用いた初診を行った場合には、253点を算定します。

❸　同時に2つ以上の傷病を診察した場合でも、初めてであれば初診料は1回の算定です。

❹　A傷病の診療継続中にB傷病の初診を行っても、初診料は算定できません。再診料を算定します。

❺　同じ医療機関で、同じ日に、ほかの傷病で複数の診療科を初診として受診した場合は、2つ目の診療科に限り、所定点数の100分の50（146点／情報通信機器を用いた場合127点）を算定できます。

❻　傷病が治ゆした後にあらたな傷病が発生し、診療した場合は初診料を算定します。

❼　初診日にそのまま入院した場合でも初診料を算定します。（即日入院）

❽　特定機能病院及び許可病床数が400以上である地域医療支援病院であって、初診の患者に占める他の病院または診療所等からの文書による紹介があるものの割合等が低いものにおいて、初診（紹介なし）を行った場合、216点／情報通信機器188点（同一日2科目108点／情報通信機器94点）を算定します。

❾　許可病床数が400床以上である病院（特定機能病院、地域医療支援病院及び一般病床数200床未満の病院を除く）であって、初診の患者に占める他の病院または診療所等からの文書による紹介があるものの割合等が低いものにおいて、別に厚生労働大臣が定める患者に対して初診を行った場合、216点／情報通信機器188点（同一日2科目108点／情報通信機器94点）を算定します。

❿　許可病床数が200床以上の病院で購入された薬価基準に収載されている医療用医薬品の総取引価格の妥結率が50%以下である場合には、特定妥結率初診料としては216点／情報通信機器188点（同一日2科目

108 点／情報通信機器 94 点）を算定します。

$$妥結率(\%)=\frac{購入時の総薬価額}{薬価基準による総薬価額}$$

[初診料早見表]

<table>
<tr><th></th><th>時間内</th><th>時間外</th><th>休 日</th><th>深 夜</th><th>時間外特例</th><th>同一日 2 科目</th></tr>
<tr><td>一 般</td><td>291 点</td><td>（+85 点）
376 点</td><td>（+250 点）
541 点</td><td>（+480 点）
771 点</td><td>（+230 点）
521 点</td><td rowspan="2">146 点</td></tr>
<tr><td>6 歳未満</td><td>（+75 点）
366 点</td><td>（+200 点）
491 点</td><td>（+365 点）
656 点</td><td>（+695 点）
986 点</td><td>（+345 点）
636 点</td></tr>
<tr><td colspan="2">情報通信機器を用いた初診※1</td><td colspan="5">253 点（同一日 2 科目 127 点）</td></tr>
<tr><td colspan="2">紹介状非持参患者の初診料※2</td><td colspan="5" rowspan="2">216 点／情報通信機器 188 点
（同一日 2 科目 108 点／情報通信機器 94 点）</td></tr>
<tr><td colspan="2">施設基準を満たす医療機関における特定妥結率初診料（許可病床数 200 床以上）</td></tr>
</table>

※1　施設基準届出医療機関において算定

※2　次の a 又は b の保険医療機関で、他の保険医療機関からの文書による紹介がない患者で初診を行った場合に算定する（緊急その他やむをえない事情がある場合を除く）。

a．特定機能病院、一般病床数 200 床以上の地域医療支援病院及び一般病床数 200 床以上の外来機能報告対象病院等であって、初診の患者に占める他の病院又は診療所等からの文書による紹介があるものの割合等が低いもの

b．許可病床の数が 400 床以上である病院（特定機能病院、地域医療支援病院、外来機能報告対象病院等及び一般病床数が 200 床未満であるものを除く）であって、初診の患者に占める他の病院又は診療所等からの文書による紹介があるものの割合等が低いもの

▶連携強化加算（＋３点）

感染症対策に関する連携体制を有する届出診療所で、外来感染対策向上加算に該当する場合、診療時に月１回に限り算定します。

- **所定点数**
  算定の基本になる点数。
- **加算点数**
  条件を満たせば所定点数に加えられる点数。

▶サーベイランス強化加算（＋１点）

感染防止対策に資する情報提供体制を有する届出診療所で、外来感染対策向上加算に該当する場合、診療時に月１回に限り算定します。

▶医療情報取得加算（１；＋３点、２；＋１点）

電子（オンライン）資格確認体制等の施設基準を満たす医療機関で初診を行った場合、月１回に限り３点加算します。電子資格確認により診療情報を取得等した場合または他の医療機関から診療情報の提供を受けた場合は、月１回に限り１点加算します。

▶医療 DX 推進体制整備加算（＋ 8 点）

医療 DX 推進体制の施設基準を満たす届出医療機関で初診を行った場合、月 1 回に限り算定します。

▶乳幼児加算（＋75 点）

6 歳未満の乳幼児に初診を行った場合に加算します。また乳幼児に時間外、休日、深夜の加算をするときには、所定点数にそれぞれ 200 点、365 点、695 点を加算し、乳幼児加算は加算できません。

▶夜間・早朝等加算（＋50 点）

午後 6 時以降（土曜は正午）から翌日午前 8 時までの間（深夜・休日を除く）、休日、深夜であって、表示する診療時間内に診療所が初診を行った場合に加算します。ただし、時間外特例医療機関の場合と、小児科標榜医療機関で 6 歳未満の乳幼児加算を算定する場合を除きます。

▶機能強化加算（＋80 点）

外来医療における適切な役割分担を図り、専門医療機関への受診の要否の判断を含むより的確で質の高い診療機能を評価する観点から、かかりつけ医機能を有する医療機関における初診を評価するものです。

▶外来感染対策向上加算（＋ 6 点）

外来診療時の感染防止対策に係る体制を評価するものです。施設基準の届出診療所（感染対策向上加算を届け出ていないこと）において診療時に月 1 回に限り加算します。

▶発熱患者等対応加算（＋20 点）

発熱その他感染症が疑われる患者に対して、適切な感染防止対策をした上で初診を行った場合、月 1 回に限り加算します。

▶抗菌薬適性使用体制加算（＋ 5 点）

抗菌薬の適正な使用の推進を行っている場合に算定する加算です。施設基準の届出医療機関で外来感染対策向上加算に該当し初診を行った場合、月 1 回に限り加算します。

●再診料算定の基本

❶ 診療所と一般病床数 200 床未満の病院で、初診以外のときに算定します。

❷ 電話再診…電話やテレビ画像で治療上の指示を行ったときは再診料を算定します。

❸ 同日再診…同じ日に2回以上診療を行ったときは、2回目以降も再診料を算定します。

❹ 同じ日に他の傷病について別の診療科を再診として受診したときは、2科目に限り38点を算定します。

❺ 許可病床数が200床以上の病院で購入された薬価基準に収載されている医療用医薬品の総取引価格の妥結率が50%以下である場合には、特定妥結率再診料として、55点（同一日2科目28点）を算定します。

［再診料早見表］

（病院・診療所共通）		所定点数※1	時間外	休　日	深　夜	時間外特例	同一日2科目
一　般		75点	（＋65点）140点	（＋190点）265点	（＋420点）495点	（＋180点）255点	38点
6歳未満	時間内	（＋38点）113点	—	—	—	—	
	時間外等※2	75点	（＋135点）210点	（＋260点）335点	（＋590点）665点	（＋250点）325点	
施設基準を満たす医療機関における特定妥結率再診料（許可病床数200床以上）		55点（同一日2科目28点）					

※1　届出医療機関で情報通信機器を用いた再診を行った場合を含む。
※2　時間外加算、休日加算、深夜加算、時間外特例保険医療機関の場合の加算。（小児科（小児外科を含む）標榜保険医療機関における夜間等の診療に係る特例）

▶外来管理加算（＋52点）

外来管理加算は、検査（生体検査のうち超音波検査等、脳波検査等、神経・筋検査、耳鼻咽喉科学的検査、眼科学的検査、負荷（ふか）試験等、ラジオアイソトープを用いた諸検査、内視鏡検査の各区分に掲げるものに限る）、処置、リハビリテーション、精神科専門療法、手術、麻酔、放射線治療、慢性疼痛（とうつう）疾患管理を行わず、別に厚生労働大臣が定める計画的な医学管理を行った場合に再診料に加算します。

例
○月1日：A傷病開始
投薬、リハビリ　→初診
○月4日
投薬、注射、リハビリ→再診
○月10日
電話　→再診
○月15日
投薬、エックス線　→再診＋52点
○月17日
治ゆ　→再診＋52点

なお、懇切丁寧な診察が加算の要件になっています。また、外来管理加算は電話再診の場合は加算できません。

▶時間外対応加算（1；＋5点、2；＋4点、3；＋3点、4；＋1点）

休日や夜間など表示する診療時間外の、電話での問い合わせや受診に対応できる体制を整えた診療所（届出医療機関）で、再診を行った場合に算定します。

▶明細書発行体制等加算（＋1点）

電子化された診療報酬請求を行っている施設基準を満たした診療所（届出医療機関）で、算定した診療報酬の名称、点数、金額などを記載した詳細な明細書を患者に無料で発行し、その旨院内指示を行っている場合に、再診料に加算します。

▶地域包括診療加算 （1；＋28点、2；＋21点）

地域包括診療料の届出を行っていない診療所であって、脂質異常症、高血圧症、糖尿病、慢性心不全、慢性腎臓病（慢性維持透析を行っていないもの）、認知症のうち2以上の疾患を有する患者に対して、患者の同意を得て、療養上必要な指導及び診療を行った場合に加算します。

▶認知症地域包括診療加算（1；＋38点、2；＋31点）

診療所において、認知症の患者〔認知症以外に1以上の疾患（疑いのものを除く）を有するものであって、1処方につき5種類を超える内服薬の投薬を行った場合及び1処方につき抗うつ薬、抗精神病薬、抗不安薬または睡眠薬をあわせて3種類をこえて投薬を行った場合のいずれにも該当しないものに限る〕に対して、患者またはその家族等の同意を得て、療養上必要な指導及び診療を行った場合に加算します。

▶薬剤適正使用連携加算（＋30点）

他の保険医療機関に入院した患者または介護老人保健施設に入所した患者について、薬剤の服用状況や薬剤服用歴に関する情報共有等を行うとともに、他の保険医療機関または介護老人保健施設において処方した薬剤の種類数が減少した場合であって、退院後または退所後1月以内に入院中または入所中の処方内容について情報提供を受けた場合に、退院日から起算して2月目までに1回に限り加算します。

▶看護師等遠隔診療補助加算（＋50 点）

へき地診療所やへき地医療拠点病院において、情報通信機器を用いて遠隔診療を行った場合に加算します。前回対面診療実施日から 3 日以内に限り算定します。

▶下記加算については、初診料の加算に準じます。

夜間・早朝等加算（＋50 点）、外来感染対策向上加算（＋ 6 点／月 1 回）、発熱患者等対応加算（＋20 点／月 1 回）、連携強化加算（＋ 3 点／月 1 回）、サーベイランス強化加算（＋ 1 点／月 1 回）、抗菌薬適正使用体制加算（＋ 5 点／月 1 回）、医療情報取得加算（3 ；＋ 2 点、 4 ；＋ 1 点／ 3 月に 1 回）

●外来診療料

⑴　外来診療料は、一般病床数が 200 床以上の保険医療機関において再診を行った場合に算定します。

⑵　外来診療料には次のような検査や処置は包括（ほうかつ）されます。

●検　査　❶尿検査（点数表の区分番号 D000 から D002-2 まで）
❷糞便検査（D003：カルプロテクチン（糞便）を除く）
❸血液形態・機能検査（D005：「9」HbA1c、「12」TK 活性、「13」TdT、「14」骨髄像、「15」造血器腫瘍細胞抗原検査（一連につき）を除く）

●処　置　❶創傷処置（100cm²未満、100cm²以上 500cm²未満のもの）
❷皮膚科軟膏処置（100cm²以上 500cm²未満のもの）
❸膀胱洗浄　❹腟洗浄　❺眼処置　❻睫毛抜去
❼耳処置　❽耳管処置　❾鼻処置　❿口腔（くう）、咽頭処置
⓫間接喉頭鏡下喉頭処置　⓬ネブライザ
⓭超音波ネブライザ　⓮介達牽引（かいたつけんいん）　⓯消炎鎮痛等処置

注：ただし外来迅速検体検査加算は別に算定できます。

[外来診療料早見表]

		所定点数	時間外	休　日	深　夜	時間外特例	同一日2科目
一　般		76点	(＋65点) 141点	(＋190点) 266点	(＋420点) 496点	(＋180点) 256点	38点
6歳未満	時間内	(＋38点) 114点	—	—	—	—	
	時間外等※1	76点	(＋135点) 211点	(＋260点) 336点	(＋590点) 666点	(＋250点) 326点	
施設基準届出医療機関における情報通信機器を用いた再診		75点					
他医療機関へ文書紹介の申出を行っている患者※2		56点（同一日2科目28点）					
施設基準を満たす医療機関における特定妥結率外来診療料							

※1　時間外加算、休日加算、深夜加算、時間外特例保険医療機関の場合の加算。（小児科（小児外科を含む）標榜保険医療機関における夜間等の診療に係る特例）

※2　次のa又はbの保険医療機関で、他の病院（一般病床数200床未満に限る）又は診療所に対し文書による紹介を行う旨の申出を行ったにもかかわらず患者が受診した場合に算定（緊急その他やむをえない事情がある場合を除く）。

a．特定機能病院、地域医療支援病院及び外来機能報告対象病院等であって、初診の患者に占める他の病院又は診療所等からの文書による紹介があるものの割合等が低いもの

b．許可病床数が400床以上である病院（特定機能病院、地域医療支援病院及び外来機能報告対象病院等を除く）であって、初診の患者に占める他の病院又は診療所等からの文書による紹介があるものの割合等が低いもの

(3)　外来診療料の取りあつかいは、再診料の場合と同じです。ただし、電話などによる再診料や外来管理加算は算定できません。

なお再診料、外来診療料での「200床以上」とは医療法における一般病床のみをさしています。

(4)　特定機能病院、地域医療支援病院、外来機能報告対象病院等及び許可病床数が400床以上である病院であって、初診の患者に占める他の病院または診療所等からの文書による紹介があるものの割合等が低いものにおいて再診を行った場合、56点（同一日2科目28点）を算定します。

(5)　医療用医薬品の総取引価格の妥結率が50%以下である場合、特定妥結率外来診療料56点（同一日2科目28点）を算定します。

$$妥結率（\%）=\frac{購入時の総薬価額}{薬価基準による総薬価額}$$

▶下記加算については、再診料の加算に準じます。

医療情報取得加算（3；＋2点、4；＋1点／3月に1回）、看護師等

遠隔診療補助加算（＋50点）

●初診料、再診料の注意点

❶　初診または再診が行われた同一日であるかどうかにかかわらず、その初診または再診に付随する一連の行為とみなされる次のア)、イ)、ウ)の場合には、その費用は当該初診料または再診料もしくは外来診療料に含まれ、別に算定できません。

ア）初診時か再診時に行った検査、画像診断の結果のみを聞きに来た場合。

イ）往診などの後に薬剤のみをとりに来た場合。

ウ）初診か再診の際に、検査、画像診断、手術等の必要を認めたが、一旦帰宅し、後刻または後日に検査、画像診断、手術などを受けに来た場合。

❷　入院している期間中の再診料（外来診療料を含む）は算定できません。また、入院中の患者が診療を受けた診療科以外の診療科で、入院の原因となった傷病以外の傷病で診察を受けた場合も再診料（外来診療料を含む）の算定はできません。

❸　特定妥結率初診料、特定妥結率再診料、特定妥結率外来診療料については、医療用医薬品の取引価格の妥結率に関して、厚生労働大臣が定める施設基準に該当する保険医療機関（許可病床数が200床以上である病院に限る）において算定します。

❹　紹介状なしで受診した患者等から定額負担を徴収した場合の控除については、特定機能病院、一般病床数200床以上の地域医療支援病院及び一般病床数200床以上の紹介受診重点医療機関において、紹介状なしで受診した患者等から厚生労働大臣が定める金額以上の支払を求めた場合に、次の点数を控除した点数で算定します。

〈控除額〉初診：初診に係る所定点数から200点
　　　　　再診：再診に係る所定点数から50点

▶時間外・休日・深夜加算◀

時間外加算は、休日と深夜をのぞいた、診療時間以外の時間帯（およそ午前８時前と午後６時以降）に診療した場合に加算できます。

休日加算は、公的な休日（日曜日、祝日）を休診日としている場合に加算できます。したがって、自院の都合（つごう）で平日を休診日としている場合（たとえば木曜日を休診日としている場合）は休日加算ではなく、時間外加算のあつかいになります。

また深夜加算は、平日、休日を問わず、午後10時から翌日午前６時までの時間帯が診療時間外であれば加算できます。

ただし時間外・休日・深夜加算の重複算定はできません。なお、夜間を診療時間とする小児科を標榜する医療機関（時間外特例医療機関を除く）において、６歳未満の乳幼児に対し、夜間、休日、深夜に診療が行われた場合にも、それぞれ乳幼児の時間外・休日・深夜加算を算定できます。

＊時間内、時間外、平日、休日、深夜を図示すると、以下のようになります。（診療時間を９時から18時とします）

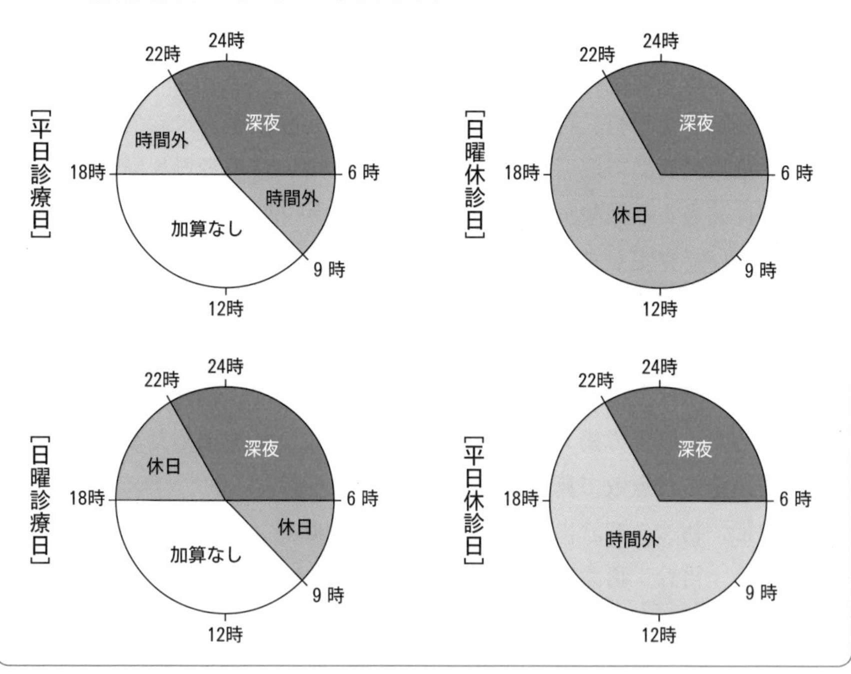

練習問題 ○ ×

□1　1傷病の診療継続中にほかの傷病が発生して初診を行った場合は、いかなる場合も初診料は1回の算定である。

×1　同一日にほかの傷病について、新たに別の診療科を初診として受診した場合は、2つ目の診療科に限って所定点数の100分の50を算定できます。

□2　身体の不調をうったえて受診したが、診察の結果病気ではなかった場合、初診料は算定できない。

×2　身体の不調をうったえて受診したのであれば、保険診療のあつかいです。診察の結果病気でなくても、初診料は算定できます。

□3　健康診断のための受診で疾病が発見された患者に、治療の必要を認め、治療を開始した場合、初診料は算定できる。

×3　算定できません。ただし、初診料を除いて、その疾病の治療に要した費用は医療保険給付対象として診療報酬を算定できます。

□4　健康診断や人間ドックによって疾病が発見され、ひきつづき同一保険医療機関で診療を行った場合、初診料の算定はできない。

○4　設問のとおり。ただし、疾病を発見した医療機関とは異なる医療機関が診療を行った場合は、初診料を算定できます。

□5　労災にて診療中にほかの疾病が発生し、保険給付の対象となる診療を受けた。この場合、初診料が新たに算定できる。

×5　労災は医療保険給付の対象外であり、同一の保険医療機関でひきつづき診療が行われた場合の初診料は算定できません。

□6　新患の診察をしたところ、高血圧症と気管支炎であることがわかった。このときの初診料は、あ

○6　初診時に2つ以上の傷病の診療をした場合でも、複数科を初診として受診していなければ、初診

わせて1回の算定である。

料はあわせて1回の算定とします。

□**7**　患者が自分で受診を中止して、1か月以上経過した後に同じ医療機関で受診する場合、同じ病名・症状でも初診としてあつかう。

○**7**　この場合のひと月の計算は、歴月によるもので、6月11日～7月10日などと計算します。

□**8**　発作をくり返す疾患（喘息（ぜんそく）・てんかん等）は1発作期間を1疾病とみなし、その都度（つど）初診料を算定できる。

○**8**　設問のとおり。

□**9**　内科で診療継続中の患者が、同じ保険医療機関の耳鼻咽喉科を新たに受診したが、継続中の内科は同じ日に受診しなかったので、初診料は算定できない。

○**9**　同一日に複数科を受診していない場合は、2つ目の科の初診料は算定できません。再診料を算定します。

□**10**　糖尿病（とうにょうびょう）により内科で診療継続中の患者が、う歯（し）（むし歯）のために同一保険医療機関の歯科を受診した。この場合、歯科においては初診料を算定する。

○**10**　歯科診療と歯科以外の診療をあわせて行う保険医療機関では、歯科診療と歯科診療以外の診療について、それぞれ別に初診料を算定します。ただし、同一傷病またはたがいに関連のある傷病の場合は、主たる診療科で算定します。

□**11**　木曜日が休診日の保険医療機関に、木曜日の午前9時に初診患者が来院した。この場合、初診料に加えて休日加算を算定する。

×**11**　休日加算の対象となる休日（日曜日と国民の祝祭日）以外の日を、終日休診日とする保険医療機関での休診日の診療は、時間外加算の対象となります。

□12　日曜日と祝祭日は休診、診療時間は午前9時から午後6時までの保険医療機関で、祝日の午前7時に初診患者が受診した。この場合、休日加算と時間外加算は重複算定できない。

○12　時間的加算の重複算定はできません。どちらか一方の加算で算定します。

□13　A病院に入院中の患者がB病院に転院するために、家族が相談に来た。この場合、初診料の算定はできない。

○13　初診料は、初めて患者の診療を行った場合に算定するもので、患者本人以外の者が相談のみを行った場合は算定できません。

□14　診療時間以外の時間に4歳の患者に診療を行った場合、初診料291点と、乳幼児時間外加算として200点を算定できる。

○14　設問のとおり。合計491点を算定します。

□15　時間外対応加算は診療所のみの加算なので、病院では算定できない。

○15　設問のとおり。

□16　明細書発行体制等加算は再診料の加算なので、初診料には算定できない。

○16　ただし初診の場合でも、明細書は無償で発行しなければなりません。

□17　初診・再診料の休日加算は、日曜日と国民の祝祭日が対象だから、1月3日がたとえば月曜日の場合、休日加算は算定できない。

×17　12月29日・30日・31日、1月2日・3日の5日間は休日あつかいになります。

□18　診療表示時間が、午前9時

×18　時間外とされる場合でも、

から午後6時までの保険医療機関に、午後5時30分に急患が来院したが、前の患者の診療中で、診療が午後7時になった。この場合は時間外加算を算定する。

当該保険医療機関が実態的に診療応需の態勢をとり、診療時間内と同様のとりあつかいで診療を行っているときは、時間外とはしません。

□**19**　日曜日を休診とする医療機関に、午後11時に受診した場合の加算は、深夜加算のみである。

○**19**　時間的加算については、同一の診療において2以上の（休日と深夜のような）重複加算は認められません。本問では、点数の高い深夜加算を優先します。

□**20**　同じ日の診療時間以外の時間に、同一医療機関で内科を受診し、別の傷病で耳鼻咽喉科を初診として受診した場合、耳鼻咽喉科の初診料にも時間外加算が算定できる。

×**20**　2つ目の診療科が算定する初診料については、時間外、休日、深夜の加算は算定できません。

□**21**　同じ日に同一医療機関で複数科を再診として受診した場合、2科目以降は科目ごとに37点を算定する。

×**21**　同一日の複数科の再診料の算定は2科目までです。

□**22**　診療表示時間が午後6時から午後11時までの夜間開業の診療所において、午後9時に受診した患者には初診料に時間外加算が加算できる。

×**22**　診療所の標榜時間内で午後6時をまわっているため、夜間・早朝等加算を算定します。

□**23**　時間外特例加算は、地域医

○**23**　設問のとおり。時間外特例

療支援病院、（認定）救急病院・診療所、病院群輪番制病院・診療所（当番日のみ）、共同利用型病院が対象となる。

医療機関では、休日加算、深夜加算に該当する場合は、時間外加算の特例を算定せず、また、時間外加算の特例を算定する場合には、時間外加算や夜間・早朝等加算は算定しません。

□24　同一日に、検査の結果のみを聞きに来院した場合、再診料は算定できる。

×24　初診や再診が行われた同一日であるかいなかにかかわらず、初診時または再診時に行った検査、画像診断の結果のみを聞きに来た場合などは、別に再診料、外来診療料の算定はできません。

□25　ある患者に対して午前中に診療を行い、同じ患者が同じ日の午後に、不調をうったえて再び来院して診療を行った場合、再診料はそれぞれ算定できる。

○25　再診料は再診の都度（同一日に2回以上の再診があってもそのたびに）算定できます。

□26　同一日に初診、再診（電話再診を含む）が2回以上行われた場合も、実日数は1日として数える。

○26　設問のとおり。なお、この場合、その回数をレセプトの摘要欄に記載します。

□27　診療時間が、午前9時から午後6時までの保険医療機関において、午前10時に診療した1歳児の母親から、午後9時に発熱したとの電話があり、医師が医療上必要な指示を行った。この場合、

×27　電話による再診の場合でも、乳幼児加算や時間外加算の算定は認められますが、時間外加算を算定した場合は乳幼児加算をあわせて算定することはできません。

再診料に加えて乳幼児加算と時間外加算を算定できる。

□**28**　患者またはその看護にあたっている者から、電話などによって治療上の意見を求められて、看護師が指示をした場合でも、再診料は算定できる。

×**28**　電話などで治療上の意見を求められて指示をした場合も、再診料は算定できますが、医師が指示を行っていなければなりません。

□**29**　木曜日を休診日としている医療機関に、木曜日の午後2時に受診した場合、再診料に休日加算をすることができる。

×**29**　休日加算の対象となる休日以外の日（平日）を終日休診日とする場合は、時間外加算の対象となります。

□**30**　日曜日の午後11時に再診を行った場合は、休日加算と深夜加算が算定できる。

×**30**　平日、休日を問わず、午後10時から翌日午前6時までの時間帯が診療時間外であれば、深夜加算です。

□**31**　休日直前に外来で処置を行い、医師が休日の診療が必要と認めて、患者に受診するように指示した場合、再診料への休日加算が認められる。

×**31**　休日の来院を指示しており、診療応需の態勢にあるので、休日加算の算定は認められません。

□**32**　外来管理加算は、医師が懇切丁寧な診察を行っている場合に算定できる。

○**32**　設問のとおり。電話による再診の場合や、簡単な確認だけで投薬を行った場合等は算定できません。

□**33**　やむをえない事情で、看護

×**33**　投薬は本来、直接本人を診

にあたっている家族から症状を聞いて、薬剤を投与した。この場合、外来管理加算は算定できる。

療したうえで、適切な薬剤を投与すべきですが、やむをえない事情で看護をしている家族から症状を聞いて薬剤を投与した場合は、再診料は算定できますが、外来管理加算は算定できません。

□**34**　午前9時に診療した1歳児の母親から午後4時に電話があり、熱が38度あるとのことで、医師が坐薬(ざやく)を挿入するように指示した。この場合、再診料は算定できるが、外来管理加算は算定できない。

○**34**　電話再診の場合は、再診料の算定はできますが、「医師による直接の診察」に該当しないので外来管理加算の算定はできません。

□**35**　再診の患者に対してネブライザを行った。再診料にあわせて外来管理加算を算定できる。

×**35**　J114ネブライザ（薬液を噴霧状にして喉頭などに吹きつける処置）は処置なので、外来管理加算は算定できません。

□**36**　関節腔内(くうない)注射を行った場合は、外来管理加算は算定できない。

×**36**　外来管理加算は注射には制限がないので算定できます。

□**37**　再診時にトリガーポイント注射を行った。再診料にあわせて外来管理加算を算定できる。

×**37**　L104トリガーポイント注射は麻酔料ですので、外来管理加算は算定できません。

□**38**　複数科を標榜する保険医療機関で、2つ以上の傷病で複数科を受診した場合、一方の科で処置や手術を行った場合でも、他科での外来管理加算は算定できる。

×**38**　同一保険医療機関で、一方の科で処置や手術などを行った場合は、他科での外来管理加算は算定できません。

□39　再診料の請求のない検査のみを行った場合、実日数は数えない。

○39　設問のとおり。

□40　小児科外来の包括化で、初診時に、小児科外来診療料を院内処方で算定した。再診時は電話再診で、再診時小児科外来診療料を算定した。

×40　電話再診の日は、この包括点数は算定できません。電話再診の点数を算定することになります。
➡点数表 B001-2 小児科外来診療料

□41　外来診療料に包括されている検査にかかわる時間外緊急院内検査加算は算定できない。

○41　設問のとおり。

□42　外来診療料に包括されている検査の判断料は算定できない。

×42　判断料は外来診療料に含まれないので、算定できます。➡点数表 A002 外来診療料

□43　処置にあたって腰部固定帯(ようぶこていたい)を使用した場合に算定できる腰部・胸部又は頸部固定帯加算は、外来診療料に含まれる。

×43　J200 腰部、胸部又は頸部固定帯加算は別に算定できます。

□44　200 床以上の病院の再診時に血液検査を行った場合、採血料は算定できる。

○44　外来診療料に採血料は含まれていないので算定できます。

□45　250 床の病院で、初診料算定の患者に末梢(まっしょう)血液一般検査と赤血球沈降(せっけっきゅうちんこう)速度測定を行った。この場合、検体検査実施料が算定できる。

○45　200 床以上の病院であっても初診料には検査、処置は包括されません。包括されるのは再診時に算定する外来診療料です。

入　院

●入院料算定の基本

❶　入院料は、入院基本料、特定入院料、短期滞在手術等基本料のうち、いずれかの点数により算定します。

❷　病院の入院基本料は、看護配置、看護師比率、平均在院日数により一般病棟入院基本料、特別入院基本料が設定されています。その他看護の病院では、特別入院基本料で算定することになります。

❸　一般病棟に 90 日をこえて入院している患者において、あらかじめ地方厚生（支）局長に届出を行った病棟の患者には、療養病棟入院料 1 で算定するか、引き続き一般病棟入院基本料を算定します。

▶一般病棟入院基本料

1．急性期一般入院基本料（1 日につき）

		1	2	3	4	5	6
		[急一般 1]	[急一般 2]	[急一般 3]	[急一般 4]	[急一般 5]	[急一般 6]
基本点数		1688	1644	1569	1462	1451	1404
初期加算	入院日～14 日（＋450 点）	2138	2094	2019	1912	1901	1854
	15 日～30 日（＋192 点）	1880	1836	1761	1654	1643	1596
	31 日以上	1688	1644	1569	1462	1451	1404

2．地域一般入院基本料（1 日につき）

		1	2	3	特別入院
		[地一般 1]	[地一般 2]	[地一般 3]	基本料
基本点数		1176	1170	1003	612
初期加算	入院日～14 日（＋450 点）	1626	1620	1453	〔912〕
	15 日～30 日（＋192 点）	1368	1362	1195	〔767〕
	31 日以上	1176	1170	1003	612
重症児（者）受入連携加算		（入院初日に限る）（＋2000 点）			
救急・在宅等支援病床初期加算		（14 日限度）（＋150 点）			

1　夜勤を行う看護職員の 1 人あたりの月平均夜勤時間数が 72 時間以下であることの要件を満たせない場合に直近 3 月に限り、月平均夜勤時間超過減算として所定点数×15/100 を減算した点数で算定。

2　重症児（者）受入連携加算（＋2000 点）（入院初日に限る）
※地域一般入院基本料を算定する病棟において、当該患者が他の保険医療機関から転院してきた者で、他の保険医療機関において入退院支援加算 3 を算定したものである場合

3　救急・在宅等支援病床初期加算（＋150 点）（1 日につき）

※地域一般入院基本料を算定する病棟に入院している患者のうち、急性期医療を担う他の保険医療機関の一般病棟から転院した患者又は介護老人保健施設、介護医療院、特別養護老人ホーム、軽費老人ホーム、有料老人ホーム等もしくは自宅から入院した患者については、転院又は入院した日から起算して 14 日を限度とする。

▶有床診療所入院基本料（1日につき）

	看護配置	14 日以内	15 日以上 30 日以内	31 日以上
有床診療所入院基本料 1	7 以上	932	724	615
有床診療所入院基本料 2	4 以上 7 未満	835	627	566
有床診療所入院基本料 3	1 以上 4 未満	616	578	544
有床診療所入院基本料 4	7 以上	838	652	552
有床診療所入院基本料 5	4 以上 7 未満	750	564	509
有床診療所入院基本料 6	1 以上 4 未満	553	519	490

1 重症児（者）受入連携加算（＋2000 点）（入院初日に限る）
2 有床診療所急性期患者支援病床初期加算（＋150 点）／
有床診療所在宅患者支援病床初期加算（＋300 点）（1 日につき、転院／入院した日から 21 日限度）
3 夜間緊急体制確保加算（＋15 点）（1 日につき）
4 医師配置加算 1 （＋120 点）／医師配置加算 2 （＋90 点）（1 日につき）
5 看護配置加算 1 （＋60 点）／看護配置加算 2 （＋35 点）（1 日につき）
夜間看護配置加算 1 （＋105 点）／夜間看護配置加算 2 （＋55 点）（1 日につき）
看護補助配置加算 1 （＋25 点）／看護補助配置加算 2 （＋15 点）（1 日につき）
6 看取り加算（＋1000 点）（入院日から 30 日以内に看取った場合）
※在宅療養支援診療所の場合（＋2000 点）
7 栄養管理実施加算（＋12 点）（1 日につき）
8 有床診療所在宅復帰機能強化加算（＋20 点）（1 日につき、入院日から起算して 15 日以降）
9 介護障害連携加算 1 （＋192 点）／介護障害連携加算 2 （＋38 点）（1 日につき、入院日から起算して 15 日以降 30 日まで）

▶入院基本料等加算

条件にあった場合、入院基本料に加算することができます。

項　目	単　位	点　数	算定要件等	一般
総合入院体制加算 1	1 日につき（入院日から起算して 14 日を限度）	260	医療従事者の配置数等の施設基準を満たしている	○
総合入院体制加算 2		200		
総合入院体制加算 3		120		
急性期充実体制加算 1	1 日につき（入院日から起算して 14 日を限度）		高度かつ専門的な医療等施設基準を満たしている	○
イ		440	7 日以内の期間	
ロ		200	8 日以上 11 日以内の期間	
ハ		120	12 日以上 14 日以内の期間	
小児・周産期・精神科充実体制加算		90	小児患者・妊産婦である患者及び精神疾患を有する患者受入体制確保の施設基準を満たしている	
精神科充実体制加算		30	小児・周産期・精神科充実体制加算に該当しない場合	
急性期充実体制加算 2	1 日につき（入院日から起算して 14 日を限度）			○
イ		360	7 日以内の期間	
ロ		150	8 日以上 11 日以内の期間	
ハ		90	12 日以上 14 日以内の期間	
小児・周産期・精神科充実体制加算		60	小児患者・妊産婦である患者及び精神疾患を有する患者受入体制確保の施設基準を満たしている	
精神科充実体制加算		30	小児・周産期・精神科充実体制加算に該当しない場合	
地域医療支援病院入院診療加算	入院初日	1000	地域医療支援病院に入院している患者	○

注：表中末尾段の○印は一般病棟で算定可能な加算。●印は特定入院基本料を算定するものを除く。△印は 7 対 1 又は 10 対 1 の算定病院に限る。

項　目	単　位	点　数	算定要件等	一般
臨床研修病院入院診療加算	入院初日	40	基幹型	○
		20	協力型	
紹介受診重点医療機関入院診療加算	入院初日	800	外来機能報告対象病院等	○
救急医療管理加算 1	1 日につき（入院日から起算して 7 日を限度）	1050	救急応需体制医療機関に緊急入院した重症患者	○
救急医療管理加算 2		420		
		210		
乳幼児加算（6 歳未満）		400		
小児加算（6 歳以上 15 歳未満）		200		
超急性期脳卒中加算	入院初日	10800	脳梗塞発症後 4.5 時間以内の患者に対して、組織プラスミノーゲン活性化因子を投与した場合等	○
妊産婦緊急搬送入院加算	入院初日	7000	入院医療を必要とする異常が疑われ緊急用の自動車等で緊急に搬送された妊産婦を入院させた場合	○
在宅患者緊急入院診療加算	入院初日	2500	別の保険医療機関との連携により在宅療養支援診療所もしくは在宅療養支援病院又は在宅療養後方支援病院*の体制を確保する保険医療機関で、当該別の保険医療機関の求めに応じて行う場合	○
		2000	連携医療機関である場合	
		1000	上記以外の場合	
診療録管理体制加算 1	入院初日	140	1 名以上の専任の診療記録管理者（1・2 は常勤）の配置、診療情報の提供など	○
診療録管理体制加算 2		100		
診療録管理体制加算 3		30		

＊在宅療養後方支援病院…入院希望患者（要届出）を緊急時にいつでも対応し、必要があれば入院を受け入れる等をする許可病床数 200 床以上の病院。

項　目	単　位	点　数	算定要件等	一般
医師事務作業補助体制加算 1	入院初日	1070	15 対 1 補助体制加算	○
		855	20 対 1 補助体制加算	
		725	25 対 1 補助体制加算	
		630	30 対 1 補助体制加算	
		530	40 対 1 補助体制加算	
		450	50 対 1 補助体制加算	
		370	75 対 1 補助体制加算	
		320	100 対 1 補助体制加算	
医師事務作業補助体制加算 2	入院初日	995	15 対 1 補助体制加算	○
		790	20 対 1 補助体制加算	
		665	25 対 1 補助体制加算	
		580	30 対 1 補助体制加算	
		495	40 対 1 補助体制加算	
		415	50 対 1 補助体制加算	
		335	75 対 1 補助体制加算	
		280	100 対 1 補助体制加算	
急性期看護補助体制加算	1 日につき（入院日から起算して 14 日を限度）	240	25 対 1 急性期看護補助体制加算（看護補助者 5 割以上）	○
		220	25 対 1 急性期看護補助体制加算（看護補助者 5 割未満）	
		200	50 対 1 急性期看護補助体制加算	
		160	75 対 1 急性期看護補助体制加算	
夜間 30 対 1 急性期看護補助体制加算		125	看護補助者の配置を夜勤帯に行っている場合のみ算定（みなし看護補助者は不可）	
夜間 50 対 1 急性期看護補助体制加算		120		

項　目	単　位	点　数	算定要件等	一般
夜間100対1急性期看護補助体制加算		105		
夜間看護体制加算		71		
看護補助体制充実加算1		20	看護職員の負担の軽減及び処遇改善等十分な体制であること	
看護補助体制充実加算2		5		
看護職員夜間配置加算				
1　看護職員夜間12対1配置加算	1日につき（入院日から起算して14日を限度）		夜勤の看護職員の最小必要数をこえた3人以上である場合 2のロは、急性期一般入院料2～6までのいずれかを算定する病棟であること	△
イ　看護職員夜間12対1配置加算1		110		
ロ　看護職員夜間12対1配置加算2		90		
2　看護職員夜間16対1配置加算				
イ　看護職員夜間16対1配置加算1		70		
ロ　看護職員夜間16対1配置加算2		45		
乳幼児加算・幼児加算				
乳幼児加算（3歳未満）	1日につき	333	病院（特別入院基本料等算定の場合は除く）	○
		289	病院（特別入院基本料等算定の場合に限る）	
		289	診療所	
幼児加算（3歳以上6歳未満）		283	病院（特別入院基本料等算定の場合は除く）	
		239	病院（特別入院基本料等算定の場合に限る）	
		239	診療所	

項目	単位	点数	算定要件等	一般
特定感染症入院医療管理加算	1日につき（1入院に限り7日を限度）		疑似症患者については、初日に限り算定	○
1		200	治療室の場合	
2		100	それ以外の場合	
難病等特別入院診療加算	1日につき	250	難病患者等入院診療加算	○
		250	二類感染症患者入院診療加算	
特殊疾患入院施設管理加算	1日につき	350	重度の障害者、筋ジストロフィー患者、難病患者等を主として入院させる病棟又は有床診療所で算定	
超重症児（者）入院診療加算・準超重症児（者）入院診療加算	1日につき			○
1　超重症児（者）入院診療加算		800	6歳未満	
		400	6歳以上	
2　準超重症児（者）入院診療加算		200	6歳未満	
		100	6歳以上	
救急・在宅重症児（者）受入加算		200	入院日から起算して5日を限度	
看護配置加算	1日につき	25	看護師比率40%の入院基本料を算定する病棟全体で、70%をこえて看護師を配置している場合	●
看護補助加算	1日につき	141	看護補助加算1	●
		116	看護補助加算2	
		88	看護補助加算3	
夜間75対1看護補助加算	1日につき	55	入院日から起算して20日を限度	
夜間看護体制加算	入院初日	176	看護補助者を夜勤時間帯に配置していること	

項　目	単　位	点　数	算定要件等	一般
看護補助体制充実加算 1	1 日につき	20	看護職員の負担の軽減及び処遇改善等十分な体制であること	
看護補助体制充実加算 2		5		
地域加算	1 日につき	18	1 級地	○
		15	2 級地	
		14	3 級地	
		11	4 級地	
		9	5 級地	
		5	6 級地	
		3	7 級地	
離島加算	1 日につき	18	入院基本料、特定入院料、短期滞在手術等基本料の加算として算定	○
療養環境加算	1 日につき	25	1 床あたりの平均床面積 8m^2 以上の病室	○
HIV 感染者療養環境特別加算	1 日につき	350	個室	○
		150	2 人部屋	
特定感染症患者療養環境特別加算	1 日につき	300	個室加算	○
		200	陰圧室加算	
重症者等療養環境特別加算	1 日につき	300	個室	○
		150	2 人部屋	
小児療養環境特別加算	1 日につき	300	15 歳未満の患者で、個室での管理が必要な者	○
療養病棟療養環境加算	1 日につき	132	療養病棟療養環境加算 1	
		115	療養病棟療養環境加算 2	
療養病棟療養環境改善加算	1 日につき	80	療養病棟療養環境改善加算 1	
		20	療養病棟療養環境改善加算 2	
診療所療養病床療養環境加算	1 日につき	100	長期にわたり療養を必要とする患者に適した施設や環境が整っている場合	

項　目	単　位	点　数	算定要件等	一般
診療所療養病床療養環境改善加算	1日につき	35	療養環境の改善に係る計画を策定し、定期的に改善の状況を地方厚生局長等に報告している場合	
無菌治療室管理加算	1日につき（90日を限度）	3000	無菌治療室管理加算1	○
		2000	無菌治療室管理加算2	
放射線治療病室管理加算	1日につき	6370	治療用放射性同位元素による治療	○
		2200	密封小線源による治療	
重症皮膚潰瘍管理加算	1日につき	18	皮膚泌尿器科、皮膚科、形成外科の標榜等	
緩和ケア診療加算	1日につき	390	緩和ケアチームによる診療	○
特定地域		200	医療従事者の確保等が困難かつ医療機関が少ない二次医療圏や離島にある病院を対象として加算	
小児加算		100	15歳未満	
個別栄養食事管理加算		70	管理栄養士が参加し栄養食事管理を行った場合	
有床診療所緩和ケア診療加算	1日につき	250	緩和ケアに係る診療が行われた場合に算定	
小児緩和ケア診療加算	1日につき	700	15歳未満に対する緩和ケアチームによる診療	○
小児個別栄養食事管理加算		70	管理栄養士が参加し栄養食事管理を行った場合	
精神科措置入院診療加算	入院初日	2500	入院基本料、特定入院料のうち精神科措置入院診療加算を算定している患者	

項　目	単　位	点　数	算定要件等	一般
精神科応急入院施設管理加算	入院初日	2500	入院基本料、特定入院料のうち精神科応急入院施設管理加算を算定している患者	
精神科隔離室管理加算	1日につき（月7日を限度）	220	隔離の理由、診察内容の診療録への記載等	
精神病棟入院時医学管理加算	1日につき	5	精神病棟では総合入院体制加算は算定できず精神病棟入院時医学管理加算のみ算定	
精神科地域移行実施加算	1日につき	20	精神病棟の入院期間5年をこえる患者のうち退院調整を実施し計画的に地域への移行を進めた場合	
精神科身体合併症管理加算			厚生労働大臣が定める身体合併症を有する精神障害者である患者に対して必要な治療を行った場合	
7日以内	1日につき（治療開始日から15日を限度）	450		
8日以上15日以内		300		
精神科リエゾンチーム加算	週1回	300	せん妄又は抑うつ、精神疾患を有する患者、自殺企図で入院した患者が対象	○
強度行動障害入院医療管理加算	1日につき	300	強度行動障害スコアが10以上、医療度判定スコアが24以上の患者に必要な治療を行った場合	○
依存症入院医療管理加算	1日につき（入院日から起算して60日を限度）	200	30日以内	○
		100	31日以上60日以内	
摂食障害入院医療管理加算	1日につき	200	30日以内	○
		100	31日以上60日以内	

項　目	単　位	点　数	算定要件等	一般
がん拠点病院加算	入院初日		別の保険医療機関、医師の紹介でがん診療連携拠点病院、地域がん診療病院又は小児がん拠点病院に入院した悪性腫瘍の患者	○
1　がん診療連携拠点病院加算				
イ　がん診療連携拠点病院		500		
ロ　地域がん診療病院		300		
2　小児がん拠点病院加算		750		
がんゲノム拠点病院加算		250	ゲノム情報を用いたがん医療を提供する保険医療機関に入院している患者	
リハビリテーション・栄養・口腔連携体制加算	1日につき（計画作成日から14日を限度）	120	施設基準届出病棟に入院している患者のADLの維持・向上等を目的とし規定の取組を行った場合	○
栄養サポートチーム加算	週1回	200	栄養サポートチームによる診療	○
特定地域		100	医療従事者の確保等が困難かつ医療機関が少ない二次医療圏や離島にある病院を対象とする場合	
歯科医師連携加算		50	歯科医師が必要な診療を共同で行った場合	
医療安全対策加算	入院初日	85	医療安全対策加算1	○
		30	医療安全対策加算2	
イ　医療安全対策地域連携加算1		50	医療安全対策加算を算定する複数の医療機関（特定機能病院以外）の連携を評価	
ロ　医療安全対策地域連携加算2		20		

項　目	単　位	点　数	算定要件等	一般
感染対策向上加算	入院初日（3については入院初日及び入院期間が90日をこえるごとに1回）	710	感染対策向上加算1	○
		175	感染対策向上加算2	
		75	感染対策向上加算3	
指導強化加算		30	感染対策向上加算1を算定する場合	
連携強化加算		30	感染対策向上加算2又は感染対策向上加算3を算定する場合	
サーベイランス強化加算		3	感染対策向上加算2又は感染対策向上加算3を算定する場合	
抗菌薬適性使用体制加算		5	感染対策向上加算を算定する場合	
患者サポート体制充実加算	入院初日	70	医療従事者と患者等との良好な関係を築くための患者支援体制が整備されている場合	○
重症患者初期支援充実加算	1日につき（入院日から起算して3日を限度）	300	特に重篤な患者及びその家族等に対する支援体制	
報告書管理体制加算	退院時1回	7	組織的な医療安全対策の実施状況の確認	○
褥瘡ハイリスク患者ケア加算	入院中1回	500	専従の褥瘡管理者が、重点的な褥瘡ケアが必要な患者に予防治療計画にもとづく総合的な褥瘡対策を継続的に実施	○
特定地域		250		
ハイリスク妊娠管理加算	1日につき（1入院に限り20日を限度）	1200	要ハイリスク妊娠管理の妊娠22週～32週未満の早産の患者等	○

項　目	単　位	点　数	算定要件等	一般
ハイリスク分娩等管理加算	１日につき（１入院に限り８日を限度）			
ハイリスク分娩管理加算		3200	要ハイリスク分娩管理の40歳以上の初産婦等	○
地域連携分娩管理加算				
精神科救急搬送患者地域連携紹介加算	退院時１回	1000	緊急に入院した患者について、入院日から起算して60日以内に、診療情報を文書により提供し、他の保険医療機関に転院させた場合	
精神科救急搬送患者地域連携受入加算	入院初日	2000	他の保険医療機関で精神科救急搬送患者地域連携紹介加算を算定した患者を入院させた場合	
呼吸ケアチーム加算	週１回	150	別に厚生労働大臣が定める患者に対して、保険医、看護師、臨床工学技士、理学療法士等が共同して、人工呼吸器の離脱のために必要な診療を行った場合	○
術後疼痛管理チーム加算	１日につき（手術日の翌日から起算して３日を限度）	100	マスク又は気管内挿管による閉鎖循環式全身麻酔を伴う手術を行った患者	○
後発医薬品使用体制加算	入院初日	87	後発医薬品使用体制加算１	●
		82	後発医薬品使用体制加算２	
		77	後発医薬品使用体制加算３	
バイオ後続品使用体制加算	入院初日	100	バイオ後発品のある先発バイオ医薬品及びバイオ後続品を使用する患者	○

項　目	単　位	点　数	算定要件等	一般
病棟薬剤業務実施加算	週１回	120	病棟薬剤業務実施加算１	○
	１日につき	100	病棟薬剤業務実施加算２	
薬剤業務向上加算	週１回	100	病棟薬剤業務実施加算１を算定する場合	
データ提出加算				△
データ提出加算１	入院初日	145	イ　200床以上の病院	
		215	ロ　200床未満の病院	
データ提出加算２		155	イ　200床以上の病院	
		225	ロ　200床未満の病院	
データ提出加算３	入院期間が90日をこえるごとに１回	145	イ　200床以上の病院	
		215	ロ　200床未満の病院	
データ提出加算４		155	イ　200床以上の病院	
		225	ロ　200床未満の病院	
入退院支援加算	退院時１回			○
入退院支援加算１		700	イ　一般病棟入院基本料等の場合	
		1300	ロ　療養病棟入院基本料等の場合	
入退院支援加算２		190	イ　一般病棟入院基本料等の場合	
		635	ロ　療養病棟入院基本料等の場合	
特定地域		95	イ　一般病棟入院基本料等の場合	
		318	ロ　療養病棟入院基本料等の場合	
小児加算		200	15歳未満	
入退院支援加算３		1200	・新生児特定集中治療室管理料、新生児特定集中治療室重症児対応体制強化管理料又は新生児集中治療室管理料を算定したものに対して、	

項　目	単　位	点　数	算定要件等	一般
			退院支援計画を作成し、退院支援を行った場合 ・退院困難な患者を受け入れ退院支援計画を作成し、退院支援を行った場合	
地域連携診療計画加算	退院時１回	300	入退院支援加算の届出を行っている病棟に入院している患者について診療情報を文書により提供した場合	
入院時支援加算１		240	入院前に支援を行った場合	
入院時支援加算２		200		
総合機能評価加算		50	総合的な評価を行い入退院を支援した場合	
入院事前調整加算		200	入院前に障害福祉サービス事業者等と支援の調整を行った場合	
精神科入退院支援加算	退院時１回	1000	退院困難等患者の入退院支援を行った場合に算定	○
精神科措置入院退院支援加算		300	都道府県、保健所を設置する市又は特別区と連携して支援を行った場合	
医療的ケア児（者）入院前支援加算	入院初日	1000	入院前又は入院した日に計画書の説明・文書提供した場合	○
		500	情報通信機器を用いて行った場合	
認知症ケア加算	1日につき			○
認知症ケア加算１		180	イ　14日以内の期間	
		34	ロ　15日以上の期間	
認知症ケア加算２		112	イ　14日以内の期間	
		28	ロ　15日以上の期間	
認知症ケア加算３		44	イ　14日以内の期間	
		10	ロ　15日以上の期間	

項　目	単　位	点　数	算定要件等	一般
身体的拘束を実施した日		40／100	所定点数の 40／100 に相当する点数で算定	
せん妄ハイリスク患者ケア加算	入院中 1 回	100	せん妄のリスクを確認し、必要を認め対策を行った場合	
精神疾患診療体制加算	入院初日	1000	精神疾患診療体制加算 1	○
	入院初日から 3 日以内に 1 回限り	330	精神疾患診療体制加算 2	
精神科急性期医師配置加算	1 日につき		入院患者 16 人に対して常勤医師 1 人以上配置の場合（兼任不可）	△
精神科急性期医師配置加算 1		600	精神科急性期治療病棟入院料 1 の場合	
精神科急性期医師配置加算 2		500	イ　精神病棟入院基本料等の場合	
		450	ロ　精神科急性期治療病棟入院料の場合	
精神科急性期医師配置加算 3		400	精神科救急急性期医療入院料又は精神科急性期治療病棟入院料 1 の場合	
薬剤総合評価調整加算	退院時 1 回	100	イ　入院前に 6 種類以上の内服薬が処方されていた患者の処方内容の変更かつ療養上必要な指導を行った場合 ロ　精神病棟に入院中の患者で、抗精神病薬を、4 種類以上内服していたものについて処方内容の変更かつ療養上必要な指導を行った場合	○
薬剤調整加算		150	イ　退院時に処方する内服薬が 2 種類以上減少した場合 ロ　退院日までの間に抗精神病薬が 2 種類以上	

項　目	単　位	点　数	算定要件等	一般
			減少した場合その他これに準ずる場合	
排尿自立支援加算	週1回（12週を限度）	200	包括的な排尿ケアを行った場合	
地域医療体制確保加算	入院初日	620	救急搬送、周産期医療又は小児救急医療に係る実績あり	
協力対象施設入所者入院加算	入院初日			
1		600	往診が行われた場合	
2		200	1以外の場合	

▶入院時食事療養費

保険医療機関に入院した患者は、療養の給付とあわせて食事の給付が受けられます。入院中の食事の費用は、保険から支給される入院時食事療養費と、患者が支払う標準負担額でまかなわれます。なお、入院時食事療養費の額は、厚生労働大臣が定める基準に従って算出した額から、平均的な家計の食事を勘案して定めた標準負担額を控除した額になっています。

❶ 入院時食事療養費は次のように(I)と(II)に分かれています。

・入院時食事療養費(I)

別に厚生労働大臣が定める基準に適合しているものとして届け出て、食事療養を行う保険医療機関に入院している患者に食事療養を行ったときに１日につき３食を限度として算定。

・入院時食事療養費(II)

入院時食事療養費(I)を算定する保険医療機関以外の保険医療機関に入院している患者に食事療養を行ったときに１日につき３食を限度として算定。

入院時食事療養費(I)(1)…(2)以外	１食につき　**670円**
入院時食事療養費(I)(2)…流動食のみ	１食につき　**605円**
特別食加算（特別食の提供）	１食につき（**+76円**）
食堂加算（食堂における食事療養）	１日につき（**+50円**）
入院時食事療養費(II)(1)…(2)以外	１食につき　**536円**
入院時食事療養費(II)(2)…流動食のみ	１食につき　**490円**

❷ 入院時食事療養費は，療養費となっていますが、保険者が被保険者に代わって医療機関にその費用を直接支払うこととなっており、患者は標準負担額のみを支払います。

❸ 標準負担額は次のようになっています。

食事療養標準負担額（患者負担額）（１食につき、１日３食分を限度）

<table>
<tr><td>A</td><td colspan="2">B、C、Dのいずれにも該当しない者</td><td>490円</td></tr>
<tr><td>B</td><td colspan="2">・C、Dのいずれにも該当しない指定難病患者又は小児慢性特定疾病児童等
・H27．4．1以前からH28．4．1まで継続して精神病床に入院していた一般所得区分の患者の退院まで※</td><td>280円</td></tr>
<tr><td rowspan="2">C</td><td rowspan="2">低所得者（70歳未満）
低所得者Ⅱ（70歳以上）</td><td>過去１年間の入院期間が90日以内</td><td>230円</td></tr>
<tr><td>過去１年間の入院期間が90日超</td><td>180円</td></tr>
<tr><td>D</td><td colspan="2">低所得者Ⅰ（70歳以上）</td><td>110円</td></tr>
</table>

※ 当該者が平成28年4月1日以降、合併症などによって同日内に他の病床に移動もしくは他の保険医療機関に再入院する場合（その後再び同日内に他の病床に移動もしくは他の保険医療機関に再入院する場合を含む）。

練習問題 ○ ×

□1 入院期間は暦月でなく、日数で計算する。

○1 設問のとおり。

□2 同一月に同一患者について、入院、入院外はそれぞれ別の明細書に記載するが、初診からただちに入院した場合は、入院分のみを明細書に記載する。

○2 設問のとおり。

□3 入院基本料は、いったん治ゆし、その後再発して入院した場合は、前回の入院日を入院起算日とする。

×3 再入院日を入院起算日とします。

□4 ほかの医療機関へ転院する場合、転院日の入院料は両方の医療機関で算定できる。

○4 設問のとおり。

□5 同じ医療機関内の病棟から病棟に移動した日の入院料は、移動先の病棟の入院料を算定する。

○5 設問のとおり。

□6 入院患者の外泊期間中の入院料は、入院基本料の基本点数の30%または特定入院料の30%を算定する。

×6 15%を算定します。ただし精神及び行動の障害患者を、治療のために外泊させる場合は30%を算定できます。

□7 入院中の患者が、医師の許可を得て、自宅へ帰って宿泊する場

○7 設問のとおり。たとえば10月4日午前11時に帰宅し、10月

合があるが、24時間（0時～24時）の間中、医療機関をあける場合を外泊という。

6日午後1時に病院へもどってきた患者の場合は、3日間自宅にいたことになりますが、自宅に0時から24時の間いたのは、10月5日の1日のみですから外泊1日となります。

10/4 午前11時　10/5 0時　10/6, 0時 (10/5, 24時)　10/6午後1時

したがって1泊2日の外泊は、診療報酬算定上では外泊とはみなされません。

□**8**　入院患者が外泊中に病状が急変し、医師が往診したので、往診料が算定できる。

×**8**　外泊患者でも入院管理下での診療ですので、往診料は算定できません。

□**9**　個室や2人部屋では、患者から室料差額の支払いを受けることができる。

○**9**　ただし、患者の同意を得ること、室料の差額の表示をすること、領収書を発行することの3つが必要です。

□**10**　耳鼻科で手術を行い、麻酔が覚めるまで患者を入院させた。手術後2時間たって患者は覚醒し帰宅した。この場合も1日入院として入院基本料を算定できる。

×**10**　眼科や耳鼻科などで手術を行い、同じ日に入院・退院した場合、医師が必要を認めて入院診療が行われた場合は算定できるが、単なる覚醒や休養の目的で入院させた場合は算定できません。

□**11**　特定患者とは、90日をこえて同じ医療機関の一般病棟に入院

○**11**　設問のとおり。

している患者をいう。

□12　入院中の患者に対して、必要があって深夜に、緊急に胸部単純撮影を行った場合は、時間外緊急院内画像診断加算を算定できる。

×12　画像診断の緊画（きんが）が認められるのは入院中の患者以外の患者です。➡点数表　画像診断「通則」

□13　地域一般入院料3を算定している病棟で、看護師比率が70%以上の場合は看護配置加算を算定できる。

○13　A213 看護配置加算は、看護師比率が40%と規定されている入院基本料を算定している病棟全体において、70%をこえて看護師を配置している場合に算定します。

□14　診療録管理体制加算とは、総合入院体制加算のことである。

×14　A207 診療録管理体制加算は、診療録の管理体制を評価したものです（過去5年間の診療録、過去3年間の手術記録、看護記録等がすべて保管されていることなど）。また A200 総合入院体制加算は、一般病棟入院基本料を算定する医療機関において、急性期医療の提供や医療従事者の処遇の改善に対する体制等を評価した加算です。

□15　地域加算は、医療機関の所在地が、人事院規則で定める地域等に該当する場合に算定できるが、これは病院の場合にのみ加算できる。

×15　地域加算は、地域区分に該当する病院、診療所とも加算できます。入院基本料、特定入院料、短期滞在手術等基本料のうち、地域加算を算定できるものを現に算定している患者に限り加算として算定します。なお、その地域に所

在（または隣接）する医療機関に入院している患者について算定します。➡点数表 A218 地域加算

□16　入院基本料における1級地加算の地域とは、東京23区である。

○16　東京都特別区が該当します。

□17　地域医療支援病院入院診療加算は入院初日に算定する。

○17　地域医療支援病院入院診療加算は、紹介患者への医療提供、病床や高額医療機器などの共同利用、24時間救急医療の提供などを評価するもので、入院初日に算定します。➡点数表 A204 地域医療支援病院入院診療加算

□18　妊産婦緊急搬送入院加算は、入院医療を必要とする異常が疑われ、緊急自動車等で搬送された妊産婦を入院させた場合に、退院の日まで1日につき加算する。

×18　入院初日に限り、所定点数に加算します。➡点数表 A205-3 妊産婦緊急搬送入院加算

□19　救急医療管理加算は入院日から起算して7日を限度として算定できる。

○19　救急医療機関において、緊急入院が必要な患者に救急医療を行った場合に、入院した日から算定できます。➡点数表 A205 救急医療管理加算

□20　精神科応急入院施設管理加算を算定した患者について、救急医療管理加算は算定できる。

×20　精神科応急入院施設管理加算を算定した場合は、救急医療管理加算は算定できません。➡点数表

A205 救急医療管理加算

□21　医師事務作業補助体制加算を算定する補助者の業務には、診療報酬請求事務、看護業務の補助などがある。

×21　医師事務作業補助者の業務は、医師の指示のもとでの診断書などの文書作成補助、診療記録への代行入力などです。医師以外の職種の指示のもとに行う業務、診療報酬請求事務、看護業務の補助などは業務としません。➡点数表 A207-2 医師事務作業補助体制加算

□22　超急性期脳卒中加算の対象となる患者は、脳梗塞を発症して4.5時間以内の患者である。

○22　発症後4.5時間以内に、組織プラスミノーゲン活性化因子を投与した場合に入院初日に限り加算します。➡点数表 A205-2 超急性期脳卒中加算

□23　乳幼児加算は、3歳未満の患者を入院させた場合に算定するが、産婦や生母の入院にともなって、健康な乳幼児を在院させた場合でも加算される。

×23　健康な乳幼児の場合の乳幼児加算は算定できません。➡点数表 A208 乳幼児加算・幼児加算

□24　療養環境加算が算定できる患者は、1床あたりの平均床面積が8m^{2}以上の病室に入院している患者という条件がある。

○24　設問のとおり。ただし特別の療養環境の提供となる病室は、加算の対象にはなりません。なお、室内面積の算出は壁心ではなく内法により行います。➡点数表 A219 療養環境加算

□25　小児療養環境特別加算の対

×25　15歳未満の小児患者で、麻

象となる患者は、6歳未満の小児患者をいう。

しんなどの感染症にかかって、ほかの患者への感染の危険性が高い患者などです。➡点数表 A221-2 小児療養環境特別加算

□26　診療所療養病床療養環境加算及び食堂加算の届け出を行っている病院では、各々の加算の算定は認められる。

×26　診療所療養病床療養環境加算等の食堂の設置が要件の1つとなっている点数を算定している場合は、食堂加算をあわせて算定することはできません。

□27　摂食障害入院医療管理加算の算定対象患者は、摂食障害による著しい体重減少が認められる者で、BMIが15未満の患者をいう。

○27　BMIはBody Mass Indexの略で、身体の大きさの指数を示します。

(体重 kg)÷(身長 m)^2

で算出。22を標準とします。

□28　褥瘡（じょくそう）ハイリスク患者ケア加算は、施設基準に適合しているものとして届け出た保険医療機関に入院している患者すべてに算定する。

×28　重点的な褥瘡ケアを行う必要を認め、計画的な褥瘡対策が行われた場合に算定します。➡点数表 A236 褥瘡ハイリスク患者ケア加算

□29　病棟薬剤業務実施加算は、施設基準に適合しているとして届出を行っている保険医療機関を受診している患者すべてに算定できる。

×29　当該保険医療機関に入院している患者について、薬剤師が病棟において病院勤務医等の負担軽減及び薬物療法の有効性、安全性の向上に資する薬剤関連業務を実施している場合に算定します。➡点数表 A244 病棟薬剤業務実施加算

□30　特定集中治療室管理料には、

×30　A301 特定集中治療室管理料

すべての検査、注射、処置、病理診断が含まれ、14日を限度として算定できる。

には、入院基本料、入院基本料等加算の一部、検査の一部、点滴注射、酸素吸入等が含まれるが、すべての検査、注射、処置、病理診断が含まれるわけではありません。

□31　脳卒中ケアユニット入院医療管理料の算定対象となる疾患は、脳梗塞と脳出血の2種類である。

×31　脳梗塞、脳出血、くも膜下出血の3種類です。➡点数表 A301-3 脳卒中ケアユニット入院医療管理料

□32　救命救急入院料は、救命救急センターを有し、手術に必要な麻酔医等が緊急時にすみやかに対応できる体制にあるなどの保険医療機関が算定する。

○32　重篤（じゅうとく）（病状がいちじるしく重いこと）な患者に救命救急医療が行われた場合に算定します。➡点数表 A300 救命救急入院料

□33　救命救急入院料は、入院日数にかかわらず一定である。

×33　救命救急入院料は、3日以内、4日以上7日以内、8日以上、14日以内、15日以上60日以内の期間ごとに点数が異なります。

□34　無床（むしょう）診療所で短期滞在手術等基本料1を算定できる。

○34　「短期滞在手術等基本料１」は日帰り手術、「短期滞在手術等基本料３」は4泊5日までの入院による手術の場合に算定します。

➡点数表 A400 短期滞在手術等基本料

□35　短期滞在手術等基本料1を算定したときは、入院外診療報酬明細書の「⑳ その他」欄に点数を記載し、短期滞在手術等基本料

○35　設問のとおり。短期滞在手術等基本料1を算定した場合は入院外診療報酬明細書の摘要欄に（短手１）と表示し、短期滞在手術

3を算定したときは、入院診療報酬明細書の「⑳ 入院」欄に点数を記載する。

等基本料3を算定した場合は入院診療報酬明細書の摘要欄に(短手3)と表示し、手術日、手術名を記載します。

□**36**　短期滞在手術等基本料3を算定する手術には、鼠径ヘルニア手術、腹腔鏡下鼠径ヘルニア手術（両側）がある。

○**36**　ただし、鼠径ヘルニア手術、腹腔鏡下鼠径ヘルニア手術（両側）は、3歳未満、3歳以上6歳未満、6歳以上15歳未満等年齢区分ごとに点数が異なります。

□**37**　短期滞在手術等基本料1を算定する患者に食事の提供があったときは、保険外の実費となる。

○**37**　この場合、入院時食事療養費の算定対象にはなりません。

□**38**　高度肥満症（肥満度70%以上またはBMIが35以上）に対して食事療法を行った場合は、特別食加算はない。

×**38**　高度肥満症に対して食事療法を行う場合は、脂質異常症食に準じてとりあつかうことができます。

□**39**　流動食、軟(なん)食は、胃潰瘍食として特別食加算となる。

×**39**　単なる流動食・軟食、または人工栄養のための調乳(ちょうにゅう)、離乳(りにゅう)食、幼児食などは、特別食の対象にはなりません。

□**40**　入院時食事療養費は、実際に患者に食事を提供した場合に、1食単位で1日3食を限度として算定する。

○**40**　設問のとおり。なお医学上の必要があって食事が4食以上提供されている場合は、1日の最初の食事から3食目までを算定します。

□41　入院時食事療養(Ⅰ)の算定要件に、「適時適温の食事の提供」がある。

○41　入院時食事療養(Ⅰ)の要件を満たさない場合は、入院時食事療養(Ⅱ)により算定します。

□42　短期滞在手術等基本料3を算定する対象項目の中には小児食物アレルギー負荷検査がある。

○42　短期滞在手術等基本料3は73種類の手術及び検査が対象となり、包括範囲も全診療報酬点数に拡大されました。

□43　医師事務作業補助体制加算における医師事務作業補助業務には、治験に係る事務作業も含まれる。

×43　治験に係る事務作業は含まれません。

□44　医師事務作業補助体制加算1は当該保険医療機関において、3年以上の医師事務作業補助者としての勤務経験を有し、それぞれの配置区分ごとに、5割以上配置し、医師事務作業補助者の延べ勤務時間の8割以上を病棟または外来において業務を行うことが算定要件とされている。

○44　医師事務作業補助者の業務の場所として，病棟または外来のスタッフルームや会議室等も含みます。また、医師事務作業補助者の勤務状況及び補助が可能な業務の内容は定期的に評価することが望まれます。

医学管理等

医学管理等は、たとえば胃炎や十二指腸潰瘍の患者に「食事について管理」をしたときには「特定疾患療養管理料」を算定するなど、患者に計画的な医学管理を行ったり、療養上の管理を行ったときに算定します。

▶医学管理料等一覧表

項目		点数	算定回数	外来	入院
特定疾患療養管理料 ※( )内の点数は情報通信機器を用いた場合	診療所	225 (196)	月2回	○	×
	病院〔100床未満〕	147 (128)			
	病院〔100床以上200床未満〕	87 (76)			
ウイルス疾患指導料　1	( )内は情報通信機器を用いた場合	240 (209)	1回限り	○	○
〃　2		330 (287)	月1回		
特定薬剤治療管理料	特定薬剤治療管理料1	470	月1回（てんかん患者は月2回）	○	○
		280	初回月加算。臓器移植後の免疫抑制剤投与以外		
		530	1回限り。バンコマイシン投与		
		250	6月に1回限り。臓器移植後のミコフェノール酸モフェチル投与の場合		
		250	3月に限り月1回。4月目以降4月に1回限り。臓器移植後のエベロリムス投与の場合		
		2740	臓器移植加算。 3月限り。臓器移植後の免疫抑制剤投与の場合。4月以降は50／100		
		740	1回限り。ジギタリス製剤の急速飽和又		

項目		点数	算定回数	外来	入院
			はてんかん重積状態		
	特定薬剤治療管理料2	100	月1回。サリドマイド及びその誘導体を投与している患者		
悪性腫瘍特異物質治療管理料	イ　尿中BTAに係るもの	220	月1回	○	○
	ロ　その他のもの				
	1項目	360			
	2項目以上	400			
	初回月加算	150			
小児特定疾患カウンセリング料	イ　医師		初回のカウンセリングを行った日から起算して2年以内に月2回 2年を超える期間では4年を限度に月1回	○	×
	初回	800			
	情報通信機器を用いた場合	696			
	初回のカウンセリングを行った日後1年以内				
	月の1回目	600			
	情報通信機器を用いた場合	522			
	月の2回目	500			
	情報通信機器を用いた場合	435			
	初回のカウンセリングを行った日から起算して2年以内				
	月の1回目	500			
	情報通信機器を用いた場合	435			
	月の2回目	400			
	情報通信機器を用いた場合	348			
	初回のカウンセリングを行った日から起算して4年以内	400			
	情報通信機器を用いた場合	348			
	ロ　公認心理師	200			
小児科療養指導料		270	月1回	○	×
	人口呼吸器導入時相談支援加算	500	1回限り（文書提供月から1月限度）		
	情報通信機器を用いた場合	235			

項目			点数	算定回数	外来	入院
てんかん指導料			250	月1回	○	×
	情報通信機器を用いた場合		218			
難病外来指導管理料			270	月1回	○	×
	人口呼吸器導入時相談支援加算		500	1回限り（文書提供月から1月限度）		
	情報通信機器を用いた場合		235			
皮膚科特定疾患指導管理料（Ⅰ）	（ ）内は情報通信機器を用いた場合		250（218）	月1回	○	×
〃 （Ⅱ）			100（87）			
外来栄養食事指導料1	⑴初回	①対面	260	月1回（初回月は2回）	○	×
		②情報通信機器等	235			
	⑵2回目以降	①対面	200			
		②情報通信機器等	180			
〃 2	⑴初回	①対面	250	月1回（初回月は2回）当院以外の管理栄養士の指導（診療所）		
		②情報通信機器等	225			
	⑵2回目以降	①対面	190			
		②情報通信機器等	170			
入院栄養食事指導料1	⑴初回		260	週1回、入院中2回限り	×	○
	⑵2回目		200			
〃 2	⑴初回		250	週1回、入院中2回限り。当院以外の管理栄養士の指導（診療所）		
	⑵2回目		190			
集団栄養食事指導料			80	月1回	○	○
心臓ペースメーカー指導管理料	イ　着用型自動除細動器		360	月1回	○	○
	植込型除細動器移行期加算		31510	月1回（3月限度）	○	×
	ロ　ペースメーカー		300	月1回	○	×
	遠隔モニタリング加算		260	指導月限り（11月限度）	○	×
	ハ　植込型除細動器又は両室ペーシング機能付き植込型除細動器		520	月1回	○	○
	遠隔モニタリング加算		480	指導月限り（11月限度）	○	×

項目		点数	算定回数	外来	入院
	導入期加算	140	K597、K598、K599、K599-3 の手術を行った日から 3 月以内	○	×
在宅療養指導料		170	月 1 回 （初回月は 2 回）	○	○
高度難聴指導管理料	イ　人工内耳植込術日から 3 月以内	500	月 1 回	○	○
	ロ　イ以外	420	年 1 回		
人工内耳機器調整加算	6 歳未満	800	3 月に 1 回限り		
	6 歳以上		6 月に 1 回限り		
慢性維持透析患者外来医学管理料		2211	月 1 回	○	×
	腎代替療法実績加算	100			
喘息治療管理料 1	(1) 1 月目	75	月 1 回	○	×
	(2) 2 月目以降	25			
	重度喘息患者治療管理加算（20 歳以上）				
	イ　1 月目	2525			
	ロ　2 月目～6 月目まで	1975			
〃　2（6 歳未満又は 65 歳以上）		280	初回限り。吸入補助器具使用	○	×
慢性疼痛疾患管理料		130	月 1 回（診療所）	○	×
小児悪性腫瘍患者指導管理料（15 歳未満）		550	月 1 回	○	×
	情報通信機器を用いた場合	479			
糖尿病合併症管理料		170	月 1 回	○	×
耳鼻咽喉科特定疾患指導管理料		150	月 1 回	○	×
がん性疼痛緩和指導管理料		200	月 1 回（麻薬処方） 1 回限り	○	○
	難治性がん性疼痛緩和指導管理加算	100			
	小児加算（15 歳未満）	50			
	情報通信機器を用いた場合	174			
がん患者指導管理料 ※（　）内の点数は情報通信機器を用いた場合	イ　医師及び看護師による診療方針等の文書等提供	500 (435)	1 回限り	○	○
	ロ　医師、看護師又は公認心理師による面接	200 (174)	6 回限り		
	ハ　医師又は薬剤師による投薬等の必要性等の文書説明	200 (174)	6 回限り		
	ニ　医師による遺伝子検査の必要性等の文書説明	300 (261)	1 回限り		

項目		点数	算定回数	外来	入院
外来緩和ケア管理料	（ ）内は情報通信機器を用いた場合	290 (252)	月 1 回	○	×
特定地域		150 (131)			
	小児加算（15 歳未満）	150			
移植後患者指導管理料	イ　臓器移植後の場合	300	月 1 回	○	×
	ロ　造血幹細胞移植後の場合	300			
	情報通信機器を用いた場合	261			
植込型輸液ポンプ持続注入療法指導管理料		810	月 1 回	○	×
	導入期加算（3 月以内）	140			
糖尿病透析予防指導管理料	（ ）内は情報通信機器を用いた場合	350 (305)	月 1 回	○	×
特定地域		175 (152)			
	高度腎機能障害患者指導加算	100			
小児運動器疾患指導管理料（20 歳未満）		250	6 月に 1 回限り	○	×
乳腺炎重症化予防ケア・指導料				○	×
	イ　乳腺炎重症化予防ケア・指導料 1		1 回の分娩につき 4 回限り		
	初回	500			
	2 回目～ 4 回目まで	150			
	ロ　乳腺炎重症化予防ケア・指導料 2		1 回の分娩につき 8 回限り		
	初回	500			
	2 回目～ 8 回目まで	200			
婦人科特定疾患治療管理料		250	3 月に 1 回限り	○	×
腎代替療法指導管理料		500	2 回限り	○	×
	情報通信機器を用いた場合	435			
一般不妊治療管理料		250	3 月に 1 回限り	○	×
生殖補助医療管理料 1		300	月 1 回	○	×
〃 2		250			
二次性骨折予防継続管理料 1		1000	入院中 1 回限り	×	○
〃 2		750	入院中 1 回限り	×	○
〃 3		500	月 1 回（初回月から 1 年限度）	○	×
アレルギー性鼻炎免疫療法治療管理料	イ　1 月目	280	月 1 回	○	×
	ロ　2 月目以降	25			

項目			点数	算定回数	外来	入院
下肢創傷処置管理料			500	月1回	○	×
慢性腎臓病透析予防指導管理料	イ　初回の指導管理を行った日から起算して1年以内		300	月1回	○	×
		情報通信機器を用いた場合	261			
	ロ　初回の指導管理を行った日から起算して1年超		250			
		情報通信機器を用いた場合	218			
小児科外来診療料（6歳未満）	1 処方箋交付あり	イ　初診時	604	1日につき	○	×
		ロ　再診時	410			
	2 1以外	イ　初診時	721			
		ロ　再診時	528			
	小児抗菌薬適正使用支援加算		80	月1回（「1」のイ又は「2」のイのみ）		
地域連携小児夜間・休日診療料1（6歳未満）			450	原則1日に1回（例外あり）	○	×
〃　2（6歳未満）			600			
乳幼児育児栄養指導料（3歳未満）			130	初診時	○	×
		情報通信機器を用いた場合	113			
地域連携夜間・休日診療料			200	原則1日に1回（例外あり）	○	×
院内トリアージ実施料			300	初診時	○	×
夜間休日救急搬送医学管理料			600	初診時	○	×
		精神科疾患患者等受入加算	400			
		救急搬送看護体制加算1	400			
		救急搬送看護体制加算2	200			
外来リハビリテーション診療料1			73	7日間に1回限り	○	×
〃　2			110	14日間に1回限り		
外来放射線照射診療料			297	7日間に1回限り	○	×
地域包括診療料1			1660	月1回	○	×
		薬剤適正使用連携加算	30	退院から2月まで1回限り		
〃　2			1600	月1回		
認知症地域包括診療料1			1681	月1回	○	×
		薬剤適正使用連携加算	30	退院から2月まで1回限り		
〃　2			1613	月1回		

項目			点数	算定回数	外来	入院
小児かかりつけ診療料 1（未就学時）	イ 処方箋交付あり	(1)初診時	652	1 日につき	○	×
		(2)再診時	458			
	ロ 処方箋交付なし	(1)初診時	769			
		(2)再診時	576			
〃 2（未就学時）	イ 処方箋交付あり	(1)初診時	641			
		(2)再診時	447			
	ロ 処方箋交付なし	(1)初診時	758			
		(2)再診時	565			
	小児抗菌薬適正使用支援加算		80	初診時（文書提供）		
外来腫瘍化学療法診療料 1	イ 抗悪性腫瘍剤投与			①「1」のイ(1)、「2」のイ(1)、「3」のイ(1)は月 3 回限り	○	×
		(1)初回から 3 回目まで	800			
		(2) 4 回目以降	450			
	ロ イ以外の必要な治療管理を行った場合		350			
〃 2	イ 抗悪性腫瘍剤投与			②「1」のイ(2)、「2」のイ(2)、「3」のイ(2)は①算定日以外週 1 回限り		
		(1)初回から 3 回目まで	600			
		(2) 4 回目以降	320			
	ロ イ以外の必要な治療管理を行った場合		220			
〃 3	イ 抗悪性腫瘍剤投与			③ロは週 1 回限り		
		(1)初回から 3 回目まで	540			
		(2) 4 回目以降	280			
	ロ イ以外の必要な治療管理を行った場合		180			
	小児加算（15 歳未満）		200			
	連携充実加算		150	月 1 回		
	がん薬物療法体制充実加算		700	月 1 回		
生活習慣病管理料（I）	1 脂質異常症		610	月 1 回	○	×
	2 高血圧症		660			
	3 糖尿病		760			
		血糖自己測定指導加算(年 1 回)	500			
		外来データ提供加算	50			
ニコチン依存症管理料 1	イ 初回		230	5 回限り	○	×
	ロ 2 回目～4 回目	(1)対面	184			
		(2)情報通信機器	155			

項目		点数	算定回数	外来	入院
	ハ　5回目	180			
〃　2	一連につき	800	初回時		
生活習慣病管理料（Ⅱ）		333	月1回	○	×
	血糖自己測定指導加算	500	年1回		
	外来データ提出加算	50			
	情報通信機器を用いた場合	290			
手術前医学管理料		1192	手術料算定日1回限り	○	○
手術後医学管理料	病院	1188	1日につき（術後3日を限度）	×	○
	診療所	1056			
肺血栓塞栓症予防管理料		305	入院中1回限り	×	○
リンパ浮腫指導管理料		100	入院中1回限り	×	○
			退院月又は翌月の外来受診時の再度指導時に1回限り	○	×
臍ヘルニア圧迫指導管理料（1歳未満）		100	1回限り	○	○
療養・就労両立支援指導料	1　初回	800	月1回	○	×
	情報通信機器を用いた場合	696			
	2　2回目以降	400	月1回（3月を限度）		
	情報通信機器を用いた場合	348			
	相談支援加算	50	看護師、社会福祉士等の相談支援		
開放型病院共同指導料（Ⅰ）		350	1日につき	○	×
開放型病院共同指導料（Ⅱ）		220	1日につき	×	○
退院時共同指導料1	1　在宅療養支援診療所	1500	入院中1回限り（疾病により入院中2回限り）	○	×
	2　1以外	900			
	特別管理指導加算	200			
退院時共同指導料2		400	入院中1回限り（疾病により入院中2回限り）	×	○
	保険医共同指導加算	300			
	多機関共同指導加算	2000			
介護支援等連携指導料		400	入院中2回限り	×	○
介護保険リハビリテーション移行支援料		500	1回限り	○	×
ハイリスク妊産婦共同管理料（Ⅰ）		800	1回限り	○	×
ハイリスク妊産婦共同管理料（Ⅱ）		500	1回限り	×	○

項目		点数	算定回数	外来	入院
がん治療連携計画策定料 1		750	退院時又は退院日から 30 日以内に 1 回限り	○	○
〃 2		300	月 1 回	○	×
	情報通信機器を用いた場合	261			
がん治療連携指導料		300	月 1 回	○	×
がん治療連携管理料	1 がん診療連携拠点病院	500	1 回限り	○	×
	2 地域がん診療病院	300			
	3 小児がん拠点病院	750			
外来がん患者在宅連携指導料		500	1 回限り	○	×
	情報通信機器を用いた場合	435			
認知症専門診断管理料 1	イ 基幹型又は地域型	700	1 回限り	○	×
	ロ 連携型	500			
〃 2	イ 基幹型又は地域型	300	3 月に 1 回限り		
	ロ 連携型	280			
認知症療養指導料 1		350	月 1 回（6 月限度）	○	×
〃 2		300			
〃 3		300			
認知症サポート指導料		450	6 月に 1 回限り	○	×
肝炎インターフェロン治療計画料		700	1 回限り	○	○
	情報通信機器を用いた場合	609			
外来排尿自立指導料		200	週 1 回	○	×
ハイリスク妊産婦連携指導料 1		1000	月 1 回	○	×
ハイリスク妊産婦連携指導料 2		750	月 1 回	○	×
遠隔連携診療料	1 診断目的	750	3 月に 1 回限り	○	×
	2 その他	500			
こころの連携指導料（Ⅰ）		350	月 1 回（1 年を限度）	○	×
こころの連携指導料（Ⅱ）		500	月 1 回（1 年を限度）	○	×
プログラム医療機器等指導管理料		90	月 1 回	○	○
	導入期加算	50	初回		
救急救命管理料		500	必要な指示を行った場合	○	○
退院時リハビリテーション指導料		300	必要な指導を行った場合	×	○
退院前訪問指導料		580	入院中 1 回限り（入院後早期の指導は 2 回限り）	×	○

項　　目		点数	算定回数	外来	入院
退院後訪問指導料		580	退院日（含まず）より1月を限度（5回限り）	○	×
	訪問看護同行加算	20	退院後1回限り		
薬剤管理指導料	1　安全管理を要する医薬品投薬又は注射されている患者	380	週1回かつ月4回限り	×	○
	2　1以外の患者	325			
	麻薬管理指導加算	50			
薬剤総合評価調整管理料		250	月1回	○	×
	連携管理加算	50			
	情報通信機器を用いた場合	218			
診療情報提供料（Ⅰ）		250	紹介先ごとに月1回	○	○
	退院時診療状況添付加算	200	退院月又は翌月に退院後情報を添付	○	○
	ハイリスク妊婦紹介加算	200	妊娠中1回限り	○	○
	認知症専門医療機関紹介加算	100	専門医療機関での鑑別診断等の必要がある場合（認知症の疑い）	○	○
	認知症専門医療機関連携加算	50	連携型認知症疾患医療センター（基幹型、地域型）で認知症と診断。症状増悪のため紹介した場合	○	×
	精神科医連携加算	200	精神科以外の医師が、うつ病等の精神障害疑いで精神科に受診予約して紹介した場合	○	×
	肝炎インターフェロン治療連携加算	50	長期継続的にインターフェロン治療が必要な肝炎の患者を連携専門医療機関に紹介した場合	○	×
	歯科医療機関連携加算1	100	口腔機能管理の必要性を認める場合	○	○
	歯科医療機関連携加算2	100	周術期等における口腔機能管理の必要性を認め歯科に受診予約して紹介した場合	○	○
	地域連携診療計画加算	50	退院日の属する月又はその翌月	○	×
	療養情報提供加算	50	定期的に訪問看護を行っている訪問看護	○	×

項目		点数	算定回数	外来	入院
			ステーションから得た療養に係る情報を添付して紹介を行った場合		
	検査・画像情報提供加算 イ 退院患者	200	電子的方法・閲覧可能な形式で情報提供した場合等	○	○
	検査・画像情報提供加算 ロ 外来患者	30		○	×
電子的診療情報評価料		30	患者の主要な診療記録を電子的方法で閲覧・受信し活用した場合	○	○
診療情報提供料（Ⅱ）		500	月１回	○	○
診療情報連携共有料		120	３月に１回限り	○	○
連携強化診療情報提供料		150	月１回	○	○
薬剤情報提供料		4	月１回（処方内容変更はそのつど）	○	×
	手帳記載加算	3			
医療機器安全管理料	１　生命維持管理装置使用	100	月１回	○	○
	２　放射線治療計画策定	1100	一連につき。初回限り		
がんゲノムプロファイリング評価提供料		12000	１回限り	○	○
栄養情報連携料		70	入院中１回限り	×	○
傷病手当金意見書交付料		100	交付１回につき	○	○
療養費同意書交付料		100	交付１回につき	○	○
退院時薬剤情報管理指導料		90	退院日１回限り	×	○
	退院時薬剤情報連携加算	60			
精神科退院時共同指導料１（外来を担う保険医療機関又は在宅療養担当医療機関）	イ（Ⅰ）	1500	入院中１回限り	×	○
	ロ（Ⅱ）	900			
精神科退院時共同指導料２（入院医療を提供する保険医療機関）		700		○	○

練習問題 ○ ×

□1　特定疾患療養管理料は、初診の日または退院の日から1か月経過した日以降に算定できるが、その経過した日が休日の場合には、その休日の直前の休日でない日に算定できる。

○1　設問のとおり。初診日と初診日から1月以内の特定疾患療養管理料は初診料に、退院の日から1月以内の特定疾患療養管理料は入院基本料に含まれます。

➡点数表 B000 特定疾患療養管理料

□2　特定疾患療養管理料は、再診が電話等によって行われた場合には算定できない。

○2　設問のとおり。

□3　特定疾患療養管理料は、入院中の患者にはいかなる場合も算定できない。

○3　設問のとおり。

□4　特定疾患療養管理料と特定薬剤治療管理料は同時算定できない。

×4　あわせて算定できます。

□5　高血圧を治療中の患者が、じんま疹（しん）に罹患（りかん）し、同一病院内の皮膚科の専任医師の管理を受けた。この場合、特定疾患療養管理料と皮膚科特定疾患指導管理料(II)とをあわせて算定できる。

×5　特定疾患療養管理料の「注4」により、この場合の特定疾患療養管理料は、B001「8」皮膚科特定疾患指導管理料に含まれるので、別に算定できません。

□6　ウイルス疾患指導料は外来のみ算定できる。

×6　外来だけでなく入院患者も算定できます。➡点数表 B001「1」ウイルス疾患指導料

□7　特定薬剤治療管理料のジギタリス製剤は、不整脈の患者に投与する。

×7　ジギタリス製剤は、心疾患の患者に投与します。➡点数表 B001「2」特定薬剤治療管理料

□8　ジギタリス製剤を投与している心疾患患者に対して、薬物血中濃度を測定し、計画的な治療管理を行った場合、4月目以降は特定薬剤治療管理料の100分の50により算定する。

○8　ただし、抗てんかん剤、免疫抑制剤を投与している場合は4月目以降も所定点数により算定します。➡点数表 B001「2」特定薬剤治療管理料「注4」

□9　特定薬剤治療管理のための薬剤血中濃度測定の採血と、ほかの血液検査とをあわせて行った。この場合の採血料は算定できない。

○9　設問のとおり。特定薬剤治療管理料は、薬剤血中濃度測定の採血料を含むものであり、採血の費用は別に算定できません。

□10　悪性腫瘍特異物質治療管理料を算定する場合、腫瘍マーカーの検査結果と治療計画の要点を診療録に添付または記載する。

○10　設問のとおり。➡点数表 B001「3」悪性腫瘍特異物質治療管理料

□11　悪性腫瘍特異物質治療管理料は、腫瘍マーカーの尿中BTA検査にもとづいて計画的な治療管理を行った場合に、月2回を限度に算定する。

×11　悪性腫瘍特異物質治療管理料は、月1回に限り算定します。

□12　悪性腫瘍特異物質治療管理料は、腫瘍マーカーの検査を行わなかった月であっても算定できる。

×12　腫瘍マーカーの検査を行わなかった月は算定できません。

□13　悪性腫瘍であると確定診断がなされた患者に、腫瘍マーカー検査を行った場合、検査の採血および検査の結果にもとづく治療管理の費用は、すべて悪性腫瘍特異物質治療管理料に含まれる。

○13　悪性腫瘍特異物質治療管理料には、腫瘍マーカー検査と、その採血などの費用、治療管理の費用が含まれており、1月のうち2回以上腫瘍マーカー検査を行ってもその費用は算定できません。

□14　悪性腫瘍特異物質の腫瘍マーカー検査について、尿中BTAに係る腫瘍マーカー検査と同時に、その他の腫瘍マーカー検査1項目を行った。この場合、その他のもの1項目のみを算定する。

○14　悪性腫瘍特異物質治療管理料の「尿中BTAに係るもの」と「その他のもの」をあわせて同一月に行った場合は、「その他のもの」により算定します。

□15　B001「4」小児特定疾患カウンセリング料で公認心理師による場合は、初診日から2年を限度として月2回に限り算定する。

×15　2年を限度とする起算日は、初診日とは関係なく、初回のカウンセリングを行った日から起算して、2年以内の期間においては月2回に限り、2年を超える期間においては4年を限度として月1回に限り算定します。そのため、初回のカウンセリングを行った年月日をレセプトの摘要欄に記載することになっています。

□16　小児科に、10歳の気分障害の患者の母親から電話で問い合わせがあったので、治療上の指示をして、療養上の指導を行った。この場合、再診料と小児特定疾患カウンセリング料が算定できる。

×16　電話によるカウンセリングは、小児特定疾患カウンセリングの対象にはなりません。

□17　小児特定疾患カウンセリング料の対象患者には、不登校の小児を含む。

○17　設問のとおり。

□18　小児特定疾患カウンセリングを、家族に指導した場合、小児（患者）をともなって行った場合にかぎり、小児特定疾患カウンセリング料が算定できる。

○18　小児特定疾患カウンセリング料は、家族に指導した場合でも算定できますが、この場合、小児（患者）をともなった場合に限って算定します。

□19　内科と小児科を標榜する保険医療機関において、内科と小児科を担当する医師が、先天性心疾患の10歳の患者に、治療計画にもとづいて療養上の指導を行った場合、小児科療養指導料が算定できる。

×19　小児科療養指導料は、小児科を標榜する保険医療機関において、小児科のみを専任する医師が指導する場合に算定するものであり、ほかの診療科（アレルギー科以外の）をあわせて担当している場合には算定できません。➡点数表B001「5」小児科療養指導料

□20　小児科療養指導料が算定できる患者は、15歳未満の外来患者である。

○20　設問のとおり。なお小児科療養指導料の対象となる疾患が定められています。

□21　小児科療養指導料を算定している15歳未満の患者には、小児悪性腫瘍患者指導管理料は算定できない。

○21　設問のとおり。➡点数表B001「18」小児悪性腫瘍患者指導管理料

□22　外来栄養食事指導料は、特別食を必要とする外来患者に管理栄養士が医師の指示箋にもとづき、

○22　管理栄養士が常勤（じょうきん）でなくても、要件に適合した指導が行われていれば算定できます。➡点数表

具体的な栄養食事指導を行った場合に算定するが、管理栄養士が常勤の必要はない。

B001「9」外来栄養食事指導料

□23　外来栄養食事指導料は、同一月に2回を限度として算定する。

×23　初回の指導を行った月は、2回を限度として算定しますが、そのほかの月は、月1回に限って算定します。

□24　外来栄養食事指導料は、医師の指示にもとづいて、管理栄養士が指導を行った場合に算定でき、実日数も1日として数える。

×24　同一日に医師の診療が行われていない場合は、実日数として数えません。

□25　外来栄養食事指導料、入院栄養食事指導料は、管理栄養士が初回にあたっては概（おおむ）ね30分以上指導を行うことが必要である。

○25　設問のとおり。また、2回目以降にあっては概ね20分以上指導を行うことが必要です。➡点数表B001「9」外来栄養食事指導料、B001「10」入院栄養食事指導料

□26　集団栄養食事指導料は、入院、外来ともに算定できる。

○26　設問のとおり。また、入院中の患者とそれ以外の患者が混じって指導が行われた場合も算定できます。➡点数表B001「11」集団栄養食事指導料

□27　慢性維持透析（とうせき）患者外来医学管理料は、透析導入後3か月以上が経過した安定した状態にある慢性維持透析患者について、月1回を限度として算定する。

○27　設問のとおり。なお、B001「15」慢性維持透析患者外来医学管理料に含まれる特定の検査・画像診断の点数は、別に算定できません。

□28　B001「12」心臓ペースメーカー指導管理料は、ほかの医療機関でペースメーカー移植を行った場合は算定できない。

×28　ほかの医療機関で移植した場合でも算定できます。

□29　B001「17」慢性疼痛(とうつう)疾患管理料は、変形性膝(ひざ)関節症等の慢性疼痛を主病とする入院外患者にマッサージ等の療法を行った場合に、診療所で算定する。

○29　設問のとおり。なお、消炎(しょうえん)鎮痛(ちんつう)等処置などの費用は所定点数に含まれます。また、外来管理加算は算定できません。

□30　慢性疼痛疾患管理料を算定する月は、いかなる場合も外来管理加算を算定することはできない。

×30　慢性疼痛疾患管理料を算定する初月に限っては、本管理料算定以前のほかの疾患での外来管理加算は算定できます。

□31　がん性疼痛緩和指導管理料は、計画的な治療管理と療養上必要な指導を行い、麻薬を処方した場合に算定する。

○31　設問のとおり。月１回に限り算定します。➡点数表 B001「22」がん性疼痛緩和指導管理料

□32　生活習慣病管理料は外来、入院患者ともに算定できる。

×32　外来患者のみが対象です。

□33　ニコチン依存症管理料は、初回の算定日より起算して、１年をこえた日からでなければ再度算定することはできない。

○33　設問のとおり。
➡点数表 B001-3-2 ニコチン依存症管理料

□34　手術前医学管理料も手術後医学管理料も、病院と診療所では

×34　手術前医学管理料には病院と診療所の区別はありませんが、

点数が異なる。

手術後医学管理料は病院と診療所で点数が異なります。➡点数表 B001-4 手術前医学管理料、B001-5 手術後医学管理料

□35　退院時共同指導料は、退院後に在宅での療養を行う患者が算定対象であり、退院後に患者の看護をする家族などに指導を行った場合は算定はできない。

×35　家族などに指導を行った場合も算定できます。➡点数表 B004 退院時共同指導料 1、B005 退院時共同指導料 2

□36　救急救命士が行った処置等の費用は、救急救命管理料には含まれないので、別に算定する。

×36　救急救命士が行った処置等の費用は、救急救命管理料の所定点数に含まれ、別に算定できません。➡点数表 B006 救急救命管理料

□37　認知症専門診断管理料を算定した場合、特定疾患療養管理料は算定できない。

○37　設問のとおり。➡点数表 B005-7 認知症専門診断管理料「注 4」

□38　薬剤管理指導料は、外来の患者に対し、週 1 回に限り月 4 回を限度として算定する。

×38　入院している患者に指導を行ったとき、週 1 回かつ月 4 回に限り算定します。
➡点数表 B008 薬剤管理指導料

□39　薬剤管理指導料を算定した場合、調剤技術基本料は算定できない。

○39　設問のとおり。➡点数表 F500 調剤技術基本料「注 4」

□40　保険医療機関が、同じ患者に、同時に内科診療所と皮膚科診療所を紹介した場合、診療情報提

○40　診療情報提供料(I)は、患者の同意を得て、文書を添えて紹介先保険医療機関ごとに患者 1 人に

供料(I)は、各々紹介先医療機関ごとに月１回に限り算定できる。

対して月１回に限り算定できます。
➡点数表 B009 診療情報提供料(I)

□41　保険医療機関が患者の退院に際して、患者の同意を得てほかの医療機関等に、退院後の治療計画・検査結果等を添付して紹介を行った場合は、診療情報提供料(I)の所定点数に退院時診療状況添付加算を算定する。

○41　退院後の治療計画、検査結果、画像情報そのほかの必要な情報を添付した場合に200点を加算できます。

□42　患者がほかの保険医療機関の医師の意見を求め、主治医が紹介を行った場合、診療情報提供料(II)を算定する。

○42　主治医が、主治医以外の医師による助言（セカンドオピニオン）を求める患者・家族からの要望にもとづいて診療情報を患者・家族に提供した場合に算定します。
➡点数表 B010 診療情報提供料（II）

□43　保険医療機関から認知症疾患医療センターへ、鑑別診断等の必要を認め、患者、家族等の同意を得て紹介を行った場合は診療情報提供料(II)を算定する。

×43　この場合は、診療情報提供料(I)を算定します。➡点数表 B009 診療情報提供料(I)「注6」

□44　診療情報提供料(I)は歯科診療所に対しても、情報提供すれば算定できる。

○44　設問のとおり。なお、口腔機能の管理の必要を認めて紹介を行う場合には、歯科医療機関連携加算１の100点が加算できます。
➡点数表 B009 診療情報提供料(I)「注14」

□45　保険医療機関へ患者を紹介

○45　設問のとおり。なお、保険

して診療情報提供料を算定した場合は、診療報酬明細書摘要欄にその算定日を記載する。

医療機関以外の機関へ情報提供を行った場合は、診療報酬明細書摘要欄にその情報提供先を記載します。

□46　薬剤情報提供料は、処方内容に変更があったつど算定できるので、処方日数の変更のみでも算定できる。

×46　処方日数の変更のみでは算定できません。➡点数表 B011-3 薬剤情報提供料

□47　2つの診療科で同一日に処方された場合は、薬剤情報提供料は診療科ごとに算定できる。

×47　2つ以上の診療科で処方されても、薬剤情報提供料は1回のみの算定です。

□48　カプセルから錠剤に変更した場合、薬剤の効能は同じだが、処方内容が変更されたと考えられるので、月2回目であっても薬剤情報提供料は算定できる。

○48　設問のとおり。また同一薬剤でも投与目的が異なるときは、情報を提供すれば算定できます。

□49　患者に処方した薬剤名を患者の薬剤服用歴等を経時的に記録する手帳に記載し、薬剤情報を文書で提供した場合は薬剤情報提供料の所定点数に3点を加算する。

○49　手帳を持参しなかった患者に薬剤の名称を記載したシールなどの簡潔な文書を交付した場合は、算定できません。ただし電子版の手帳であって、当該手帳の内容を一元的に情報閲覧できる仕組みが利用できない医療機関では、当面の間、文書（シール等）を交付することで算定できることとします。

□50　傷病手当金意見書交付料は、

×50　傷病手当金を受給できる被

医師、歯科医師が、労務不能と認めて証明するものなので、患者が死亡した場合は請求できない。

保険者が死亡した場合は、その遺族などへの療養の給付として請求できます。なお、診療報酬明細書の摘要欄には㊧相続と記載します。

➡点数表 B012 傷病手当金意見書交付料

□**51**　傷病手当金意見書のみを交付した場合は、再診料は算定できず、交付料のみを算定するので、実日数は数えない。

○**51**　設問のとおり。同じ日に医師の診療が行われていなければ、実日数には数えません。

□**52**　地域包括診療料と地域包括診療加算の届出は医療機関単位でどちらか一方しかできない。

○**52**　設問のとおり。対象疾患を2つ以上有する患者が複数いる場合、地域包括診療料または地域包括診療加算を算定する患者と算定しない患者を分けることができます。

□**53**　地域包括診療料は、脂質異常症、高血圧症、糖尿病、慢性心不全、慢性腎臓病（慢性維持透析を行っていないものに限る）または認知症の6疾病のうち2以上（疑いを除く）の疾患を有する入院中以外の患者に指導及び診療を行った場合に月1回算定できるが、境界型糖尿病も対象病名に該当する。

×**53**　境界型糖尿病や耐糖能異常では算定できません。

□**54**　地域包括診療料は月1回の算定で初診時には算定できないの

×**54**　初診を行った同一月に受診した場合は当該月より算定できま

で、初診を行った同一月に受診があった場合にも算定できない。

□55　地域包括診療料を算定する患者には担当医を決めることになっているので、患者の担当医以外が診療した場合には地域包括診療料は算定できない。

す。

○55　担当医が指導及び診療を行った場合に算定します。なお、服薬、運動、休養、栄養、喫煙、家庭での体重や血圧の計測、飲酒、その他療養を行うにあたっての問題点等に係る生活面の指導については、必要に応じて当該医師の指示を受けた看護師や管理栄養士、薬剤師が行ってもさしつかえありません。

在宅医療

在宅医療は在宅患者診療・指導料、在宅療養指導管理料、在宅療養指導管理材料加算、薬剤料、特定保険医療材料料の５つで構成されています。薬剤料は「投薬」と同じように、特定保険医療材料料は「注射」や「処置」などと同じように算定します。

●在宅患者診療・指導料

往診料や在宅患者訪問診療料のように、医師が患者の家に行って診療をしたり、看護師を訪問させて療養上の指導を行わせたときなどに算定します。

▶往診料

<table>
<tr><th colspan="3"></th><th>基本</th><th>緊 急</th><th>夜間休日</th><th>深夜</th><th>加算</th></tr>
<tr><td rowspan="4">厚生労働大臣が定める患者</td><td rowspan="2">イ 機能強化型の在宅療養支援診療所又は在宅療養支援病院</td><td>有床</td><td rowspan="5">720 点</td><td>（＋850 点）
1570 点</td><td>（＋1700 点）
2420 点</td><td>（＋2700 点）
3420 点</td><td rowspan="5">死亡診断加算
（＋200 点）
（イ～ハの場合）在宅緩和ケア充実診療所・病院加算
（＋100 点）
在宅療養実績加算 1
（＋75 点）
在宅療養実績加算 2
（＋50 点）
往診時医療情報連携加算
（＋200 点）
介護保険施設等連携往診加算
（＋200 点）</td></tr>
<tr><td>無床</td><td>（＋750 点）
1470 点</td><td>（＋1500 点）
2220 点</td><td>（＋2500 点）
3220 点</td></tr>
<tr><td colspan="2">ロ 在宅療養支援診療所又は在宅療養支援病院（イを除く）</td><td>（＋650 点）
1370 点</td><td>（＋1300 点）
2020 点</td><td>（＋2300 点）
3020 点</td></tr>
<tr><td colspan="2">ハ イ及びロ以外</td><td>（＋325 点）
1045 点</td><td>（＋650 点）
1370 点</td><td>（＋1300 点）
2020 点</td></tr>
<tr><td colspan="3">ニ 厚生労働大臣が定める患者以外の患者</td><td>（＋325 点）
1045 点</td><td>（＋405 点）
1125 点</td><td>（＋485 点）
1205 点</td></tr>
</table>

注 1：患家診療時間加算（1 時間超 30 分ごと）（＋100 点）
注 2：在宅ターミナルケア加算（下記☆表の点数をそれぞれ加算）

☆有料老人ホーム等に入居する患者以外の患者、有料老人ホーム等に入居する患者（共通）

<table>
<tr><th colspan="2">①機能強化型の在宅療養支援診療所又は在宅療養支援病院</th><th rowspan="2">②在宅療養支援診療所又は在宅療養支援病院（①以外）</th><th rowspan="2">①及び②以外</th></tr>
<tr><th>有床</th><th>無床</th></tr>
<tr><td>＋6500 点</td><td>＋5500 点</td><td>＋4500 点</td><td>＋3500 点</td></tr>
</table>

注：在宅緩和ケア充実診療所・病院加算（＋1000 点）、在宅療養実績加算 1（＋750 点）、在宅療養実績加算 2（＋500 点）、酸素療法加算（＋2000 点）、看取り加算（＋3000 点）

▶在宅患者訪問診療料（Ⅰ）・（Ⅱ）

(Ⅰ)	1　在宅患者訪問診療料1（1日につき）	イ　同一建物居住者以外の場合	888点	週3回 看取り加算（＋3000点） 死亡診断加算（＋200点）
		ロ　同一建物居住者の場合	213点	
	2　在宅患者訪問診療料2（1日につき）	イ　同一建物居住者以外の場合	884点	月1回 （訪問診療開始月から6月限度）
		ロ　同一建物居住者の場合	187点	
(Ⅱ)	イ　在宅時医学総合管理料又は施設入居時等医学総合管理料の算定要件を満たす保険医療機関（1日につき）		150点	週3回 看取り加算（＋3000点） 死亡診断加算（＋200点）
	ロ　在宅時医学総合管理料、施設入居時等医学総合管理料又は在宅がん医療総合診療料の算定要件を満たす保険医療機関からの紹介患者（1日につき）		150点	月1回 （訪問診療開始月から6月限度）

注1：患家診療時間加算（1時間超30分ごと）（＋100点）／乳幼児加算（6歳未満）（＋400点）
注2：在宅ターミナルケア加算（(Ⅰ)の1、(Ⅱ)のイに限る。下記★表の点数をそれぞれ加算）

★有料老人ホーム等に入居する患者以外の患者、有料老人ホーム等に入居する患者（共通）

	①機能強化型の在宅療養支援診療所又は在宅療養支援病院		②在宅療養支援診療所又は在宅療養支援病院（①以外）	①及び②以外
	有床	無床		
(Ⅰ)	＋6500点	＋5500点	＋4500点	＋3500点
(Ⅱ)	＋6200点	＋5200点	＋4200点	＋3200点

注：在宅緩和ケア充実診療所・病院加算（＋1000点）、在宅療養実績加算1（＋750点）、在宅療養実績加算2（＋500点）、酸素療法加算（＋2000点）

▶在宅時医学総合管理料

(月1回)	❶機能強化型在宅療養支援診療所又は在宅療養支援病院									
	有床					無床				
単一建物診療患者数	①1人	②2～9人	③10～19人	④20～49人	⑤50人～	①1人	②2～9人	③10～19人	④20～49人	⑤50人～
(1)月2回以上訪問	5385	4485	2865	2400	2110	4985	4125	2625	2205	1935
(2)月2回以上訪問（(1)以外）	4485	2385	1185	1065	905	4085	2185	1085	970	825
(3)月2回以上訪問、うち1回以上情報通信機器を用いた診療（(1)(2)以外）	3014	1670	865	780	660	2774	1550	805	720	611
(4)月1回訪問	2745	1485	765	670	575	2505	1365	705	615	525
2月に1回に限り情報通信機器を用いた診療	1500	828	425	373	317	1380	768	395	344	292

（月１回）	❷在宅療養支援診療所又は在宅療養支援病院（❶以外）					❸（❶及び❷以外）				
単一建物診療患者数	①1人	②2～9人	③10～19人	④20～49人	⑤50人～	①1人	②2～9人	③10～19人	④20～49人	⑤50人～
⑴月２回以上訪問	4585	3765	2385	2010	1765	3435	2820	1785	1500	1315
⑵月２回以上訪問（⑴以外）	3685	1985	985	875	745	2735	1460	735	655	555
⑶月２回以上訪問、うち１回以上情報通信機器を用いた診療（⑴⑵以外）	2554	1450	765	679	578	2014	1165	645	573	487
⑷月１回訪問	2285	1265	665	570	490	1745	980	545	455	395
2月に１回に限り情報通信機器を用いた診療	1270	718	375	321	275	1000	575	315	264	225

加算		①の場合	②の場合	③の場合	④の場合	⑤の場合
在宅緩和ケア充実診療所・病院加算		＋400点	＋200点	＋100点	＋85点	＋75点
在宅療養実績加算	1	＋300点	＋150点	＋75点	＋63点	＋56点
	2	＋200点	＋100点	＋50点	＋43点	＋38点

注１：❸について：基準を満たさない場合（80／100）、在宅療養移行加算１（＋316点）、在宅療養移行加算２（＋216点）、在宅療養移行加算３（＋216点）、在宅療養移行加算４（＋116点）

注２：⑵⑶⑷について包括的支援加算（＋150点）

注３：処方箋を交付しない場合（＋300点）／在宅移行早期加算（＋100点）（月１回、３月以内）／頻回訪問加算〔初回（＋800点）、２回目以降（＋300点）〕（１回限り）／在宅データ提出加算（＋50点）、在宅医療情報連携加算（＋100点）（月１回）、❶有床・無床の③～⑤、❷③～⑤、❸③～⑤について基準を満たさない場合（60／100）

▶施設入居時等医学総合管理料

（月１回）	❶機能強化型在宅療養支援診療所又は在宅療養支援病院									
	有床					無床				
単一建物診療患者数	① 1人	② 2～ 9人	③ 10～ 19人	④ 20～ 49人	⑤ 50人 ～	① 1人	② 2～ 9人	③ 10～ 19人	④ 20～ 49人	⑤ 50人 ～
⑴月２回以上訪問	3885	3225	2865	2400	2110	3585	2955	2625	2205	1935
⑵月２回以上訪問（⑴以外）	3185	1685	1185	1065	905	2885	1535	1085	970	825
⑶月２回以上訪問、うち１回以上情報通信機器を用いた診療（⑴⑵以外）	2234	1250	865	780	660	2054	1160	805	720	611
⑷月１回訪問	1965	1065	765	670	575	1785	975	705	615	525
２月に１回に限り情報通信機器を用いた診療	1110	618	425	373	317	1020	573	395	344	292

（月１回）	❷在宅療養支援診療所又は在宅療養支援病院（❶以外）					❸ （❶及び❷以外）				
単一建物診療患者数	① 1人	② 2～ 9人	③ 10～ 19人	④ 20～ 49人	⑤ 50人 ～	① 1人	② 2～ 9人	③ 10～ 19人	④ 20～ 49人	⑤ 50人 ～
⑴月２回以上訪問	3285	2685	2385	2010	1765	2435	2010	1785	1500	1315
⑵月２回以上訪問（⑴以外）	2585	1385	985	875	745	1935	1010	735	655	555
⑶月２回以上訪問、うち１回以上情報通信機器を用いた診療（⑴⑵以外）	1894	1090	765	679	578	1534	895	645	573	487
⑷月１回訪問	1625	905	665	570	490	1265	710	545	455	395
２月に１回に限り情報通信機器を用いた診療	940	538	375	321	275	760	440	315	264	225

加算		①の場合	②の場合	③の場合	④の場合	⑤の場合
在宅緩和ケア充実診療所・病院加算		+300点	+150点	+75点	+63点	+56点
在宅療養実績加算	1	+225点	+110点	+56点	+47点	+42点
	2	+150点	+75点	+40点	+33点	+30点

注1：❸について基準を満たさない場合（80／100）、在宅療養移行加算1（＋316点）、在宅療養移行加算2（＋216点）、在宅療養移行加算3（＋216点）、在宅療養移行加算4（＋116点）
注2：⑵⑶⑷について包括的支援加算（＋150点）
注3：処方箋を交付しない場合（＋300点）／在宅移行早期加算（＋100点）（月1回、3月以内）／頻回訪問加算〔初回（＋800点）、2回目以降（＋300点）〕（1回限り）／在宅データ提出加算（＋50点）、在宅医療情報連携加算（＋100点）（月1回）、❶有床・無床の③～⑤、❷③～⑤、❸③～⑤について基準を満たさない場合（60／100）

在宅がん医療総合診断料（1日につき）

1　機能強化型在宅療養支援診療所又は在宅療養支援病院であり、別に厚生労働大臣が定めるものの場合

イ　病床を有する場合

処方箋交付（1798点）／処方箋交付せず（2000点）

ロ　病床を有しない場合

処方箋交付（1648点）／処方箋交付せず（1850点）

2　在宅療養支援診療所又は在宅療養支援病院（1を除く）の場合

処方箋交付（1493点）／処方箋交付せず（1685点）

死亡診断加算（＋200点）／在宅緩和ケア充実診療所・病院加算（要届出）（＋150点）／在宅療養実績加算1（要届出）（＋110点）／在宅療養実績加算2（要届出）（＋75点）／小児加算（＋1000点，週1回）／在宅データ提出加算（要届出）（＋50点、月1回）／在宅医療DX情報活用加算（要届出）（＋10点、月1回）／在宅医療情報連携加算（＋100点、月1回）

救急搬送診療料　1300点

新生児加算（＋1500点）／乳幼児加算（＋700点）／長時間加算（＋700点）／重症患者搬送加算（＋1800点）

救急患者連携搬送料

1　入院中の患者以外の患者の場合（1800点）

2　入院初日の患者の場合（1200点）

3　入院2日目の患者の場合（800点）

4　入院3日目の患者の場合（600点）

在宅患者訪問看護・指導料（1日につき、3は月1回限り）

1　保健師，助産師又は看護師（3を除く）による場合

週3日目まで（580点）／週4日目以降（680点）

［1のみ］専門管理加算（＋250点、月1回）

2　准看護師による場合

週3日目まで（530点）／週4日目以降（630点）

［1、2について］難病等複数回訪問加算（1日2回訪問＋450点、1日3回以上訪問＋800点）／緊急訪問看護加算〔イ　月14日目まで（＋265点、1日につき）、ロ　月15日目以降（＋200点、1日につき）〕／長時間訪問看護・指導加算〔(＋520点、週1日)、別に厚生労働大臣が定める者（週3日）〕／乳幼児加算〔(＋130点、1日につき)、別に厚生労働大臣が定める者（＋180点、1日につき）〕／複数名訪問看護・指導加算（1日につき）：イ　他の保健師、助産師、看護師と同時（＋450点、週1日）ロ　他の准看護師と同時（＋380点、週1日）ハ　その他職員と同時（別に厚生労働大臣が定める場合を除く）（＋300点、週3日）ニ　その他職員と同時（別に厚生労働大臣が定める場合に限る）〔⑴　1日1回＋300点／⑵　1日2回＋600点／⑶　1日3回以上＋1000点〕／在宅患者連携指導加算（＋300点、月1回）／在宅患者緊急時等カンファレンス加算（＋200点、月2回）／在宅ターミナルケア加算（1回限り）：イ　在宅で死亡した患者又は特別養護老人ホーム等で死亡した患者で看取り介護加算等を算定していないもの（＋2500点）ロ　特別養護老人ホーム等で死亡した患者で看取り介護加算等を算定しているもの（＋1000点）／在宅移行管理加算〔(＋250点、1回限り)、重症（＋500点、1回限り）／夜間・早朝訪問看護加算（＋210点）／深夜訪問看護加算（＋420点）／看護・介護職員連携強化加算（＋250点、月1回）

3　悪性腫瘍の患者に対する緩和ケア、褥瘡ケア又は人工肛門ケア及び人工膀胱ケアに係る専門の研修を受けた看護師による場合（要届出）（1285点）

特別地域訪問看護加算（＋所定点数×50／100）／訪問看護・指導体制充実加算（＋150点、月1回）／訪問看護医療DX情報活用加算（＋5点、月1回）／遠隔死亡診断補助加算（＋150点）

同一建物居住者訪問看護・指導料（1日につき、3は月1回限り）
1　保健師，助産師又は看護師（3を除く）による場合
イ　同一日に2人
(1)週3日目まで（580点）／(2)週4日目以降（680点）
ロ　同一日に3人以上
(1)週3日目まで（293点）／(2)週4日目以降（343点）

［1のみ］専門管理加算（＋250点、月1回）

2　准看護師による場合
イ　同一日に2人
(1)週3日目まで（530点）／(2)週4日目以降（630点）
ロ　同一日に3人以上
(1)週3日目まで（268点）／(2)週4日目以降（318点）

［1、2について］難病等複数回訪問加算〔(1日2回訪問　同一建物内1人又は2人＋450点、同一建物内3人以上＋400点)／(1日3回以上訪問　同一建物内1人又は2人＋800点、同一建物内3人以上＋720点)〕／緊急訪問看護加算〔イ　月14日目まで（＋265点、1日につき)、ロ　月15日目以降（＋200点、1日につき)〕／長時間訪問看護・指導加算〔(＋520点、週1日)、別に厚生労働大臣が定める者（週3日)〕／乳幼児加算（＋130点、1日につき)、別に厚生労働大臣が定める者（＋180点、1日につき)〕／複数名訪問看護・指導加算：イ　他の保健師、助産師、看護師と同時（同一建物内1人又は2人＋450点、同一建物内3人以上＋400点、週1日）ロ　他の准看護師と同時（同一建物内1人又は2人＋380点、同一建物内3人以上＋340点、週1日）ハ　その他職員と同時（別に厚生労働大臣が定める場合を除く。同一建物内1人又は2人＋300点、同一建物内3人以上＋270点、週3日）ニ　その他職員と同時（別に厚生労働大臣が定める場合に限る）〔(1)　1日1回　同一建物内1人又は2人＋300点、同一建物内3人以上＋270点／(2)　1日2回　同一建物内1人又は2人＋600点、同一建物内3人以上＋540点／(3)　1日3回以上　同一建物内1人又は2人＋1000点、同一建物内3人以上＋900点〕／同一建物居住者連携指導加算（＋300点、月1回)／同一建物居住者緊急時等カンファレンス加算（＋200点、月2回）／同一建物居住者ターミナルケア加算（1回限り)：イ　在宅で死亡した患者又は特別養護老人ホーム等で死亡した患者で看取り介護加算等を算定していないもの（＋2500点）ロ　特別養護老人ホーム等で死亡した患者で看取り介護加算等を算定しているもの（＋1000点)／在宅移行管理加算（＋250点、1回限り)、重症（＋500点、1回限り)／夜間・早朝訪問看護加算（＋210点)／深夜訪問看護加算（＋420点)／看護・介護職員連携強化加算（＋250点、月1回）

3　悪性腫瘍の患者に対する緩和ケア、褥瘡ケア又は人工肛門ケア及び人工膀胱ケアに係る専門の研修を受けた看護師による場合（要届出）(1285点)

特別地域訪問看護加算（＋所定点数×50／100)／訪問看護・指導体制充実加算（＋150点、月1回)／訪問看護医療DX情報活用加算（＋5点、月1回)／遠隔死亡診断補助加算（＋150点）

在宅患者訪問点滴注射管理指導料（1週につき100点、週1回）

在宅患者訪問リハビリテーション指導管理料（1単位）（1と2をあわせて週6単位限り，退院日から起算して3月以内は週12単位）
1　同一建物居住者以外（300点）
2　同一建物居住者　　（255点）

訪問看護指示料（月1回）(300点）

特別訪問看護指示加算（＋100点、月1回)／衛生材料等提供加算（＋80点、月1回)／手順書加算（＋150点、6月に1回限り）

介護職員等喀痰吸引等指示料（3月に1回限り）(240点）

在宅患者訪問薬剤管理指導料（月 4 回） 1　単一建物診療患者が 1 人の場合（650 点） 2　単一建物診療患者が 2 人以上 9 人以下の場合（320 点） 3　1 及び 2 以外の場合（290 点） 麻薬管理指導加算（＋100 点）／乳幼児加算（＋100 点）
在宅患者訪問栄養食事指導料 1（月 2 回） イ　単一建物診療患者が 1 人の場合（530 点） ロ　単一建物診療患者が 2 人以上 9 人以下の場合（480 点） ハ　イ及びハ以外の場合（440 点）
在宅患者訪問栄養食事指導料 2（月 2 回） イ　単一建物診療患者が 1 人の場合（510 点） ロ　単一建物診療患者が 2 人以上 9 人以下の場合（460 点） ハ　イ及びロ以外の場合（420 点）
在宅患者連携指導料（月 1 回）（900 点）
在宅患者緊急時等カンファレンス料（月 2 回）（200 点）
在宅患者共同診療料（1 ～ 3 をあわせて 1 年以内に 2 回限り） 1　往診　1500 点 2　訪問診療（同一建物居住者以外）（1000 点） 3　訪問診療（同一建物居住者）　（240 点）
在宅患者訪問褥瘡管理指導料（6 月以内 3 回に限り）（750 点）
外来在宅共同指導料 1 （1 回限り）（400 点）
外来在宅共同指導料 2 （1 回限り）（600 点）
在宅がん患者緊急時医療情報連携指導料（月 1 回）（200 点）

●在宅療養指導管理料

▶在宅療養指導管理料

在宅療養指導管理料
退院前在宅療養指導管理料（120点）（外泊の初日1回限り） 乳幼児加算（6歳未満）（+200点）
在宅自己注射指導管理料 1　複雑な場合（1230点） 2　1以外 イ　月27回以下の場合（650点） ロ　月28回以上の場合（750点） 導入初期加算（3月限度）（+580点） バイオ後続品導入初期加算（3月限度）（150点） 医学管理を情報通信機器を用いて行った場合〔1（+1070点）、2のイ（+566点）、2のロ（+653点）〕
在宅小児低血糖症患者指導管理料（820点）（12歳未満）
在宅妊娠糖尿病患者指導管理料1、2（150点）
在宅自己腹膜灌流指導管理料 1回目（月1回）4000点 2回目～(月2回）2000点 遠隔モニタリング加算（+115点）
在宅血液透析指導管理料（要届出） ・2月まで1回目　10000点 2回目～（月2回）2000点 遠隔モニタリング加算（+115点）
在宅酸素療法指導管理料 1　チアノーゼ型先天性心疾患の場合（520点） 2　その他の場合（2400点） 遠隔モニタリング加算（+150点に当該期間の月数を乗じた点数）
在宅中心静脈栄養法指導管理料（3000点）
在宅成分栄養経管栄養法指導管理料（2500点）
在宅小児経管栄養法指導管理料（1050点）
在宅半固形栄養経管栄養法指導管理料（2500点）（1年を限度）
在宅自己導尿指導管理料（1400点）
在宅人工呼吸指導管理料（2800点）
在宅持続陽圧呼吸療法指導管理料 1　（2250点） 2　（250点） 遠隔モニタリング加算（+150点に当該期間の月数を乗じた点数） 情報通信機器を用いて行った場合（218点）
在宅ハイフローセラピー指導管理料（2400点）
在宅麻薬等注射指導管理料 1　悪性腫瘍の場合（1500点） 2　筋萎縮性側索硬化症又は筋ジストロフィーの場合（1500点） 3　心不全又は呼吸器疾患の場合（1500点）
在宅腫瘍化学療法注射指導管理料（1500点）
在宅強心剤持続投与指導管理料（1500点）
在宅悪性腫瘍患者共同指導管理料（1500点）
在宅寝たきり患者処置指導管理料（1050点）
在宅自己疼痛管理指導管理料（1300点）
在宅振戦等刺激装置治療指導管理料（810点） 導入期加算（+140点）（3月以内）
在宅迷走神経電気刺激治療指導管理料（810点） 導入期加算（+140点）（3月以内）
在宅仙骨神経刺激療法指導管理料（810点）
在宅舌下神経電気刺激療法指導管理料（要届出）（810点）
在宅肺高血圧症患者指導管理料（1500点）
在宅気管切開患者指導管理料（900点）
在宅喉頭摘出患者指導管理料（900点）
在宅難治性皮膚疾患処置指導管理料（1000点）
在宅植込型補助人工心臓（非拍動流型）指導管理料（要届出）（45000点）（月1回）
在宅経腸投薬指導管理料（1500点）
在宅腫瘍治療電場療法指導管理料（2800点）（要届出）
在宅経肛門的自己洗腸指導管理料（要届出）（800点） 導入初期加算（初回の指導月に限り）（+500点）
在宅中耳加圧療法指導管理料（1800点）
在宅抗菌薬吸入療法指導管理料（800点） 導入初期加算（初回の指導月に限り）（+500点）

▶在宅療養指導管理材料加算

血糖自己測定器加算（３月に３回限り）
＜インスリン製剤又はヒトソマトメジンC製剤の自己注射を１日に１回以上行っている１型糖尿病及び膵全摘後以外の患者、インスリン製剤の自己注射を１日に１回以上行っている１型糖尿病又は膵全摘後の患者、12歳未満の小児低血糖症患者、妊娠中の糖尿病患者又は妊娠糖尿病患者＞
月20回以上測定（＋350点）
月30回以上測定（＋465点）
月40回以上測定（＋580点）
月60回以上測定（＋830点）
＜インスリン製剤の自己注射を１日に１回以上行っている１型糖尿病又は膵全摘後の患者、12歳未満の小児低血糖症患者、妊娠中の糖尿病患者又は妊娠糖尿病患者＞
月90回以上測定（＋1170点）
月120回以上測定（＋1490点）
＜間歇スキャン式持続血糖測定器によるもの＞（３月に３回限り）（＋1250点）
血中ケトン体自己測定器加算（３月に３回限り）（＋40点）

注入器加算（＋300点）
針付一体型の製剤を処方した場合は算定不可

間歇注入シリンジポンプ加算（２月に２回限り）
1　プログラム付きシリンジポンプ（＋2500点）
2　１以外のシリンジポンプ（＋1500点）

持続血糖測定器加算（２月に２回限り）（要届出）
1　間歇注入シリンジポンプと連動する持続血糖測定器を用いる場合
イ　２個以下（＋1320点）
ロ　３個又は４個（＋2640点）
ハ　５個以上（＋3300点）
2　間歇注入シリンジポンプと連動しない持続血糖測定器を用いる場合
イ　２個以下の場合（＋1320点）
ロ　３個又は４個の場合（＋2640点）
ハ　５個以上の場合（＋3300点）
※　トランスミッター使用（２月に２回限り）
プログラム付きシリンジポンプ（＋3230点）
上記以外のシリンジポンプ（＋2230点）

経腸投薬用ポンプ加算（２月に２回限り）（＋2500点）

持続皮下注入シリンジポンプ加算（２月に２回限り）
1　月５個以上10個未満（＋2330点）
2　月10個以上15個未満（＋3160点）
3　月15個以上20個未満（＋3990点）
4　月20個以上（＋4820点）

注入器用注射針加算
1　１型糖尿病，血友病等患者（＋200点）
2　１以外の患者（＋130点）

紫外線殺菌器加算（＋360点）
在宅自己連続携行式腹膜灌流を実施する入院患者以外の患者に対し、紫外線殺菌器を使用した場合に加算

自動腹膜灌流装置加算（＋2500点）

透析液供給装置加算（＋10000点）

酸素ボンベ加算（３月に３回限り）
1　携帯用酸素ボンベ（＋880点）
2　１以外の酸素ボンベ（＋3950点）

酸素濃縮装置加算（３月に３回限り）（＋4000点）

液化酸素装置加算（３月に３回限り）
1　設置型液化酸素装置（＋3970点）
2　携帯型液化酸素装置（＋880点）

呼吸同調式デマンドバルブ加算（３月に３回限り）（＋291点）

在宅中心静脈栄養法用輸液セット加算（＋2000点）

注入ポンプ加算（２月に２回限り）（＋1250点）

在宅経管栄養法用栄養管セット加算（＋2000点）

特殊カテーテル加算
1　再利用型カテーテル（＋400点）
2　間歇導尿用ディスポーザブルカテーテル
イ　親水性コーティングを有するもの
(1) 60本以上90本未満の場合（＋1700点）
(2) 90本以上120本未満の場合（＋1900点）
(3) 120本以上の場合（＋2100点）
ロ　イ以外のもの（＋1000点）
3　間歇バルーンカテーテル（＋1000点）

人工呼吸器加算
1　陽圧式人工呼吸器（＋7480点）
2　人工呼吸器（＋6480点）
3　陰圧式人工呼吸器（＋7480点）

在宅持続陽圧呼吸療法用治療器加算（３月に３回限り）
1　ASV（＋3750点）
2　CPAP（＋960点）

携帯型ディスポーザブル注入ポンプ加算（＋2500点）

疼痛等管理用送信器加算（＋600 点）
携帯型精密輸液ポンプ加算（＋10000 点）
携帯型精密ネブライザ加算（＋3200 点）
気管切開患者用人工鼻加算（＋1500 点）
排痰補助装置加算（＋1829 点）
在宅酸素療法材料加算（3 月に 3 回限り） 1　チアノーゼ型先天性心疾患の場合（＋780 点） 2　その他の場合（＋100 点）
在宅持続陽圧呼吸療法材料加算（3 月に 3 回限り）（＋100 点）

在宅ハイフローセラピー材料加算（3 月に 3 回限り）（＋100 点）
在宅経肛門的自己洗腸用材料加算（3 月に 3 回限り）（＋2400 点）
横隔神経電気刺激装置加算（＋600 点）
在宅ハイフローセラピー装置加算（3 月に 3 回限り） 1　自動給水加湿チャンバー（＋3500 点） 2　1 以外（＋2500 点）
在宅抗菌薬吸入療法用ネブライザ加算 1　1 月目（＋7480 点） 2　2 月目以降（＋1800 点）

練習問題 ……………… ○ ×

□1 往診料は、自宅等で療養している患者で、疾病、傷病により通院が困難なものに対して、定期的または計画的に患家を訪問して診療を行った場合に算定する。

×1 C000 往診料は患家の求めに応じて、患家に赴き診療を行った場合に算定できるもので、定期的、計画的に患家を訪問して診療を行った場合は算定できません。自宅等で療養している患者を定期的に訪問診療している場合は、C001・C002 在宅患者訪問診療料(Ⅰ)・(Ⅱ)の対象になります。

□2 緊急往診加算は、午前8時から午後1時までの間に往診を行った場合には、いつでも算定できる。

×2 緊急往診は、保険医療機関において診療に従事している時間（概ね午前8時から午後1時）内の往診ですが、急性心筋梗塞などが予想され、すみやかに往診しなければならないと、医師が判断した場合です。

□3 往診における夜間とは、午後6時から翌日の午前6時（深夜の時間帯をのぞく）までとし、この時間は全国統一のあつかいである。

×3 往診における夜間の時間帯とは、午後6時から午前8時（深夜の時間帯をのぞく）までです。

□4 往診料における患家診療時間加算は、30分またはその端数を増すごとに夜間は200点、深夜は300点を算定する。

×4 夜間、深夜でも患家診療時間加算は100点の算定です。

□5 往診料の夜間加算を算定した

×5 往診料の夜間・深夜加算と初

場合は、再診料への時間外加算は算定できない。

診料・再診料・外来診療料の時間外加算等はそれぞれ算定できます。

□6 深夜に、患家での診療時間が1時間20分かかった場合の往診料の算定は、往診料＋深夜往診加算＋患家診療時間加算 となる。

○6 厚生労働大臣が定める患者で、病床を有する機能強化型の在宅療養支援診療所または在宅療養支援病院の場合、次のようになります。

往診料 深夜往診加算 患家診療時間加算

720点＋2700点＋100点=3520点

□7 往診時に、患家において死亡診断を行った場合、往診料と死亡診断加算を算定する。

○7 往診と同一日に、死亡診断を行った場合には、往診料と死亡診断加算を算定します。

□8 患者が患家ですでに死亡した後日に往診し、死亡診断を行った場合は、死亡診断加算のみの算定となる。

×8 患者がすでに死亡した後日であれば、医療保険の対象とはならないので、往診料も死亡診断加算も算定できません。

□9 往診を行った後に、患者の家族が薬剤をとりに医療機関にきた場合の、再診料の算定はできない。

○9 往診後、薬剤のみを受けとるために、医療機関にきた場合の再診料は算定できません。

□10 往診料は、再診料、特定疾患療養管理料とあわせて算定できる。

○10 設問のとおり。

□11 在宅患者訪問診療料1は、在宅で療養を行っている患者で、通院が困難な者に対し、計画的な医学管理のもとに、定期的に訪問

×11 週3回を限度としますが、末期の悪性腫瘍、多発性硬化(こうか)症など、厚生労働大臣が定める対象疾病については、この限りではあり

して診療を行った場合に、疾病の種類にかかわらず週3回を限度として算定する。

ません。➡点数表 C001 在宅患者訪問診療料(I)「注1」

□12　同じ患家で、2人以上の患者を診療した場合は、2人目からの患者に対する往診料や在宅患者訪問診療料は算定できない。

○12　2人目以降の患者は、初診料または再診料もしくは外来診療料及び特掲診療料を算定します。

□13　在宅患者訪問診療料の在宅ターミナルケア（緩和ケア）加算は、死亡日及び死亡日前14日以内に2回以上の往診もしくは訪問診療を行った場合に加算する。

○13　設問のとおり。➡点数表 C001 在宅患者訪問診療料(I)「注6」

□14　在宅患者訪問診療を行っている患者の場合において、通常の訪問診療でない、緊急の往診の場合は、往診料を算定する。

○14　在宅患者訪問診療を行っている患者への、緊急の往診は、往診料と再診料または外来診療料を算定します。また緊急症状がおさまったと医師が判断した後の、定期的な訪問診療は、在宅患者訪問診療料を算定します。

□15　在宅時医学総合管理料、施設入居時等医学総合管理料を算定できる保険医療機関とは、在宅医療が必要な患者に対して、定期的な訪問診療、訪問看護、緊急時の対処まで、一貫した対応ができる体制であると認められた200床以上の病院である。

×15　在宅時医学総合管理料、施設入居時等医学総合管理料は、かかりつけ医機能の確立及び在宅での療養の推進という点から、診療所、在宅療養支援病院、200床未満の病院で算定します。200床以上の病院では算定できません。➡点数表 C002 在宅時医学総合管理料、C002-2

□16　在宅時医学総合管理料、施設入居時等医学総合管理料の算定は、月1回または月2回以上の訪問診療を行っている場合である。

○16　月4回以上の訪問診療を行った場合は、頻回訪問加算を所定点数に加算します。

□17　在宅がん医療総合診療料は、在宅で療養中の、末期の悪性腫瘍である通院が困難な患者に対し、その同意を得て、計画的な医学管理のもとに総合的な医療を提供した場合に、1週間を単位として算定する。

○17　設問のとおり。ただし、1週間のうちに在宅医療と入院医療が混在した場合などは、算定できません。➡点数表 C003 在宅がん医療総合診療料

□18　在宅がん医療総合診療料を算定する患者に対しての、診療に係る処置の費用などは、所定点数に含まれる。

○18　在宅がん患者の診療に係る費用は、死亡診断加算と緊急時の往診等に係る費用をのぞいて、在宅がん医療総合診療料に含まれます。

□19　救急搬送（はんそう）診療料に6歳未満の加算はない。

×19　新生児または6歳未満の乳幼児（新生児を除く）に対して1500点または700点の加算があります。➡点数表 C004 救急搬送診療料「注2」

□20　患家を、医師と看護師が一緒に訪問し、医師の診療後に看護師が看護及び療養上の指導を行った。この場合、在宅患者訪問診療

×20　往診料または在宅患者訪問診療料を算定した日は、C005 在宅患者訪問看護・指導料は算定できません。

料と在宅患者訪問看護・指導料が算定できる。

□21　在宅患者訪問看護・指導料、同一建物居住者訪問看護・指導料の算定は、患者の疾患にかかわらず週3回を限度とする。

×21　末期の悪性腫瘍など、別に厚生労働大臣が定める疾病等の患者に対する在宅患者訪問看護・指導料、同一建物居住者訪問看護・指導料は週4日以上算定できます。

□22　在宅で療養中の患者に、看護師と理学療法士が一緒に訪問し、看護師が療養上の指導を行い、理学療法士がリハビリのための訓練を行った。この場合、在宅患者訪問看護・指導料と在宅患者訪問リハビリテーション指導管理料が算定できる。

×22　C005 在宅患者訪問看護・指導と、C006 在宅患者訪問リハビリテーション指導管理を同一日に行ったときは、主たるものにより算定します。

□23　訪問看護指示料は、患者の主治医が、診療にもとづき、指定訪問看護の必要を認め、患者の同意を得て、訪問看護ステーション等に訪問看護指示書を交付した場合に、患者1人につき月1回に限り算定する。

○23　設問のとおり。なお、患者の急性増悪などにより一時的に頻回の指定訪問看護の必要を認めて、訪問看護指示書を交付した場合は、特別訪問看護指示加算を算定します。➡点数表 C007 訪問看護指示料

□24　保険医療機関の薬剤師が医師と患者の同意を得て患家を訪問し、薬学的管理指導を行ったので、在宅患者訪問薬剤管理指導料を算定し、さらに麻薬投与があったの

○24　薬剤師が訪問薬剤管理指導（薬剤師1人につき週40回に限りの算定）を行っている場合、麻薬の服用と保管の状況、副作用の有無等について患者に確認し、必要

で、麻薬管理指導加算をした。

な指導を行った場合に、麻薬管理指導加算を算定します。➡点数表 C008 在宅患者訪問薬剤管理指導料「注2」

□**25**　在宅で療養中の患者に、医師の診療にもとづき管理栄養士が訪問して、食事計画案の作成、指導等を行った場合、患者の疾病にかかわらず、在宅患者訪問栄養食事指導料を算定できる。

×**25**　C009 在宅患者訪問栄養食事指導料が算定できる患者とは、厚生労働大臣が定める特別食を必要とする患者です。医師の指示にもとづいて管理栄養士が患家を訪問し、栄養食事指導箋を交付して食事の用意や摂取等に関する具体的な指導を30分以上行った場合に算定します。

□**26**　医師や歯科医師が、在宅療養の患者に訪問診療を行って診療情報を交換した場合は、在宅患者連携指導料を算定できる。

×**26**　単に情報交換などを行っただけでは算定できません。医師、歯科医師、薬剤師、訪問看護師などの医療関係職種間で、文書等により診療情報を共有し、それをふまえて療養上必要な指導を行った場合に算定できます。➡点数表 C010 在宅患者連携指導料

□**27**　在宅患者緊急時等カンファレンス料は、在宅療養の患者の病状の急変等が生じた場合、医師の求めによって、歯科医師、薬剤師、訪問看護師、介護支援専門員が患家に集まってカンファレンスを行い、共同で療養上必要な指導を行った場合に算定できる。

○**27**　設問のとおり。月2回に限り算定します。➡点数表 C011 在宅患者緊急時等カンファレンス料

□28　退院前在宅療養指導管理料は、入院中の患者が在宅療養にそなえて、一時的に外泊する場合の在宅療養に関する指導管理を行ったときに算定する。

○28　設問のとおり。外泊の初日1回に限り算定します。➡点数表 C100 退院前在宅療養指導管理料

□29　在宅自己連続携行式腹膜灌流の導入期で、同一月内に2回以上の指導管理を行った場合でも、在宅自己腹膜灌流指導管理料は1回の算定である。

×29　在宅自己連続携行式腹膜灌流の導入期など、たびたび指導管理を行う必要があると認められている場合については、この限りではありません。➡点数表 C102 在宅自己腹膜灌流指導管理料「注1」

□30　チアノーゼ型先天性心疾患の患者に対し、在宅酸素療法指導管理を行い、小型酸素ボンベを使用した。この場合、所定点数に酸素ボンベの点数を加算することができる。

×30　チアノーゼ型先天性心疾患の患者に指導管理を行った場合の、酸素ボンベなどの加算は別に算定できません。➡点数表 C103 在宅酸素療法指導管理料、C157 酸素ボンベ加算

□31　在宅自己導尿指導管理を行っている患者が外来受診し、導尿・膀胱洗浄を行った。これらの処置料は、在宅自己導尿指導管理料に含まれ、別に算定できない。

○31　C106 在宅自己導尿指導管理料を算定している患者には、導尿、膀胱洗浄、留置カテーテル設置等の費用は、所定点数に含まれ別に算定できません。

□32　睡眠時無呼吸症候群の患者に在宅人工呼吸についての指導を行った場合、在宅人工呼吸指導管理料を算定できる。

×32　睡眠時無呼吸症候群の患者は、在宅人工呼吸指導管理料の対象とはなりません。➡点数表 C107 在宅人工呼吸指導管理料

□33　C107-2 在宅持続陽圧呼吸療法指導管理料は、経鼻的持続陽圧呼吸療法治療器を使用して、持続陽圧呼吸法を行っている入院中の患者にも算定できる。

×33　在宅持続陽圧呼吸療法とは、睡眠時無呼吸症候群の患者に、在宅で実施する呼吸療法をいいます。入院中の患者には算定できません。

□34　C108 在宅麻薬等注射指導管理料を算定する患者とは、末期の悪性腫瘍による持続性の疼痛のため、経口または注射による麻薬等の投与を行っている場合をいう。

×34　鎮痛剤の経口投与では疼痛が改善せず、注射による麻薬等の投与が必要な場合に、算定します。

□35　糖尿病の外来患者が、インスリン自己注射を行う際に使用する注入器等についての費用は、すべて在宅自己注射指導管理料に含まれる。

×35　外来患者に注入器を処方した場合、または間歇注入シリンジポンプを使用した場合は、加算ができます。➡点数表 C151 注入器加算、C152 間歇注入シリンジポンプ加算

□36　在宅自己注射をしている患者に、ディスポーザブル注射器を処方したときは、注入器加算を月1回算定する。

○36　注入器加算は、ディスポーザブル注射器などの特定の注入器を処方した月に限って加算できるもので、単に注入器を使用しているのみでは算定できません。

□37　在宅酸素療法を行っている患者（チアノーゼ型先天性心疾患の患者を除く）に対し、設置型液化酸素装置と、携帯型液化酸素装置をあわせて使用した場合、それぞれについて月1回に限り液化酸素装置加算を算定できる。

×37　設置型液化酸素装置と、携帯型液化酸素装置の加算はあわせて算定できますが、それぞれ3月に3回限りの算定です。➡点数表 C159 液化酸素装置加算

検　査

●検査料算定の基本

検査料は、検体(けんたい)検査、生体(せいたい)検査など、どのような検査を行ったかによって算定が異なります。

▶検体検査料

たとえば、血液、尿、糞便(ふんべん)など人体から排出された、または採取した検体について行う検体検査の算定は、点数表の検体検査実施料と検体検査判断料の項に掲げる所定点数の合計になります。これに診断穿刺(せんし)・検体採取料が加えられる場合もあります。

■検体検査判断料

尿・糞便等検査判断料	34 点
遺伝子関連・染色体検査判断料	100 点
血液学的検査判断料	125 点
生化学的検査(Ⅰ)判断料	144 点
生化学的検査(Ⅱ)判断料	144 点
免疫学的検査判断料	144 点
微生物学的検査判断料	150 点

▶生体検査料

人体のある部分について、その機能や病状などを検査する、心電図検査、超音波検査、脳波検査などの生体検査の算定は、生体検査料と生体検査判断料の所定点数の合計になります。ただし、判断料を算定する検査と、算定しない検査があります。

［生体検査料］
呼吸循環機能検査等　超音波検査等　監視装置による諸検査　脳波検査等
神経・筋検査　耳鼻咽喉科学的検査　眼科学的検査　皮膚科学的検査
臨床心理・神経心理検査　負荷試験等
ラジオアイソトープを用いた諸検査　内視鏡検査

▶診断穿刺・検体採取料

検査を行う場合に、検査されるもの（被検体）をとりだす技術料として算定するのが採取料です。

医師や看護師などによって採取された場合は算定できますが、患者自身で採取できる尿や便などは算定できません。また手術時に採取した被検体の採取料は算定できません。なお6歳未満の乳幼児には加算できるものもありますので注意してください。

また、検査に使用した薬剤や特定保険医療材料の費用は検査料とは別に算定します。なお薬剤料は、購入価格が15円以下の場合は算定できません。

$$\text{特定保険医療材料料} = \frac{\text{材料価格}}{10} \quad \text{（1点未満四捨五入）}$$

●時間外緊急院内検査加算

入院中の患者以外の患者に、緊急のために、診療時間以外の時間、休日、深夜に検体検査を行ったときに、所定点数に1日につき200点を加算します。

●外来迅速検体検査加算

入院中の患者以外の患者に実施した検体検査で、別に厚生労働大臣が定める検査の結果を、検査実施日のうちに説明した上で文書により情報提供し、検査結果にもとづいた診療が行われた場合に、5項目を限度として、検体検査実施料の各項目の所定点数にそれぞれ10点を加算します。

●新生児、乳幼児加算

新生児（生後28日未満）、乳幼児（生後28日以上3歳未満）、幼児（3歳以上6歳未満）に特定の生体検査を行った場合に算定します。

①**新生児**　所定点数 $\times \frac{100}{100}$ を加算＝所定点数の**2倍**

②**乳幼児**　所定点数 $\times \frac{70}{100}$ を加算＝所定点数の**1.7倍**

③**幼児**　所定点数 $\times \frac{40}{100}$ を加算＝所定点数の**1.4倍**

（①～③）端数四捨五入

●内視鏡検査の加算

緊急のために、診療時間以外の時間、休日、深夜に内視鏡検査（内視鏡用テレスコープを用いた咽頭画像等解析、血管内視鏡検査及び肺臓カテーテル法、肝臓カテーテル法、膵臓カテーテル法を除く）を行った場合に算定します。

※入院中の患者以外の患者に対しては、緊急のために初診または再診から8

時間以内に内視鏡検査が行われた場合に時間外、休日、深夜のいずれか該当するものを算定します。

※入院中の患者に対しては、症状の急変により、緊急のために内視鏡検査が行われた場合に休日加算または深夜加算を算定します。

時間外	所定点数×$\frac{40}{100}$＝所定点数の 1.4 倍	端数四捨五入
休日・深夜	所定点数×$\frac{80}{100}$＝所定点数の 1.8 倍	

●対称器官の検査

眼や耳などの対称器官の検査を行った場合は、検査名の末尾に「(片側)」の表示のあるものを除いて、両側の器官の検査として算定します。

[例]

D262	調節検査	片眼	70 点
		両眼	70 点
D259	精密視野検査（片側）	片眼	38 点
		両眼	76 点

練習問題 ○ ×

□1 簡単な検査を行った場合の検査料は基本診療料に含まれ、別に算定できない。

○1 検査の中でも血圧測定などの簡単な検査は、点数が算定できませんが、患者の自己負担になるのではなく、この費用は基本診療料に含まれています。

□2 簡易(かんい)循環機能検査はD204基礎代謝(たいしゃ)測定の点数に準ずる。

×2 検査料に掲げられていない検査で、簡単な検査は、基本診療料に含まれ別には算定できません。基本診療料に含まれる検査には血圧測定、視野眼底検査（簡単なもの）、精液pH測定、簡易循環機能検査などがあります。

□3 検査に使用する薬剤は、購入価格が15円以下の場合は算定できない。したがって請求点数は2点からである。

○3 設問のとおり。

15円をこえる場合、

$$\frac{\text{薬価}-15}{10}+1=\square\text{点}$$

（小数点以下切り上げ）。

□4 検査にあたって撮影した画像を電子媒体(ばいたい)に保存した場合、保存に要した費用を別に算定できる。

×4 保存に要した電子媒体の費用は検査の所定点数に含まれるため、別に算定できません。

□5 対称器官に係る検査の点数は、両側の器官の検査料に係る点数である。ただし、検査名の末尾に「(片側)」と記入されたものについて両側の検査を行った場合は、

×5 診療報酬明細書は左右別々に記載するのではなく、2倍の点数×何回と記載します。なお、点数表に「片側」の表記のない検査は、片側のみ検査を行った場合でも、

所定点数の2倍の点数を算定する。この場合レセプトには左右別々に記載する。

両側を行った場合でも、同じ所定点数を算定します。

対称器官…眼、耳など両側にある器官

□6　時間外、休日または深夜に外来を受診をした患者に、時間外緊急院内検査をしたが、ただちに何らかの処置、手術等がなかったので帰宅してもらった。この場合、時間外緊急院内検査加算を算定する。

×6　緊急に検査を要する場合とは、ただちに処置や手術などが必要な患者であって、通常の診察のみでは的確な診断が下せず、通常の検査体制が整う時間まで検査をみあわせることができないような、重篤(じゅうとく)（病状がいちじるしく重いこと）な場合です。

□7　同一患者に、同一日に、2回以上の時間外・深夜の診療を行い、そのつど緊急の検体検査を行った場合は、それぞれ時間外緊急院内検査加算が算定できる。

×7　同一日に何回緊急の診療を行い、そのつど検体検査をしても、時間外緊急院内検査加算は1回のみの算定です。また入院中の患者にこの加算は算定できません。

□8　時間外緊急院内検査加算は入院中の患者には算定できないが、時間外、休日、深夜に外来を受診した患者の検体検査の結果、入院の必要性を認めてひきつづき入院となった場合は算定できる。

○8　設問のとおり。この場合、診療報酬明細書にはその旨(むね)を摘要欄に記載しなければなりません。

□9　外来診療料に包括される検体検査の結果を、当日中に文書で患者に提供して検査にもとづいた診療を行っても、外来迅速検体検査加算は算定できない。

×9　外来診療料に包括される検体検査も、当日中に文書で検体検査の結果を患者に提供して検査にもとづいた診療を行った場合は、5項目を限度として外来迅速検体検査加算を算定できます。

□**10**　緊急のために診療時間外の時間に来院した患者に検体検査を行った場合でも、当日中に文書で検体検査の結果を患者に提供して検査にもとづいた診療を行った場合は、時間外緊急院内検査加算と外来迅速検体検査加算を算定する。

×**10**　時間外緊急院内検査加算を算定した場合は、同一日に外来迅速検体検査加算は算定できません。

□**11**　尿中一般物質定性半定量検査も検体検査判断料を算定する。

×**11**　検体検査は所定の判断料を算定するが、D000 尿中一般物質定性半定量検査の場合は、判断料の算定はできません。

□**12**　尿の沈渣（鏡検法）と細菌（塗沫）の検査を行った場合、尿沈渣（鏡検法）27 点＋細菌顕微鏡検査（その他）67 点を算定して 94 点となる。

×**12**　同一検体で D002 尿沈渣（鏡検法）、D017 排泄物、滲出物又は分泌物の細菌顕微鏡検査をあわせて行った場合は、主たる検査の所定点数を算定します。この場合は細菌顕微鏡検査の 67 点を算定します。

□**13**　尿沈渣（鏡検法）で染色標本による検査を行った場合は、9 点を加算する。

○**13**　設問のとおり。➡点数表 D002 尿沈渣（鏡検法）「注 3」

□**14**　D004「4」髄液一般検査の所定点数には、トリプトファン反応の検査費用は含まれない。

×**14**　トリプトファン反応の検査費用は含まれます。

□15 D005「5」末梢血液一般検査は、R，W，Hb，Ht，Plの5種類の、検査の一部または全部を行った場合に算定する。

○15 設問のとおり。R（赤血球数），W（白血球数），Hb（血色素測定），Ht（ヘマトクリット値），Pl（血小板数）。

□16 染色体検査でFISH法を用いた場合（すべての費用を含む）は2,477点で、分染法を行った場合は397点を加算する。

○16 設問のとおり。➡点数表 D006-5 染色体検査

□17 D007 血液化学検査の「1」のナトリウム及びクロールについては、両方を測定した場合も、どちらか一方のみを測定した場合も、同一の点数とする。

○17 ナトリウムとクロールの検査には、「ナトリウム及びクロールについては、両方を測定した場合も、いずれか一方のみを測定した場合も、同一の所定点数により算定する」という規定があります。また血液化学検査の大部分は、行った検査の項目数によって所定点数が定められているので、項目数としてはナトリウムとクロールの2つで1項目と数えることになります。

□18 内分泌学的検査の、レニン活性100点とレニン定量102点をあわせて行った場合は、合計で202点を算定する。

×18 レニン活性とレニン定量をあわせて行った場合は、一方の所定点数のみを算定します。➡点数表 D008 内分泌学的検査「8」「10」

□19 胃ガンの疑いで、CEA測定、AFP、CA19-9精密測定を行った場合（外来の場合）の実施料は、

×19 1回に採取した血液等を使用して、腫瘍マーカーを2項目以上行った場合は、D009「1」の

それぞれ99点、98点、121点の合計で318点を算定する。

尿中BTAを除いて、検査の項目数に応じた点数を算定します。本問の場合、3項目で290点を算定します。

➡点数表 D009 腫瘍マーカー「注2」

□**20**　D018 細菌培養同定検査（さいきんばいようどうてい）は、一般細菌等（抗酸菌を除く）の培養を行い、同定検査を行うことを原則とする。同定検査を予定して培養したが、菌が陰性の場合は算定できない。

×**20**　同定検査を予定して培養したのであれば、陰性であっても、細菌培養同定検査は算定できます。

□**21**　D019 細菌薬剤感受性検査は、結果として菌が検出できなかった場合は算定しない。

○**21**　菌が検出できず、検査が実施できなかった場合は、算定しません。

□**22**　D023-2「3」大腸菌ベロトキシン定性は、大腸菌の抗原定性の結果より病原性大腸菌が疑われる患者に対して行った場合であっても算定できる。

○**22**　設問のとおり。

➡点数表 D023−2 その他の微生物学的検査「3」

□**23**　D026 検体検査判断料は1か月に1回という条件である。入院、外来が1か月に両方ある場合は、診療報酬明細書が別なので2回算定する（同一医療機関の場合）。

×**23**　1か月に1回という条件は、入院、外来を通じて適用されるので、同一医療機関の場合は、患者1人につき同一月1回の算定となります。

□**24**　生体検査で乳幼児加算ができる乳幼児とは、6歳未満の乳幼

×**24**　生体検査に加算ができる乳幼児とは、新生児（生後28日未

児である。

満）をのぞく生後28日以上3歳未満の者です。なお、6歳未満の患者に対しては、幼児加算が特定の生体検査に限り算定できます。

□**25**　生体検査料の中には、新生児や乳幼児、幼児への年齢加算が算定できないものもある。

○**25**　設問のとおり。

□**26**　新生児に、D206心臓カテーテル法による諸検査の右心カテーテルを行ったので、所定点数の100分の80加算を算定した。

×**26**　当該検査を新生児に行った場合は100分の80加算ではなく、10,800点を加算します。また3歳未満の乳幼児（新生児を除く）の場合は3,600点を加算します。

□**27**　心臓カテーテル検査によって大動脈造影を行った場合、心臓カテーテル法による諸検査の所定点数によって算定するが、造影剤注入手技、造影剤使用撮影、エックス線診断の費用は算定できない。

○**27**　設問のとおり。そのほか、諸監視、血液ガス分析、心拍出量測定、脈圧測定、肺血流量測定、透視の費用も所定点数に含まれます。➡点数表D206心臓カテーテル法による諸検査（一連の検査について）「注8」

□**28**　ほかの保険医療機関で描写した心電図を診断した場合は、診断料として1回につき所定点数を算定できる。

○**28**　設問のとおり。1回につき70点の算定です。➡点数表D208心電図検査「注」

□**29**　同一月に、同じ患者にD208心電図検査（12誘導）を2回行った。2回目の検査は100分の90で算定する。

○**29**　設問のとおり。➡点数表「生体検査料」通則

1回目…130点（所定点数）

2回目…130点×$\frac{90}{100}$=117点

□**30**　D209 負荷心電図検査の12誘導と6誘導を、同一月に、同一患者に行った。別検査なので、それぞれの所定点数を算定する。

×**30**　同一検査とみなすため、2回目以降は100分の90で算定します。

□**31**　心電図検査と負荷心電図検査を同一日に同じ患者に行った。別検査なのでそれぞれの所定点数を算定する。

×**31**　D209 負荷心電図検査にはこの検査を行うために一連として実施されたD208 心電図検査を含みます。したがって同一日に行われた心電図検査は別に算定できません。

□**32**　6誘導未満の心電図検査は、D214 脈波図、心機図（しんき）、ポリグラフ検査により算定する。

×**32**　6誘導未満の心電図検査は、基本診療料に含まれており、別に算定することはできません。

□**33**　超音波検査の記録に要したフィルム代、印画紙代、記録紙代、テープ代等は、特定保険医療材料として、購入価格で算定する。

×**33**　所定点数に含まれるので、算定できません。➡点数表 D215 超音波検査（記録に要する費用を含む。）

□**34**　D217 骨塩（こつえん）定量検査は、骨粗鬆症（こつそしょうしょう）の診断と、経過の観察の際にのみ算定できる。ただし1か月に1回を限度とする。

×**34**　4か月に1回のみの算定です。

□**35**　終夜経皮的動脈血酸素飽和度測定は、睡眠時呼吸障害と思われる患者に行った場合に算定し、

×**35**　一連につき算定します。なおこの場合、「一連につき」とは診断が確定するまでのあいだをい

数日間連続して測定した場合は1日につき算定する。

います。➡点数表 D223-2 終夜経皮的動脈血酸素飽和度測定（一連につき）

□**36**　ほかの医療機関から脳波検査の読みとりのみを依頼された場合は、D238 脳波検査判断料は算定できない。

○**36**　他の医療機関で描写した脳波の検査の判断料は算定できませんが、診断を行った場合は、1回につき70点を算定します。➡点数表 D235 脳波検査（過呼吸、光及び音刺激による負荷検査を含む。）「注2」

□**37**　脳波検査に施用（しよう）する睡眠剤や興奮剤は、検査の薬剤として算定できる。

○**37**　検査の薬剤として算定できます。ただし15円（1点）をこえる場合です。なお「患者に薬剤を施用した場合」の薬剤とは、検査に際して、患者に経口投与や注射を行う場合の薬剤をいいます。

□**38**　EEG 8誘導（ゆうどう）20分（3歳5か月児）の検査の点数は、検査実施料720点、脳波検査判断料1；350点、3歳以上6歳未満加算720×100分の40＝288点である。

○**38**　D235 の EEG（脳波検査）は8誘導以上で720点を、また D238 脳波検査判断料1；350点が算定できます。さらに患者が3歳以上6歳未満なので検査実施料に加算があります。

$$720\text{点}+(720\text{点}\times\frac{40}{100})+350\text{点}=1{,}358\text{点}$$

□**39**　コンタクトレンズの装用を目的に受診した患者に眼科学的検査を行った場合、算定できるのは、D282-3 コンタクトレンズ検査料のみである。

○**39**　設問のとおり。➡点数表「眼科学的検査」通則

□40 眼底(がんてい)カメラ撮影の通常の方法と蛍光(けいこう)眼底法の両方を行った場合は、主たる検査の所定点数を算定する。

○40 設問のとおり。➡点数表 D256 眼底カメラ撮影

□41 両眼に D259 精密視野検査を行った場合は、所定点数の 2 倍を算定する。

○41 対称(たいしょう)器官の検査は、点数表の各検査名の末尾に（片側）と記入されたものは所定点数を 2 倍します。末尾に（片側）の記入がない場合は、両側の点数を意味しているので、行った検査が片側でも両側でも同じ点数を算定します。

□42 屈折(くっせつ)検査を片側のみ行ったので 69 点の半分の点数を算定した。

×42 D261 屈折検査には「片側」の表示がないので、片眼でも両眼でも所定点数の 69 点を算定します。

□43 負荷試験等の検査で薬剤を使用した場合の薬剤料、調剤料、処方料はそれぞれ算定できる。

×43 検査に使用した薬剤の計算は、薬剤料のみの算定です。

□44 糖負荷(とうふか)試験において、注射、採血、検体測定の費用は採血回数、測定回数にかかわらず所定点数に含まれ、算定できない。

○44 設問のとおり。➡点数表 D288 糖負荷試験「注」

□45 小児食物アレルギー負荷検査は、6 歳未満の患者に食物アレルギー負荷検査を行った場合に、年 2 回に限り算定する。

×45 小児食物アレルギー負荷検査の対象となる患者は、16 歳未満の患者で、年 3 回に限り算定します。➡点数表 D291-2 小児食物アレルギー

□46　内視鏡検査に際して、点数表第11部に掲げる麻酔を行った場合の麻酔の費用は、検査の点数に含まれ、算定できない。

×46　内視鏡検査に際して、第11部に掲げる麻酔を行った場合は、麻酔の費用を別に算定します。

□47　内視鏡検査で、麻酔手技料を算定できない麻酔を行った場合の薬剤料は、検査の薬剤料として算定する。

○47　麻酔の手技料を算定できない麻酔を行った場合は、診療報酬明細書点数欄の ⑹⓪ の検査の薬剤料とします。

□48　手術と同時に行った内視鏡検査は、別に算定できない。

○48　処置と同時に行った場合にも算定できません。

□49　内視鏡検査において写真診断を行った場合、撮影料、診断料、フィルム代は診療報酬明細書点数欄 ⑹⓪ で算定する。

×49　内視鏡検査で写真診断を行った場合、フィルム代は10円で除して得た点数を算定できますが、撮影料、診断料は算定できません。

□50　当該保険医療機関以外で撮影した、内視鏡写真を診断した場合、診断料は算定できない。

×50　内視鏡写真の診断を行った場合は、心電図と同じく診断料として1回につき70点が算定できます。➡点数表「内視鏡検査」通則3

□51　1歳6か月の患者に対し、D308 胃・十二指腸ファイバースコピー、粘膜点墨法、超音波内視鏡検査を行った場合は、

(1,140＋60＋300)×1.7
＝2,550　点となる。

×51　生後28日以上3歳未満の乳幼児に対して乳幼児加算を行った場合には、超音波内視鏡検査加算は所定点数には含まれません。したがって

(1,140＋60)×1.7＋300

＝2,340　点となります。

□**52**　尿検査は尿を採取して行うので、検体採取料が算定できる。

×**52**　ふつう尿は患者自身が採取するので、検体採取料は算定しません。

□**53**　5歳6か月の患者に、外来で、検査のために静脈から血液採取を行った場合、乳幼児加算の35点を加算して75点である。

○**53**　血液採取の静脈40点に、6歳未満の乳幼児に行った場合の35点を加算します。➡D400 血液採取「注2」

□**54**　6歳未満の乳幼児に対して行った静脈採血には乳幼児加算ができるが、末梢血採血は加算の対象とはならない。

×**54**　静脈(40点)、その他(6点)とも、6歳未満の乳幼児は加算ができます。

□**55**　造影剤使用撮影を行うにあたって造影剤を注入した場合に算定する造影剤注入手技料は、同一日に静脈内注射または点滴注射の所定点数を算定した場合であっても、当該造影剤注入手技の「1　点滴注射」を算定できる。

×**55**　造影剤注入手技料は、造影剤使用撮影を行うに当たって造影剤を注入した場合に算定します。ただし、同一日に静脈内注射または点滴注射を算定した場合は、造影剤注入手技の「1　点滴注射」は重複して算定できません。

□**56**　人工腎臓、人工心肺等の血液回路から、動脈血採取を行った場合の検体採取料は算定できない。

○**56**　設問のとおり。➡点数表 D419 その他の検体採取「3」動脈血採取

□**57**　長谷川式知能評価スケールにて認知機能を検査した場合には、認知機能検査その他の心理検査の

×**57**　「1　操作が容易なもの」における「イ　簡易なもの」で算定します。「イ　簡易なもの」は原則

「1　操作が容易なもの」の「ロ　その他のもの」を算定する。

として3月に1回に限り算定し、2回以上算定する場合にはレセプト摘要欄に理由と医学的根拠を詳細に記載します。

画像診断

●画像診断料算定の基本

画像診断の費用は、診断に際し何を行ったかによって、算定の方法が異なります。

たとえば、ほかの医療機関で撮影したフィルムを診断した場合は、写真診断料のみです。造影剤を使って透視診断を行った場合には、透視診断料と薬剤料の合計になります。また、写真診断と撮影を行った場合（造影剤を使用）は、写真診断料、造影剤使用撮影料、薬剤料、フィルム代の合計となり、これに造影剤注入手技料や特定保険医療材料料が加えられることもあります。

このほかにも核医学診断の場合、コンピューター断層撮影診断の場合など、いろいろなケースがあります。なお「透視診断」とは、写真撮影は行わないで透視のみで行う診断法をいいます。

撮影料はアナログ撮影とデジタル撮影に分かれます。

▶同一部位に同時に２以上のエックス線撮影を行った場合の写真診断料

この場合、第１の診断料は、所定点数により算定しますが、第２の診断以降は、所定点数の２分の１の点数を算定します。

▶同一部位に同時に同一方法でエックス線撮影を行った場合の写真診断料と撮影料（２枚以上のフィルムを使用）

フィルム１枚目	…写真診断料、撮影料はそれぞれの点数により算定。 写真診断料＋撮影料＋フィルム代
フィルム２枚目 ～ フィルム５枚目 （４枚分）	…写真診断料、撮影料はそれぞれの点数の２分の１。 写真診断料$\times\frac{1}{2}$＋撮影料$\times\frac{1}{2}$＋フィルム代
フィルム６枚目以降	…写真診断料、撮影料は算定できません。 フィルム代のみ。

注：点数表に「一連につき」と表記されているものをのぞきます。「一連につき」とされているものは、何枚撮影しても、一連のものとして、写真診断料と撮影の費用は1回のみ算定します。

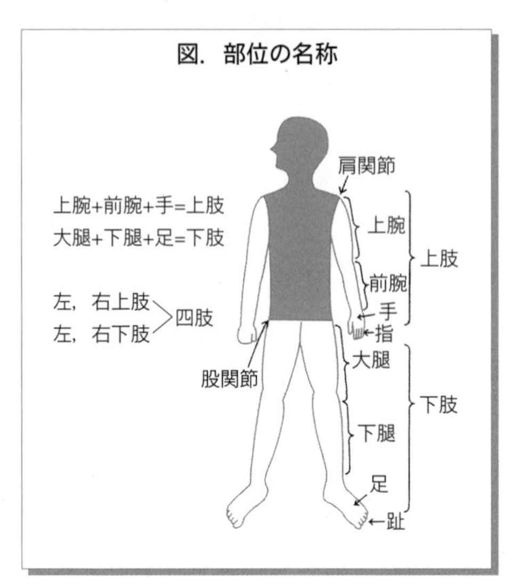

図．部位の名称

単純撮影の場合の診断料は、軀幹の85点とその他の43点です。左の図で区別すると、■の部分が85点の範囲で、□の部分がその他の43点の範囲です。腕のつけ根の肩関節や、脚のつけ根の股関節は、85点の部分に入ります。

一般に■部分のことを軀幹といい、□部分をあわせて四肢といいます。

また、X—D（透視診断料）の算定にかかわる消化管とは、食道、胃、十二指腸、小腸、大腸、直腸をいいます。

●画像診断の主な加算

時間外などの加算、年齢による加算があります。

▶時間外緊急院内画像診断加算

入院中の患者以外の患者に、緊急のために、診療時間以外の時間、休日、深夜に撮影及び画像診断を行ったときに、所定点数に1日につき110点を加算します。

▶新生児・3歳未満の乳幼児加算

新生児（生後28日未満）、乳幼児（生後28日～3歳未満）、幼児（3歳以上6歳未満）に撮影料についてのみ加算ができます。

新生児	「所定点数」× $\frac{80}{100}$ を加算＝所定点数の1.8倍	端数四捨五入
乳幼児	「所定点数」× $\frac{50}{100}$ を加算＝所定点数の1.5倍	
幼児	「所定点数」× $\frac{30}{100}$ を加算＝所定点数の1.3倍	

[エックス線診断]

▶撮影料及び写真診断料

1．第２回～第５回までは撮影料及び写真診断料の２分の１を加算し、第６回以降は加算はしません。
2．部位について、耳、副鼻腔、骨盤、腎、尿管、膀胱、頸部、腋窩、股関節部、肩関節部、肩胛骨、鎖骨は、単純撮影のイ.により算定します。
3．新生児（生後28日未満）、乳幼児（３歳未満）、又は幼児（３歳以上６歳未満）に対して行った場合は、撮影料に**100分の80、100分の50**又は**100分の30**を加算します。
4．電子画像管理を行った場合は、単純撮影**57**点、特殊撮影**58**点、造影剤使用撮影**66**点、乳房撮影**54**点を加算します。
5．第２回目以降の点数の計算は、診断料と撮影料別に２分の１の計算をし、四捨五入をしてから点数を合計します。

▶アナログ撮影

	単純撮影								造影剤使用撮影							
区分	頭部・胸部 腹部・脊椎				その他				消化管・ その他の臓器				脳脊髄腔			
診断料	85点				43点				72点							
撮影料	60点	78点	90点	108点	60点	78点	90点	108点	144点	187点	216点	259点	292点	380点	438点	526点
診断料＋撮影料	6歳以上	3歳以上6歳未満	3歳未満（新生児除）	新生児	6歳以上	3歳以上6歳未満	3歳未満（新生児除）	新生児	6歳以上	3歳以上6歳未満	3歳未満（新生児除）	新生児	6歳以上	3歳以上6歳未満	3歳未満（新生児除）	新生児
撮影回数 1	145	163	175	193	103	121	133	151	216	259	288	331	364	452	510	598
2	218	245	263	290	155	182	200	227	324	389	432	497	546	677	765	896
3	290	326	350	386	206	242	266	302	432	518	576	662	728	903	1020	1195
4	363	408	438	483	258	303	333	378	540	648	720	828	910	1129	1275	1494
5回以上	435	489	525	579	309	363	399	453	648	778	864	994	1092	1355	1530	1793

▶デジタル撮影

	単純撮影								造影剤使用撮影							
区分	頭部・胸部 腹部・脊椎				その他				消化管・ その他の臓器				脳脊髄腔			
診断料	85点				43点				72点							
撮影料	68点	88点	102点	122点	68点	88点	102点	122点	154点	200点	231点	277点	302点	393点	453点	544点
診断料＋撮影料	6歳以上	3歳以上6歳未満	3歳未満(新生児除)	新生児	6歳以上	3歳以上6歳未満	3歳未満(新生児除)	新生児	6歳以上	3歳以上6歳未満	3歳未満(新生児除)	新生児	6歳以上	3歳以上6歳未満	3歳未満(新生児除)	新生児
撮影回数 1	153	173	187	207	111	131	145	165	226	272	303	349	374	465	525	616
撮影回数 2	230	261	281	312	167	198	218	249	339	408	455	524	561	697	788	923
撮影回数 3	306	347	374	415	222	263	290	331	452	544	606	698	748	929	1050	1231
撮影回数 4	383	434	468	519	278	329	363	414	565	681	758	873	935	1162	1313	1539
撮影回数 5回以上	459	520	561	622	333	394	435	496	678	817	909	1048	1122	1394	1575	1847

注：デジタル撮影の場合は、画像記録用フィルムを算定します。

▶特殊撮影・乳房撮影

					6歳以上	3歳以上 6歳未満	3歳未満 (新生児除)	新生児
特殊撮影	アナログ	パントモグラフィー 断層(トモ—TOMO) 狙撃（スポット—SP) 等	一連につき	(単独) 96＋260	356	434	486	564
				(他法併用) 48＋260	308	386	438	516
	デジタル		一連につき	(単独) 96＋270	366	447	501	582
				(他法併用) 48＋270	318	399	453	534
乳房撮影	アナログ		一連につき	(単独) 306＋192	498	556	594	652
				(他法併用) 153＋192	345	403	441	499
	デジタル		一連につき	(単独) 306＋202	508	569	609	670
				(他法併用) 153＋202	355	416	456	517

※　乳房トモシンセス加算（＋100点）

▶造影剤注入手技料

点滴注射	点
一般 500mL 以上	102
一般 500mL 未満（外来のみ）	53
6 歳未満 100mL 以上	153
6 歳未満 100mL 未満（外来のみ）	101
動脈注射	
・内臓（肺動脈起始部、大動脈弓、腹部大動脈等深部動脈）	155
・その他（頸動脈、鎖骨下動脈、股動脈、上腕動脈等）	45
動脈造影カテーテル法	
・分枝血管の選択的造影撮影	3600
血流予備能測定検査加算	400
頸動脈閉塞試験加算	1000
・その他	1180
血流予備能測定検査加算	400
静脈造影カテーテル法	3600
内視鏡下の造影剤注入	
・気管支ファイバースコピー挿入	2500
気管支肺胞洗浄法検査同時加算	200
・尿管カテーテル法（両側）	1200
腔内注入及び穿刺注入	
・注腸	300
・その他＊	120
嚥下造影	240

＊腔内注入及び穿刺注入のその他として算定するもの

腰椎穿刺注入、胸椎穿刺注入、頸椎穿刺注入、関節腔内注入、上顎洞穿刺注入、気管内注入（内視像下の造影剤注入によらないもの）、子宮卵管内注入、胃・十二指腸ゾンデ挿入による注入、膀胱内注入、腎孟内注入、唾液腺注入

▶フィルム代（円）

大きさ＼枚数	1	2	3	4	5	6	7
半　切	120	240	360	480	600	720	840
大　角	115	230	345	460	575	690	805
大四ツ切	76	152	228	304	380	456	532
四ツ切	62	124	186	248	310	372	434
六ツ切	48	96	144	192	240	288	336
八ツ切	46	92	138	184	230	276	322
カビネ	38	76	114	152	190	228	266

注 1：6 歳未満の乳幼児に対して胸部・腹部単純撮影を行った場合は、フィルム代×1.1 の点数。
注 2：フィルム料の算定は、1 回に要した枚数を合算したうえで端数を処理。
注 3：1 点未満の端数は四捨五入。

▶核医学診断

			6歳以上	3歳以上 6歳未満	3歳未満 (新生児除)	新生児
核医学診断料	シンチグラム(一連につき)	部分(静態)	1300	1690	1950	2340
		部分(動態)	1800	2340	2700	3240
		全身	2200	2860	3300	3960
	甲状腺ラジオアイソトープ摂取率測定加算		各所定点数に 100 を加算			
	シングルホトンエミッションコンピューター断層撮影		1800	2340	2700	3240
	甲状腺ラジオアイソトープ摂取率測定加算		各所定点数に 100 を加算			
	断層撮影負荷試験加算		各所定点数の 50/100 を加算			
	* ポジトロン断層撮影(一連の検査につき)	^{15}O 標識ガス剤を用いた場合	7000			
		^{18}FDG を用いた場合	7500			
		^{13}N 標識アンモニア剤を用いた場合	9000			
		^{18}F 標識フルシクロビンを用いた場合	2500			
		アミロイド PET イメージング剤を用いた場合 イ 放射性医薬品合成設備を用いた場合 ロ イ以外の場合	 12500 2600			
	* ポジトロン断層・コンピューター断層複合撮影(一連の検査につき)	^{15}O 標識ガス剤を用いた場合	7625			
		^{18}FDG を用いた場合	8625			
		^{18}F 標識フルシクロビンを用いた場合	3625			
		アミロイド PET イメージング剤を用いた場合 イ 放射性医薬品合成設備を用いた場合 ロ イ以外の場合	 13625 3725			
	* ポジトロン断層・磁気共鳴コンピューター断層複合撮影(一連の検査につき)	^{18}FDG を用いた場合	9160			
		^{18}F 標識フルシクロビンを用いた場合	4160			
		アミロイド PET イメージング剤を用いた場合 イ 放射性医薬品合成設備を用いた場合 ロ イ以外の場合	 14160 4260			
	乳房用ポジトロン断層撮影	届出している場合	4000			
		届出なしの場合	所定点数の 80/100 を算定			
	核医学診断(月1回)	1 ・ポジトロン断層撮影(一連の検査につき) ・ポジトロン断層・コンピューター断層複合撮影(一連の検査につき) ・ポジトロン断層・磁気共鳴コンピューター断層複合撮影(一連の検査につき) ・乳房用ポジトロン断層撮影の場合	450			

		2	上記以外の場合	370

※ 電子画像管理加算（撮影した画像を電子化して管理及び保存した場合、一連の撮影について1回限り）（＋120点）

※ 表中＊において、新生児加算〔＋1600点（1280点）〕、乳幼児加算〔＋1000点（800点）〕、幼児加算〔＋600点（480点）〕の算定あり（（ ）内は届出なしの場合）、（^{18}F 標識フルシクロビンの注入、アミロイドPETイメージング剤を用いた場合を除く）。

[コンピューター断層撮影診断料]

1．新生児（生後28日未満）、乳幼児（3歳未満）又は幼児（3歳以上6歳未満）に対して行った場合は断層撮影の**100分の80、100分の50**又は**100分の30**を加算します。頭部外傷に対して断層撮影を行った場合は、それぞれ所定点数の**100分の85**（新生児頭部外傷撮影加算）、**100分の55**（乳幼児頭部外傷撮影加算）又は**100分の35**（幼児頭部外傷撮影加算）を加算します。
2．撮影した画像を電子化して管理及び保存した場合、一連の撮影について1回限り**120**点を加算します（電子画像管理加算）。
3．コンピューター断層撮影（CT撮影）及び磁気共鳴コンピューター断層撮影（MRI撮影）を同一月に2回以上行った場合は、2回目以降の断層撮影については所定点数にかかわらず一連につき**100分の80**点を算定します。
4．撮影方法（CT、MRI別に）、部位にかかわらず、同時に2以上のものを行った場合は主たる撮影料のみを算定します。

▶CT撮影（一連につき）

造影剤を使用した場合は500点を加算します。

	部位機器	6歳以上	3歳以上6歳未満	3歳未満(新生児除)	新生児		6歳以上	3歳以上6歳未満	3歳未満(新生児除)	新生児		
撮影料	64列以上の機器（共同利用施設の場合）（要届出）	1020	1326	1530	1836	造影剤使用の場合	1520	1976	2280	2736	コンピューター断層診断	月1回に限り450点を算定
	64列以上の機器（その他の場合）（要届出）	1000	1300	1500	1800		1500	1950	2250	2700		
	16列以上64列未満の機器（要届出）	900	1170	1350	1620		1400	1820	2100	2520		
	4列以上16列未満の機器（要届出）	750	975	1125	1350		1250	1625	1875	2250		
	上記以外	560	728	840	1008		1060	1378	1590	1908		
	脳槽CT撮影（造影を含む）	2300	2990	3450	4140		—	—	—	—		

※ 冠動脈CT撮影加算（要届出）（＋600点）

※　外傷全身 CT 加算　（要届出）（＋800 点）
※　大腸 CT 撮影加算（施設基準を満たしている場合）〔64 列以上の場合（＋620 点）、16 列以上 64 列未満の場合（＋500 点）〕

▶MRI 撮影（一連につき）

1．造影剤を使用（脳血管に対する造影の場合は除く）した場合は **250 点**を加算します。
2．施設基準に適合している医療機関（要届出）で心臓の MRI 撮影を行った場合は **400 点**を加算します。
3．新生児（生後 28 日未満）、乳幼児（3 歳未満）又は幼児（3 歳以上 6 歳未満）に対して行った場合は MRI 撮影の **100 分の 80、100 分の 50** 又は **100 分の 30** を加算します。

	部位機器	6 歳以上	3 歳以上 6 歳未満	3 歳未満（新生児除）	新生児		6 歳以上	3 歳以上 6 歳未満	3 歳未満（新生児除）	新生児		
撮影料	3 テスラ以上の機器（共同利用施設の場合）（要届出）	1620	2106	2430	2916	造影剤使用の場合	1870	2431	2805	3366	コンピューター断層診断	月 1 回に限り 450 点を算定
	3 テスラ以上の機器（その他の場合）（要届出）	1600	2080	2400	2880		1850	2405	2775	3330		
	1.5 テスラ以上 3 テスラ未満の機器（要届出）	1330	1729	1995	2394		1580	2054	2370	2844		
	上記以外	900	1170	1350	1620		1150	1495	1725	2070		

※　乳房 MRI 撮影加算（要届出）（＋100 点）
※　小児鎮静下 MRI 撮影加算（15 歳未満）（要届出）80／100 加算
※　頭部 MRI 撮影加算（要届出）（＋100 点）
※　全身 MRI 撮影加算（要届出）（＋600 点）
※　肝エラストグラフィ加算（要届出）（＋600 点）

▶画像記録用フィルム代（円）

大きさ＼枚数	1	2	3	4	5	6	7
半　切	226	452	678	904	1130	1356	1582
大　角	188	376	564	752	940	1128	1316
大四ツ切	186	372	558	744	930	1116	1302
B　4	149	298	447	596	745	894	1043
四ツ切	135	270	405	540	675	810	945
六ツ切	115	230	345	460	575	690	805
24cm × 30cm	145	290	435	580	725	870	1015

注 1：フィルム料の算定は、1 回に要した枚数を合算したうえで端数を処理。
注 2：1 点未満の端数は四捨五入。

練習問題 ○×

□1　画像診断のために使用した造影剤または造影剤以外の薬剤は画像診断の薬剤料として算定する。

○1　ただし、投薬に係る処方料、処方箋料、調剤料、調剤技術基本料、注射に係る注射料は別に算定できません。

□2　外来の患者に対して、緊急に、診療時間外に、その医療機関内で画像診断を行った場合は、時間外緊急院内画像診断加算ができる。これは撮影回数につき 110 点を加算する。

×2　時間外緊急院内画像診断加算は 1 日につき 110 点です。時間外（または休日、深夜）に、同じ患者に、同じ日に、2 回以上診療を行い、そのつど緊急の画像診断を行った場合でも、1 回のみの算定です。また入院中の患者には算定できません。

□3　画像診断管理加算 1 は、写真診断、基本的エックス線診断料、核医学診断、コンピューター断層診断のそれぞれに、月 1 回に限り加算する。

○3　月 1 回に限り所定点数に 70 点を加算します。

□4　エックス線写真撮影に際して、失敗して再撮影をした場合は、再撮影に要する費用は 100 分の 50 とする。

×4　失敗して再撮影した場合の費用は算定できません。失敗の理由が、患者の故意または重大な過失による場合をのぞいて、保険医療機関の負担となります。

□5　同一部位を同時に、2 つ以上の異なる方法で撮影した場合は、2 つ目以降の診断料のみ、所定点

○5　たとえば胃部を造影剤使用撮影し、さらに特殊撮影した場合は、造影剤使用撮影の診断料と撮影料、

数の２分の１となる。

フィルム料、薬剤料を算定し、特殊撮影の診断料（２分の１）と撮影料、フィルム料を算定します。

□**6**　E000 透視診断は、透視を手術の補助手段として行った場合でも算定できる。

×**6**　透視による疾病や病巣の診断について算定するものであり、撮影の時期決定、準備手段、ほかの検査、注射、処置、手術の補助手段として行われる透視では算定できません。

□**7**　ほかの医療機関で撮影したフィルムについての診断料は、撮影部位、撮影方法別に１回の算定とする。

○**7**　設問のとおり。たとえば胸部単純写真と断層像なら２回として算定できます。ただし、１つの撮影方法では撮影回数、写真枚数に関係なく１回として算定します。

□**8**　肩関節アナログX―P（六ツ切１枚）の点数は、診断料、撮影料、フィルム料で150点となる。

○**8**　設問のとおり。肩関節は腕のつけ根で、部位は軀幹（p 188 図. 部位の名称参照）ですから診断料は85点です。

診断料・撮影料85＋60＝145点
フィルム料　4.8→５点
＝150点

□**9**　耳、副鼻腔の単純撮影の写真診断は、頭部の区分により算定する。

○**9**　設問のとおり。➡点数表 E001 写真診断

□**10**　胃や腸、血管、腎臓、膀胱、子宮など、一般に中が空っぽの臓器（中空臓器）を被写体にし

○**10**　設問のとおり。注入手技料は、その方法によって点数が異なるので気をつけましょう。

た場合に、X線写真に濃淡(のうたん)の差が現れて、像がはっきり写るように使う薬剤を造影剤といい、薬剤料と注入手技料が算定できる。

□11 新生児、3歳未満の乳幼児または3歳以上6歳未満の幼児に対して撮影を行った場合は、撮影料、診断料にそれぞれ100分の80、100分の50または100分の30の加算ができる。

×11 新生児、3歳未満の乳幼児または3歳以上6歳未満の幼児に算定できる加算は撮影料のみで、診断料は算定できません。

例：1歳6か月の患者の胸腹部を、四ツ切1枚を使用して撮影（撮影方法は単純アナログ撮影）した場合の費用は、
診断料・撮影料…
$85+\left\{60+\left(60\times\frac{50}{100}\right)\right\}=175.0\rightarrow 175$点
フィルム料…$6.2\times1\times1.1=6.82\rightarrow 7$点
合計182点
注：6歳未満の乳幼児に対して、胸部または腹部単純撮影を行った場合は、フィルム代の1.1倍の点数とします。

□12 大腸造影を行うときの、肛門からの注入は、腔内注入及び穿刺注入の「イ」注腸300点を、造影剤注入手技料として算定する。

○12 設問のとおり。なお注腸の前処置として行った高位浣腸の処置料は、注腸の所定点数に含まれます。➡点数表 E003 造影剤注入手技「6」

□13 基本的エックス線診断料は、特定機能病院ではない保険医療機関においても算定できる。

×13 E004 基本的エックス線診断料は、特定機能病院にのみ認められ、特定機能病院でない保険医療機関では算定できません。

□14 E100 シンチグラムに使用したラジオアイソトープは、15円

○14 設問のとおり。ラジオアイソトープの算定は「使用薬剤の薬

以下は算定しない。

価」の定めるところによります。

□15　シンチグラムの、画像を伴うものはレセプト点数欄 ⑦⓪ の画像診断で、画像を伴わないものは ⑥⓪ の検査で算定する。

○15　設問のとおり。➡点数表 E100 シンチグラム（画像を伴うもの）、D293 シンチグラム（画像を伴わないもの）

□16　CT 撮影と脳槽（のうそう）CT 撮影を同時に行った場合は、脳槽 CT 撮影の所定点数を算定する。

○16　主たる撮影の点数のみを算定します。➡点数表 E200 コンピューター断層撮影「注 2」

□17　2 歳 8 か月の患者に造影剤を使用して CT 撮影（4 列以上 16 列未満のマルチスライス型の機器による）を行った。この場合の算定は、

$$750+\left(750\times\frac{50}{100}\right)+500\quad=1,625$$

→1,625 点　となる。

×17　所定点数には造影剤使用加算を含むので、

$$(750+500)+(750+500)\times\frac{50}{100}=$$

1,875→1,875 点　となります。

□18　磁気共鳴（じききょうめい）コンピューター断層撮影（MRI 撮影）は、スライスの数、疾病の種類などにかかわらず、所定点数のみにより算定する。

○18　設問のとおり。➡点数表 E202 磁気共鳴コンピューター断層撮影

□19　磁気共鳴コンピューター断層撮影のフィルムは CT 用のフィルムを使用する。

○19　設問のとおり。

□20　同一日に胸部単純デジタル

×20　第 1 の撮影と第 2 の撮影の

撮影を行い、診断した結果、断層像の撮影を必要とし、胸部のコンピューター断層撮影を行った。この場合、コンピューター断層診断料は100分の50で算定する。

撮影方法が異なるので、同一部位でも第2の撮影は100分の50ではなく、所定点数を算定します。

胸部単純撮影…
撮影料68点＋診断料85点
コンピューター胸部断層撮影…
撮影料560点＋診断料450点

□**21**　コンピューター断層診断は、コンピューター断層撮影の種類、回数に関係なく、月1回に限り算定する。

○**21**　初回のコンピューター断層撮影を実施する日に算定します。

□**22**　ほかの医療機関で撮影したCT用フィルムの読影料は、初診に限ってコンピューター断層診断料を算定できる。

○**22**　設問のとおり。➡点数表 E203 コンピューター断層診断

□**23**　1枚のフィルムを2つにわけて、左膝を2回単純撮影する場合は、撮影料、診断料、フィルム料も2回算定する。

×**23**　このように1枚のフィルムを2つにわけることを2分画といいます。撮影料、診断料は2回算定しますが、フィルム料は実際に使用した1枚で算定します。

□**24**　6歳未満の画像診断のフィルムの加算は、胸部単純撮影と腹部単純撮影をした場合に限り、フィルム代の1.1倍とする。

○**24**　設問のとおり。➡点数表 E400 フィルム「注1」

□**25**　四ツ切フィルム1枚の点数は6.2点だから、3枚使用の場合は端数処理して、

×**25**　使用枚数の合計点数を端数処理します。本問の場合は、
6.2点×3枚＝18.6→19点

6点×3枚=18点　となる。

投　薬

投薬料の構成は次のようになっています。外来で院内処方の場合はこの 3 つを必ず算定しますが、入院の場合は処方料の算定はありません。また、外来で院外処方の場合は処方箋料のみの算定です。

投薬料＝ 薬剤料 ＋ 調剤料 ＋ 処方料 ＋（調剤技術基本料）

●薬剤料

薬剤は内用薬（ないよう）と外用薬（がいよう）にわかれ、さらに内用薬は、一定時間をおいて一定量を服用させる内服薬（ないふく）や浸煎薬（しんせん）と、発作時や疼痛が生じたときなどに、臨時に服用（ふくよう）させる屯服薬（とんぷく）にわかれます。外用薬は内用しない薬のすべてをいいます。ただし、医師や看護師が外用薬を用いて傷の手当てなどを行った場合は、投薬（とうやく）ではなく、処置（しょち）などに使用した薬剤として算定します。

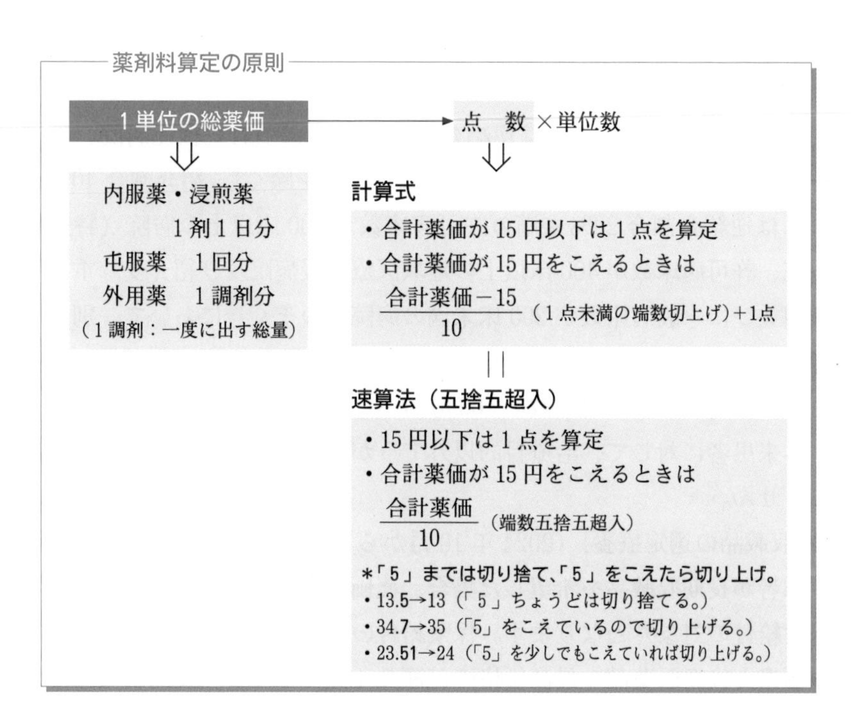

前ページの表で「1剤」というのは「服用時点が同一で、同時配合したと考えられるもの」をいいます。したがって薬剤は1種類とは限りません。

また「1調剤」とは「1回に投与した総量」です。つまり何回分、何日分、何g投与しても1回に投与した総量が1単位となり、それが1調剤分となります。

なお外来の場合に限り、薬剤料の減算として、向精神病薬多剤投与の場合、内服薬7種類以上の場合と30日分以上の場合があります。

〔向精神病薬多剤投与の場合〕

1処方につき3種類以上の抗不安薬、3種類以上の睡眠薬、3種類以上の抗うつ薬または3種類以上の抗精神病薬または4種類以上の抗不安薬及び睡眠薬の投薬（臨時の投薬等のものをのぞく）場合は、所定点数の100分の80で算定します。

〔内服薬7種類以上の場合〕

向精神病薬多剤投与の場合を除き、1処方につき7種類以上の内服薬の投薬（臨時の投薬で、投薬期間が2週間以内及び地域包括診療加算または地域包括診療料をのぞく）を行った場合は、所定点数の100分の90で算定します。

〔30日分以上の場合〕

紹介割合50%未満または逆紹介割合30%未満の特定機能病院、地域医療支援病院（一般病床数が200床未満の病院を除く）、紹介割合40%未満または逆紹介割合20%未満の許可病床数が400床以上の病院（特定機能病院、許可病床数が400床以上の地域医療支援病院及び紹介受診重点医療機関並びに一般病床数が200床未満の病院をのぞく）において、別に厚生労働大臣が定める薬剤を除き、1処方につき投与期間が30日以上の投薬を行った場合は、所定点数の100分の40で算定します。

※　外来患者に対して、治療目的以外でうがい薬のみを投薬する場合には算定しません。

〔長期収載品の選定療養〕（2024年10月から）

患者が長期収載品を希望した場合、薬価の一部が選定療養の対象となり、保険給付の対象外となります。保険給付の対象外となるのは、長期収載品の価格と後発医薬品の最高価格の差額の4分の1です。長期収載品の価格から差額の4分の1を引いた部分は、保険給付の対象となります。

また、長期収載品が処方される時は、「医療上必要があると認められる場合」と「患者希望」の2つの場合があります。選定療養の対象となるのは、「患者希望」の場合で、「医療上必要があると認められる場合」の時は、全額保険給付の対象となります。

●調剤料

調剤料は、処方箋にもとづいて、薬剤師が医薬品を配合し、服用方法や使用方法を明示するという「調剤」に対しての診療報酬です。調剤料は内用、外用別に1処方につき1回算定します。入院では投薬を行った1日につき1回の調剤料を算定します。

なお、調剤料の加算として、麻薬等（麻薬、向精神薬、覚醒剤原料、毒薬）を調剤した場合の加算があります。

※　外来患者に対して、治療目的以外でうがい薬のみを投薬する場合には算定しません。

●処方料

処方料は薬剤とその使用量、使用方法などを医師が決める「処方」に対しての診療報酬です。処方料は内用薬、外用薬をまとめて、1診療時につき1回算定します。入院中の患者の処方料は、入院基本料に含まれるため算定できません。

なお、処方料の加算として、3歳未満の乳幼児に処方したときの乳幼児加算、麻薬等加算、特定疾患処方管理加算、抗悪性腫瘍剤処方管理加算、外来後発医薬品使用体制加算、向精神薬調整連携加算があります。特定疾患処方管理加算は、診療所と200床未満の病院で、糖尿病や喘息など厚生労働大臣が定める疾患を主病とする外来患者に月1回に限り、1処方について算定するものです。

また、処方料には向精神病薬多剤投与の場合、内服薬7種類以上の場合とそれ以外があり、処方料の減算として、30日分以上の場合があります。

※　外来患者に対して、治療目的以外でうがい薬のみを投薬する場合には算定しません。

●処方箋料

処方箋料は、保険薬局で調剤を受けるために処方箋を交付した場合、つまり院外処方箋を交付した場合に交付1回につき算定します。処方箋料の加算には、乳幼児加算、特定疾患処方管理加算、抗悪性腫瘍剤処方管理加算、一般名処方加算、向精神薬調整連携加算があります。

また、処方箋料の減算には、向精神病薬多剤投与の場合、内服薬7種類以上の場合と30日分以上の場合があります。

なお、処方箋を交付した場合は、調剤料、処方料、薬剤料の算定はできません。処方箋料の所定点数のみの算定になります。

※　外来患者に対して、治療目的以外でうがい薬のみを投薬する場合には算定しません。

●調剤技術基本料

薬剤師が常勤の保険医療機関で、薬剤師の管理のもとに調剤が行われた場合、患者1人につき月1回に限り算定します。入院中の患者と外来の患者では所定点数が異なります。ただし、同じ医療機関において同一月内に処方箋の交付がある場合は、調剤技術基本料の算定はできません。

なお、調剤技術基本料の加算には入院中の患者に投薬を行った場合の院内製剤加算があります。

●調剤料・処方料など早見表

<table>
<tr><th colspan="2"></th><th>外来</th><th>入院</th><th>処方料（外来のみ）</th><th>処方箋料（交付1回につき）</th></tr>
<tr><td rowspan="5">調剤料</td><td>内服薬</td><td rowspan="3">1回の処方につき
11点</td><td rowspan="4">1日につき
7点</td><td rowspan="7">❶ 向精神病薬多剤投与 18点
❷ 内服薬7種類以上 29点
❸ ❶及び❷以外の場合 42点
❹ 30日分以上 所定点数×0.4
麻薬等加算 （＋1点）
乳幼児加算（3歳未満） （＋3点）
特定疾患処方管理加算
（特定疾患の薬剤を28日分以上投与した場合（月1回）（＋56点）
抗悪性腫瘍剤処方管理加算（月1回） （＋70点）
外来後発医薬品使用体制加算1 （＋8点）
外来後発医薬品使用体制加算2 （＋7点）
外来後発医薬品使用体制加算3 （＋5点）
向精神薬調整連携加算（月1回） （＋12点）</td><td rowspan="7">❶ 向精神病薬多剤投与 20点
❷ 内服薬を7種類以上 32点
❸ ❶及び❷以外の場合 60点
❹ 30日分以上 所定点数×0.4
乳幼児加算（3歳未満） （＋3点）
特定疾患処方管理加算
特定疾患の薬剤を28日分以上投与した場合（リフィル処方箋の複数回の使用による合計の処方期間が28日以上の処方を含む）（月1回）（＋56点）
抗悪性腫瘍剤処方管理加算（月1回） （＋70点）
一般名処方加算1（交付1回につき） （＋10点）
一般名処方加算2（交付1回につき） （＋8点）
向精神薬調整連携加算（月1回） （＋12点）</td></tr>
<tr><td>浸煎薬</td></tr>
<tr><td>屯服薬</td></tr>
<tr><td>外用薬</td><td>8点</td></tr>
<tr><td>麻薬等</td><td>（＋1点）</td><td>（＋1点）</td></tr>
<tr><td rowspan="2">調剤技術基本料（月1回・薬剤師常勤のみ）</td><td colspan="2">入院中の患者
院内製剤加算</td><td>42点
10点</td></tr>
<tr><td colspan="2">その他</td><td>14点</td></tr>
</table>

注1：入院には、処方料の算定はありません。（入院基本料に含まれる）
注2：特定疾患処方管理加算は診療所・200床未満の病院、外来のみ。
注3：内服薬7種類以上の場合は、向精神病薬多剤投与の場合と臨時の投薬であって、投薬期間が2週間以内のもの及び地域包括診療加算を算定するものをのぞきます。
注4：向精神病薬多剤投与の場合は、臨時の投薬等のものをのぞきます。
注5：30日分以上の場合は、別に厚生労働大臣が定める薬剤をのぞきます。
注6：外来患者に対して、治療目的以外でうがい薬のみが処方される場合には、うがい薬に係る薬剤料、調剤料、処方料、処方箋料、調剤技術基本料は算定しません。
注7：外来患者に対して、1処方につき63枚をこえて湿布薬を投薬した場合、調剤料、処方料、薬剤料、処方箋料、調剤技術基本料は原則算定できません。やむをえず63枚をこえて投薬する場合、処方箋及び診療報酬明細書に理由を記載することで算定可能となります。

練習問題 ○ ×

□1　投薬時における薬剤の容器は、原則として医療機関から患者へ貸与（たいよ）するものである。

○1　患者に直接投薬する目的で製品化されている、チューブなど再使用できない容器の代金を患者に負担させることはできません。

□2　退院時の投薬は、患者が自宅で服用するものなので、外来の診療報酬明細書で請求する。

×2　退院時の投薬は、服用の日にかかわらず、入院患者の投薬としてあつかいます。なお診療報酬明細書摘要欄に「退院時○日分投薬」と記載します。

□3　患者さんのミスで薬を紛失（ふんしつ）した場合、再投薬分は保険適用とはならない。

○3　設問のとおり。再投薬分の薬剤は被保険者の負担となります。

□4　薬剤料が 17 点以下の場合は、診療報酬明細書摘要欄への薬剤名の記入が省略できる。

○4　医事会計システムの電算化が行われていない届出保険医療機関では、所定単位あたりの薬価が 175 円以下のものは、薬剤名や投与量などの記載は必要ありません。

□5　食事療養を受けている入院中の患者、または外来の患者に投与されたビタミン剤は算定できない。

○5　設問のとおり。ビタミン剤の算定ができるのは、疾患や症状が、そのビタミンの欠乏などによることが明らかで、必要なビタミンを食事からとることが困難な場合であり、医師がビタミン剤の投与が疾病や症状に有効であると判断したときに限られています。➡点数表 F

□6　外来でうがい薬（治療目的以外）のみの投薬は算定できない。

○6　設問のとおり。うがい薬の投薬は、治療目的の場合にはうがい薬のみでも算定できますが、治療目的以外の場合にはうがい薬に係る投薬（薬剤料、調剤料、処方料、処方箋料、調剤技術基本料）は算定できません。

□7　内服薬、屯服薬、外用薬とも、診療報酬明細書に記入する場合の、規格の mg は省略してもよい。

○7　設問のとおり。

例：コントール錠〔10mg〕３T→コントール（10）３T

（注：薬品のすぐ後のTは「錠剤」の意味。この場合、コントール錠〔10mg〕３錠）

□8　屯服薬は、症状に応じて臨時の服用を目的として投与するものである。

○8　１日２回程度を限度として臨時的に投与するものです。

□9　定量を決まった時間に服用するように処方、調剤された内用薬を内服薬という。

○9　設問のとおり。

□10　服用時点が同じで、かつ服用回数が同一の内服薬が２種類以上ある場合、診療報酬明細書にはまとめずにそれぞれわけて記載を行う。

×10　服用時点と服用回数が同じであれば、診療報酬明細書には１剤としてまとめて記入します。１回の処方で、２種類以上の内服薬を調剤する場合、それぞれの薬剤を別々の薬包などに調剤しても、配合不適など技術上の必要性から別々に調剤した場合などをのぞいて、服用時点が同時で服用回数が同じものは1剤とします。したがって1種類の薬剤であるとは限りません。

□**11**　外来で内服薬、屯服薬を投与したので、調剤料をそれぞれ算定した。

×**11**　調剤料は、内服薬、屯服薬両方で（どちらか一方でも）11点になります。

□**12**　トローチ剤の調剤料は外用薬として1調剤分を算定する。

○**12**　設問のとおり。トローチ剤や亜硝酸アミルなどの嗅薬や噴霧吸入剤は、外用薬として算定します。

□**13**　調剤料は、入院中の患者に投薬を行った場合も、算定できる。

○**13**　入院中の患者には、1日につき（外泊期間をのぞく）7点の調剤料が算定できます。同一日に内用薬、外用薬を服用または使用したとしても、調剤料は7点です。また、内用薬、外用薬がそれぞれ2剤または2剤以上であっても、調剤料は7点です。

□**14**　入院患者に対する調剤料は、外泊期間中や入院実日数をこえた分については算定できない。

○**14**　設問のとおり。➡点数表 F000 調剤料

□**15**　使用日が翌月の場合の、入院調剤料は翌月に算定する。この場合、診療報酬明細書に薬剤料の算定がない場合でも、調剤料のみ

○**15**　入院調剤料は、使用日に内用薬、外用薬まとめて1日7点を算定するので、薬剤料の算定がなくても調剤料のみ算定します。

算定する。

□16　処方料は、入院中の患者に投薬を行った場合も、算定できる。

×16　入院中の患者に対する処方料は、入院基本料に含まれるので算定できません。

□17　処方料は「処方」が行われた場合の診療報酬であり、外来患者に処方が行われた場合に算定する。

○17　設問のとおり。➡点数表 F100 処方料「注1」

□18　複数の診療科を有する医療機関で、2以上の診療科で異なる医師がそれぞれ処方した場合は、それぞれの処方につき調剤料、処方料を算定できる。

○18　設問のとおり。➡点数表 F000 調剤料、F100 処方料

□19　外来患者に、同時に2剤の内服薬を投与した場合の、調剤料は11点、処方料は42点である。

○19　内服薬の調剤料は11点。また、処方料は内服、屯服、外用の区分に関係なく、1回の処方に対しての算定です。

□20　外来で1処方につき、内服薬6種類と外用薬2種類が投与された場合には、薬剤料は所定点数の100分の90に相当する点数により算定する。

×20　1処方につき内服薬のみを数えます。内服薬と外用薬で7種類以上の場合は100分の90の算定はしません。➡点数表 F200 薬剤「注3」

□21　入院患者に対して、1処方につき7種類以上の内服薬を投与した場合、薬剤料は100分の90に相当する点数により算定する。

×21　入院患者は多剤投与の対象とはなりません。

□**22**　必要があって麻薬を投与した場合は、麻薬等加算が算定でき、投薬料の麻毒欄で請求する。

○**22**　設問のとおり。調剤料と処方料に1点ずつ加算します。

注：麻薬、向精神薬、覚醒剤原料、毒薬の加算は、
外来の場合
調剤に対して…1調剤につき1点
処方に対して…1処方につき1点
入院の場合
調剤に対して…1日につき1点
処方に対して…算定できない

□**23**　同一の医療機関で、一連の診療にもとづいて、同時に処方箋を2枚交付した場合の処方箋料は、2回算定できる。

×**23**　一連の診療にもとづいて、処方箋を同時に何枚交付しても、処方箋料は1回のみの算定です。

➡点数表 F400 処方箋料

□**24**　6歳未満の乳幼児に処方を行った場合は、1処方につき3点を加算する。

×**24**　処方料、処方箋料の乳幼児加算は3歳未満が対象です。

□**25**　特定疾患処方管理加算が算定できるのは200床以上の病院のみである。

×**25**　特定疾患処方管理加算は、診療所と200床未満の病院で算定します。

□**26**　特定疾患処方管理加算は、特定疾患以外の疾患に対する投薬の場合は算定できない。

○**26**　特定疾患を主病とする患者で処方期間が28日以上の処方を行った場合は算定できます。

□**27**　処方期間が28日以上の特定疾患処方管理加算は、隔日投与で28日以上の場合は算定できない。

×**27**　隔日投与でも、処方期間が28日以上であれば算定できます。

□28　抗悪性腫瘍剤処方管理加算は、診療所または200床未満の保険医療機関において、抗悪性腫瘍剤を処方または抗悪性腫瘍剤に係る処方箋を発行した場合に、その都度加算する。

×28　地方厚生局長等に届け出た200床以上の保険医療機関において、投薬の必要性、危険性などについて文書による説明を行った上で抗悪性腫瘍剤を処方し、またはその処方箋を発行した場合に、月1回に限り算定します。

□29　屯服薬1剤2回分、外用薬1剤の院外処方箋を交付した時の処方箋料は60点である。

○29　設問のとおり。1処方で7種類以上の内服薬の投与の場合は32点を算定。

□30　毒薬を院外処方箋で投薬しても麻薬等加算は算定できない。

○30　設問のとおり。

□31　複数の診療科を有する医療機関で、2以上の診療科で異なる医師がそれぞれ処方した場合でも、処方箋料は1回のみの算定である。

×31　それぞれの処方について処方箋料を算定できます。

□32　糖尿病と高血圧症のある患者に対して、同一日に院内にて降圧剤（こうあつざい）を、院外処方で糖尿病の薬を投与してもよい。

×32　同一患者に対して同一診療日に、一部の薬剤を院内において投薬し、他の薬剤を院外処方箋により投薬することは、原則として認められません。しかし緊急やむをえない場合は認められます。この場合、診療報酬明細書にその日付と理由を記載します。

□33　生活習慣病（せいかつしゅうかんびょう）管理料を算定する場合、処方箋料は算定できな

×33　検査・注射・病理診断は包括されますが、投薬は包括外です。

い。

➡点数表 B001-3 生活習慣病管理料「注2」

□34　患者が誤って院外処方箋を紛失した。処方箋を再交付しても処方箋料は算定できない。

×34　再交付の費用は患者の負担になります。

□35　調剤技術基本料は、投薬のつど算定できる。

×35　調剤技術基本料は月に1回の算定です。➡点数表 F500 調剤技術基本料「注2」

□36　複数の診療科で調剤を行った場合でも、調剤技術基本料は主たる診療科でのみ算定する。

○36　設問のとおり。

□37　同一月内に院外処方箋の交付がある場合は、調剤技術基本料は算定できない。

○37　院外処方箋を交付した月は、同じ月に院内投薬を行った場合でも調剤技術基本料は算定できません。

□38　リンコデ（麻薬）には、リンコデ散1％（リンコデ100倍散）にも麻薬加算がある。

×38　リンコデ散1％はその基剤が100倍に希釈（きしゃく）してあるので、麻薬のあつかいは受けません。

□39　0.5％ 1 mLを力価で表すと0.5％ 5 mgとなる。

○39　設問のとおり。

力価の計算方法
A％×BmL(量)×10＝Xmg(力価)
(注：力価とはある薬剤の一定量中にふくまれるその薬剤の成分の量をいい、その薬の強さをいう。)

□40 100倍散というのは、原末(げんまつ)1に対して乳糖(にゅうとう)などを99の割合で混合、攪拌(かくはん)したものだから、100倍散中には1％の原末が含まれる。

○40 「原末」は乳糖やでんぷんなどの賦形剤(ふけいざい)でうすめる以前の薬をいい、「倍用散」は賦形剤でうすめられた薬をいいます。

注　射

入院外の患者の場合の、注射の費用は次のように算定します。

注射料　[注射実施料 ＋ 無菌製剤処理料]

＋ 薬剤料 ＋（特定保険医療材料料）

注射の費用のうち、薬剤料は投薬の薬剤料と同じように算定します。注射実施料は注射をする場所によって異なります。つまり、皮内、皮下及び筋肉内注射、静脈内注射、点滴注射などによって点数が異なります。

なお中心静脈用カテーテルなどの特定保険医療材料を使用した場合は、特定保険医療材料料として、材料価格を10円で除して点数を算定します。

$$特定保険医療材料料 = \frac{材料価格}{10}$$　（1点未満四捨五入）

厚生労働大臣が特に定めたということを「特定」といいます。

●注射の種類

▶皮内、皮下及び筋肉内注射

皮内、皮下注射と筋肉内注射はそれぞれ別の注射方法ですが、どれも同じ点数ですから、保険診療の上では区別せず、皮内、皮下及び筋肉内注射としてあつかっています。略号 IM がよく使われます。

▶静脈内注射

静脈へ直接注入する注射です。カルテに特に指示のない場合は、薬価基準に「静」の表示がある注射薬は静脈内注射として算定します。略号 IV がよく使われます。

▶点滴注射

管を通して注射薬をゆっくりと体内に注入します。多量の注射液を注入する場合には、ほとんどこの方法が用いられます。点滴の手技料は「1日につき」ですから、薬剤料とは別々に算定します。略号 DIV がよく使われます。

▶その他の注射

点数表のG002～G003-3、G005～G018までに動脈注射、中心静脈注射など、そのほかの注射の手技料が掲載されていますので確認してください。

▶注射用水（Aq）を使用する場合

結晶状（けっしょうじょう）の注射薬を溶解剤（一般的には注射用水（略Aq）を使用）に溶かして注射するものもあります。この場合は、注射用水の価格を加算して薬剤料を算定します。注射用水を必要とする注射薬は、薬価基準に「Aq」の表示があります。

■注射料早見表（抜粋）

皮内、皮下及び筋肉内注射（1回につき）	25点　入院外のみ
静脈内注射（1回につき）	37点　入院外のみ
・6歳未満	89点（乳幼児加算52点）　入院外のみ
動脈注射（1日につき）	
・内臓の場合	155点
・その他	45点
点滴注射（1日につき）	
・一般　500mL以上	102点　入院外・入院とも
・一般　500mL未満	53点　入院外のみ
・6歳未満　100mL以上	153点（乳幼児加算48点）　入院外・入院とも
・6歳未満　100mL未満	101点（乳幼児加算48点）　入院外のみ
血漿成分製剤加算	50点　（1回目の注射）
無菌製剤処理料1（悪性腫瘍に対して用いる薬剤が注射される一部の患者）（1日につき）	
・イ　閉鎖式接続器具を使用した場合	180点
・ロ　イ以外の場合	45点
無菌製剤処理料2（1以外の患者）（1日につき）	40点

注1：生物学的製剤注射加算（＋15点）、精密持続点滴注射加算（＋80点）（1日につき）、麻薬注射加算（＋5点）
外来化学療法加算1（1日につき）
15歳未満（＋670点）／15歳以上（＋450点）
外来化学療法加算2（1日につき）
15歳未満（＋640点）／15歳以上（＋370点）
バイオ後続品導入初期加算（月1回、3月限度）（＋150点）
※外来化学療法加算を算定した場合は、同一月に在宅自己注射指導管理料は算定できない。

注2：手術当日に手術に関連して行われる注射料は算定できない。

●無菌製剤処理料

　無菌製剤処理料は、別に厚生労働大臣が定める患者に使用する薬剤に無菌製剤処理が行われた場合に、1日について算定するものです。対象となる患者によって、無菌製剤処理料1と無菌製剤処理料2に分かれ、無菌製剤処理料1はさらにイ　閉鎖式接続器具を使用した場合と、ロ　イ以外の場合に分かれます。なお、無菌製剤処理とは、無菌室、クリーンベンチ、安全キャビネット等の無菌環境において無菌化した器具を用いて、製剤処理を行うことをいいます。

練習問題 ○ ×

□1 「Inj」とは「injection（英）」の略で注射という意味である。

○1 設問のとおり。

□2 1アンプル30円の注射薬を、2分の1アンプル使用した場合の薬剤料は1点である。また、1瓶(びん)100円の注射薬を2分の1瓶使用した場合の薬剤料は5点となる。

×2 アンプル（管）に入った薬剤は一度開封すると残りは保存ができないので、1アンプルで1mL入りの薬を0.5mL使用した場合でも、1アンプルの価格で薬剤料を算定します。また、瓶やバイアル瓶に入っている注射薬は、必要な量だけとって残りは一定期間保存できるので、使用した量に応じて比例計算します。

□3 皮内、皮下及び筋肉内注射と静脈内注射は、それぞれ6歳未満の患者に行った場合は、加算ができる。

×3 G001静脈内注射は、6歳未満の乳幼児加算ができますが、G000皮内、皮下及び筋肉内注射の場合には加算はありません。

□4 同一日に皮内、皮下及び筋肉内注射を2回と静脈内注射を1回、入院患者に行ったので、実施料をそれぞれ算定してよい。

×4 入院中の皮内、皮下及び筋肉内注射、静脈内注射の実施料は、入院料に含まれ算定できません。薬剤料のみを合計して算定します。

□5 6歳以上の入院中の患者にリンゲル液250mLを朝と夕に、点滴で注射した場合は、1回に500mLに満たないので、点滴のその他としてあつかう。

×5 点滴は「1日につき」なので、1日に2回行った場合は薬剤を合算します。そして、500mL以上になれば点滴注射102点を算定します。

□6　同一日に点滴注射と静脈内注射を行った場合は点滴注射のみを算定し、薬剤料は、点滴注射、静脈内注射の薬剤を合算して算定できる。

○6　設問のとおり。点滴注射と静脈内注射を同一日に行った場合は主たる注射のみ算定できます。

□7　入院患者に、麻薬を筋肉内注射した場合、筋肉内注射は算定できないが、麻薬加算は算定できる。

×7　皮内、皮下及び筋肉内注射は入院患者には算定できません。したがって麻薬加算の算定もできません。薬剤料のみを算定します。

□8　点滴注射 53 点は、1 日の注射量が 6 歳以上 500mL 未満、6 歳未満 100mL 未満の場合に算定できるが、これは入院中の患者以外の場合に該当する。

○8　入院中の患者は 1 日の注射量が 6 歳以上 500mL 未満、6 歳未満 100mL 未満の場合は、算定できません。➡点数表 G004 点滴注射

□9　入院中の患者以外の患者に、点滴注射を行い、1 日の注射量が、6 歳未満の場合で 100mL に満たない場合は、53 点のみを算定する。

×9　6 歳未満の乳幼児(外来)の点滴注射で 1 日の注射量が 100mL 未満の場合は、その他の場合の 53 点を算定し、6 歳未満の乳幼児加算 48 点を加算します。

□10　在宅自己注射指導管理料を算定している患者に、在宅患者訪問診療時にあわせて行った点滴注射の費用は算定できる。

×10　C101 在宅自己注射指導管理料、C104 在宅中心静脈栄養法指導管理料、C108 在宅麻薬等注射指導管理料、C108-2 在宅腫瘍化学療法注射指導管理料、C108-3 在宅強心剤持続投与指導管理料または C108-4 在宅悪性腫瘍患者共同指導管理料を算定している患者

に、在宅患者訪問診療料を算定する日に、あわせて行った点滴注射の費用は算定しません。

□11　点滴注射における点滴回路（かいろ）の費用は算定できないが、中心静脈注射の回路の費用は算定できる。

×11　中心静脈注射の回路の費用も所定点数に包括されており、算定できません。

□12　中心静脈注射を算定している場合、同一日に点滴注射を別ルートで行っていれば点滴注射も算定できる。

×12　別ルートで行っていても主たる注射のみの算定となります。

□13　中心静脈注射の回路より精密持続点滴注射を行った場合、精密持続点滴注射加算を算定できる。

○13　精密持続点滴注射加算 80 点を算定します。➡点数表　注射「通則 4」

□14　沈降破傷風（ちんこうはしょうふう）トキソイドの注射を行った場合は、加算点数がある。

○14　生物学的製剤注射加算 15 点を算定します。➡点数表　注射「通則 3」

□15　外来化学療法加算は、入院中の患者以外の悪性腫瘍等の患者以外に対して化学療法を行った場合に、1月に1回算定する。

×15　1日につき算定します。
➡点数表　注射「通則 6」

□16　向精神薬を注射した場合、麻薬注射加算ができる。

×16　投薬とは異なり、注射には毒薬、覚醒剤原料、向精神薬の加算はできません。麻薬のみ加算できます。

□17 結膜下(けつまくか)注射を両眼に行った場合は、それぞれ片眼ごとの所定点数を算定する。

○17 設問のとおり。➡点数表 G012 結膜下注射

□18 注射と内服薬の併用は、いちじるしく治療の効果をあげることが明らかな場合に行う。

○18 また、内服薬の投与だけでは治療の効果を期待することが困難なときも行います。

□19 セフメタゾールナトリウム 1g静注用1瓶に20mLのAqを注入して溶解し、そこから半分を注射器にとり出して、注射した場合の薬剤料の計算は、

セフメタゾールナトリウム 486円×0.5＝243
Aq 62円× 1＝ 62
}30点

となる。

×19 セフメタゾールナトリウム 1g静注用1瓶に20mLのAq（粉の薬を溶かす注射用水）を注入して溶解し、その半分を使用するのですから

(486＋62)×0.5＝274→27点

になります。

□20 注射を行うとき、同一の薬品でその規格が10mgと50mgがあるものを、30mg用いた場合は、力価の近い50mgで算定する。

×20 規格が10mgと50mgしかない場合は、10mgの3倍とします。ただし50mg用いる場合は、50mgの規格のものを用いるべきです。

□21 注射薬における％とmgの関係で、1％液とは1gの原末を溶(と)かして全体の量を100mLとしたものである。したがって1mL中に0.01g(10mg)含まれていることを示す。それゆえ1％1mLは10mgとなる。

○21 設問のとおり。

1％×1mL×10＝10mg

リハビリテーション

リハビリテーション料には、心大血管疾患リハビリテーション料、脳血管疾患等リハビリテーション料、廃用症候群リハビリテーション料、運動器リハビリテーション料、呼吸器リハビリテーション料、リハビリテーション総合計画評価料、目標設定等支援・管理料、摂食(せっしょく)機能療法、視能訓練、難病患者リハビリテーション料、障害児（者）リハビリテーション料、がん患者リハビリテーション料、認知症患者リハビリテーション料、リンパ浮腫複合的治療料、集団コミュニケーション療法料があります。

以下に心大血管疾患リハビリテーション料、脳血管疾患等リハビリテーション料、廃用症候群リハビリテーション料、運動器リハビリテーション料、呼吸器リハビリテーション料（以下、疾患別リハビリテーション料という）について説明します。

❶ 疾患別リハビリテーション料は、患者の疾患等を総合的に勘案し、最も適当な区分1つに限り算定します。

❷ 疾患別リハビリテーション料は、患者1人につき1日合計6単位（別に厚生労働大臣が定める患者は1日合計9単位）に限り算定します。

※厚生労働大臣が定める患者とは

① 回復期リハビリテーション病棟入院料または特定機能病院リハビリテーション病棟入院料を算定する患者（運動器リハビリテーション料を算定するものを除く）。

② 脳血管疾患等の患者のうちで発症後60日以内のもの。

③ 入院中患者であり、その入院する病棟等において早期歩行、ADLの自立等を目的として心大血管疾患リハビリテーション料（Ⅰ）、脳血管疾患等リハビリテーション料（Ⅰ）、廃用症候群リハビリテーション料（Ⅰ）、運動器リハビリテーション料（Ⅰ）または呼吸器リハビリテーション料（Ⅰ）を算定するもの。

❸ 疾患別リハビリテーション料は、実施時間20分以上を1単位として、それぞれの実施時間に対して1単位につき所定点数を算定する仕組みになっています（したがって30分の場合は1単位と考えます）。20分未満は基本診療料に含まれます。

❹ 各リハビリテーションには算定上限日数が定められています。

❺ 鋼線等による直達牽引、介達牽引、矯正固定、変形機械矯正術、消炎鎮痛等処置、腰部又は胸部固定帯固定、低出力レーザー照射、肛門処置をあわせて行った場合は、疾患別リハビリテーション、がん患者リハビリテーション料、集団コミュニケーション療法料、認知症患者リハビリテーション料の所定点数に含まれます。

▶疾患別リハビリテーション

項目	点数	算定要件等
心大血管疾患リハビリテーション料（Ⅰ）	205	理学療法士、作業療法士、医師、看護師が個別療法又は集団療法を行った場合に、治療開始日から150日を限度（要届出）
〃（Ⅱ）	125	
脳血管疾患等リハビリテーション料（Ⅰ）	245	理学療法士、作業療法士、言語聴覚士、医師、その他が個別療法を行った場合に、発症・手術もしくは急性増悪又は最初に診断された日から180日を限度（要届出）
〃（Ⅱ）	200	
〃（Ⅲ）	100	
脳血管疾患等リハビリテーション料（Ⅰ）	147	厚生労働大臣が定める患者に対し、必要がありそれぞれ発症、手術もしくは急性憎悪又は最初に診断された日から180日をこえてリハビリテーションを行った場合に、1月13単位に限り算定（要届出）
〃（Ⅱ）	120	
〃（Ⅲ）	60	
廃用症候群リハビリテーション料（Ⅰ）	180	理学療法士、作業療法士、言語聴覚士、医師、その他が個別療法を行った場合に、それぞれ廃用症候群の診断又は急性増悪から120日を限度
〃（Ⅱ）	146	
〃（Ⅲ）	77	
廃用症候群リハビリテーション料（Ⅰ）	108	厚生労働大臣が定める患者（入院中の要介護被保険者等）に対して、必要がありそれぞれ廃用症候群の診断又は急性増悪から120日をこえてリハビリテーションを行った場合に、1月13単位に限り算定
〃（Ⅱ）	88	
〃（Ⅲ）	46	
運動器リハビリテーション料（Ⅰ）	185	理学療法士、作業療法士、医師、その他が個別療法を行った場合に、それぞれ発症、手術もしくは急性増悪又は最初に診断された日から150日を限度（要届出）
〃（Ⅱ）	170	
〃（Ⅲ）	85	
運動器リハビリテーション料（Ⅰ）	111	厚生労働大臣が定める患者（入院中の要介護被保険者等）に対し、必要がありそれぞれ発症、手術もしくは急性憎悪又は最初に診断された日から150日をこえてリハビリテーションを行った場合に、1月13単位に限り算定（要届出）
〃（Ⅱ）	102	
〃（Ⅲ）	51	
呼吸器リハビリテーション料（Ⅰ）	175	理学療法士、作業療法士、言語聴覚士、医師が個別療法を行った場合に、治療開始日から90日を限度（要届出）
〃（Ⅱ）	85	

注1：早期リハビリテーション加算（＋25点）、初期加算（＋45点）、リハビリテーションデータ提出加算（＋50点）／月1回、急性期リハビリテーション加算（＋50点）
注2：以下の患者は、それぞれの算定上限日数を超えて、所定点数を算定できる。
①治療継続により状態の改善が期待できると医学的に判断される場合
- 失語症、失認及び失行症の患者
- 高次脳機能障害、重度の頸髄損傷、頭部外傷及び多部位外傷、慢性閉塞性肺疾患（COPD）、心筋梗塞、狭心症の患者
- 軸索断裂の状態にある末梢神経損傷（発症後1年以内のものに限る）の患者
- 外傷性の肩関節腱板損傷（受傷後180日以内のものに限る）の患者
- 回復期リハビリテーション病棟入院料又は特定機能病院リハビリテーション病棟入院料の算定患者
- 回復期リハビリテーション病棟入院料又は特定機能病院リハビリテーション病棟入院料を算定した患者であって、当該病棟を退棟した日から起算して3月以内の患者（保健医療機関に入院中の患者、介護老人保健施設又は介護医療院に入所する患者を除く）
- 難病患者リハビリテーション料に規定する患者（先天性又は進行性の神経・筋疾患の者を除く）
- 障害児（者）リハビリテーション料に規定する患者（加齢に伴い生じる心身の変化に起因する疾病の者に限る）
- 心大血管リハビリテーション料から呼吸器リハビリテーション料の算定患者又は廃用症候群リハビリテーション料に規定する患者であって、リハビリテーションを継続して行うことが必要であると医学的に認められるもの

②治療上有効と医学的に判断される場合
- 先天性又は進行性の神経・筋疾患の患者
- 障害児（者）リハビリテーション料に規定する患者（加齢に伴い生じる心身の変化に起因する疾病の者を除く）

▶その他のリハビリテーション料

リハビリテーション総合計画評価料／月1回　1　300点 2　240点	
入院時訪問指導加算（＋150点）／入院中1回 **運動量増加機器加算**（＋150点）／月1回限り	
目標設定等支援・管理料（3月に1回限り）　1　初回　250点 2　2回目以降　100点	
摂食機能療法（1日につき）　1　30分以上の場合　185点／月4回に限り 2　30分未満の場合　130点／脳卒中の発症から14日以内に限り1日につき	
摂食嚥下機能回復体制加算1（＋210点）／週1回 鼻腔栄養、胃瘻又は中心静脈栄養の患者の経口摂取回復率35%以上 FIM及びFOISの記録（全員月1回以上） **摂食嚥下機能回復体制加算2**（＋190点）／週1回 FIM及びFOISの記録（全員月1回以上） **摂食嚥下機能回復体制加算3**（＋120点）／週1回 中心静脈栄養を実施している患者のうち嚥下リハビリテーション等を行い、嚥下機能が回復し、中心静脈栄養を終了した患者が1年に2人以上 FIM及びFOISの記録（全員月1回以上）	
視能訓練（1日につき） 斜視視能訓練　135点 弱視視能訓練　135点	**難病患者リハビリテーション料**（1日につき）　640点 **短期集中リハビリテーション実施加算** 退院日から起算して1月以内　（＋280点） 退院日から起算して1月超3月以内　（＋140点）

障害児（者）リハビリテーション料／1日6単位限度	6歳未満 6歳以上18歳未満 18歳以上	225点 195点 155点
がん患者リハビリテーション料　205点／1日6単位限度		
認知症患者リハビリテーション料（1日につき）　240点／入院日から起算して1年を限度として、週3日限り		
リンパ浮腫複合的治療料 1　重症の場合　　200点／月1回（治療開始から起算して2月以内は計11回） 2　1以外の場合　100点／6月に1回限り		
集団コミュニケーション療法料　50点／1日3単位限度		

練習問題 ………………〇 ×

□1　リハビリテーションの実施にあたっては、医師は定期的な機能検査等をもとに効果判定を行い、リハビリテーション実施計画を作成する必要がある。

〇1　設問のとおり。また、実施計画の内容を患者に説明し、その要点を診療録に記載します。

□2　疾患別リハビリテーションは、20分に満たない場合でも1単位として算定できる。

×2　訓練が20分に満たない場合は、基本診療料に含まれます。

□3　同じ日に心大血管疾患リハビリテーション料(I)と、直達牽引、消炎鎮痛等処置をあわせて行った場合は、心大血管疾患リハビリテーション料の所定点数のみを算定する。

〇3　そのほか介達牽引(かいたつ)、矯正(きょうせい)固定、変形機械矯正術、腰部(ようぶ)又は胸部固定帯固定、低出力レーザー照射、肛門処置もあわせて算定できません。

□4　脳血管疾患等リハビリテーション料は、治療開始日から150日以内に限り所定点数を算定する。

×4　発症、手術、急性増悪日から180日を限度として算定します。

➡点数表 H001 脳血管疾患等リハビリテーション料

□5　心大血管疾患リハビリテーション料(I)の医療機関で、狭心症の患者1人に対して理学療法士が心大血管疾患リハビリテーションを40分間行ったので410点を算定した。

〇5　心大血管疾患リハビリテーション料(I)（理学療法士による場合）
1単位205点×2＝410点

□6　疾患別リハビリテーションは、どのような場合も算定限度日数をこえて算定できない。

×6　失語症、失認及び失行症等の患者で、治療の継続で状態の改善が期待できると医学的に判断される場合等は、算定限度日数をこえて算定できます。

□7　心大血管疾患リハビリテーション料では、厚生労働大臣が定める患者に早期にリハビリテーションを行った場合には、25点を加算する。

○7　発症、手術もしくは急性増悪から7日目または治療開始日のいずれか早いものから起算して30日の間に限り、早期リハビリテーション加算として、1単位につき加算します。

□8　運動器リハビリテーション料は、理学療法士、作業療法士の監視のもとで行われたときのみ算定する。

×8　医師が、直接訓練にあたった場合も同様に算定できます。

□9　徒手筋力検査は、運動器リハビリテーション料の所定点数には含まれない。

×9　徒手筋力検査、その他のリハビリテーションに付随する諸検査が含まれます。

□10　呼吸器リハビリテーション料には、呼吸機能訓練と同時に行った酸素吸入の費用も含まれる。

○10　設問のとおり。

□11　リハビリテーション総合計画評価料は、各疾患別リハビリテーション料のⅠと脳血管疾患等リハビリテーション料・廃用症候群リハビリテーション料・運動器リハ

○11　設問のとおり。医師、看護師、理学療法士、作業療法士、言語聴覚士などの多職種が共同でリハビリテーション計画を策定してリハビリテーションを行った場合

ビリテーション料のⅡ、がん患者リハビリテーション料、認知症患者リハビリテーション料の届出医療機関において、患者1人について1月に1回を限度として算定できる。

に算定できます。➡点数表 H003-2 リハビリテーション総合計画評価料「注1」

□**12**　医師、歯科医師の指示のもとに歯科衛生士が行った嚥下訓練は、摂食機能療法として算定できる。

○**12**　医師、歯科医師または医師もしくは歯科医師の指示のもとに言語聴覚士、看護師、准看護師、歯科衛生士、理学療法士もしくは作業療法士が行う嚥下訓練は、1回について30分以上行えば、H004 摂食機能療法1として185点を算定できます。

□**13**　視能訓練は、眼視機能に障害のある患者に、その眼視機能回復のため矯正訓練を行った場合に算定するものなので、片眼の訓練を行った場合でも算定できる。

×**13**　両眼視機能に障害のある患者に対して算定します。➡点数表 H005 視能訓練

□**14**　難病患者リハビリテーション料を算定している患者に対し、同じ日に行うほかのリハビリテーションは別算定できる。

×**14**　同一日に行うほかのリハビリテーションは、難病患者リハビリテーション料の所定点数に含まれます。➡点数表 H006 難病患者リハビリテーション料

□**15**　ベーチェット病の患者に、午前と午後の2回、難病患者リハビリテーションを行ったので、

×**15**　難病患者リハビリテーション料は1日につきの算定です。2回行っても640点を算定します。

1280点を算定した。

□**16**　リハビリテーション料の明細書への記載は、点数欄「⑱その他」に項目、回数、算定単位、合計点数を記載する。

○**16**　なお、摘要欄には実施日数を記載します。また、疾患別リハビリテーションについては、疾患によって、摘要欄に、疾患名、治療開始日、発症月日、手術月日、急性増悪した月日または最初に診断された月日を記載します。

□**17**　認知症患者リハビリテーション料は入院中の重度認知症の患者にリハビリテーション（個別療法）を20分以上行った場合に入院日から起算して3月以内に週3回を限度として算定する。

×**17**　入院日から起算して1年以内、週3回を限度として算定します。なお、認知症治療病棟入院料または認知症専門の保険医療機関に入院している重度認知症の患者が算定対象となります。

□**18**　摂食機能療法の摂食嚥下機能回復体制加算1は鼻腔栄養または胃瘻造設、中心静脈栄養をしている患者に対して実施した場合に算定する。

○**18**　設問のとおり。月4回に限り算定できます。ただし、治療開始日から起算して3月以内の患者については、1日につき算定できます。

精神科専門療法

精神科専門療法料は、特に規定する場合をのぞいて、精神科を標榜する保険医療機関で算定します。

▶精神科専門療法料

精神科電気痙攣療法（1日1回に限り）　1　閉鎖循環式全身麻酔を行った場合　2800点
麻酔に従事する医師による（＋900点）
2　1以外の場合　150点

経頭蓋磁気刺激療法　2000点
※初回の治療の日から起算して8週限度で計30回限り

入院精神療法（1回につき）
(I)　400点
(II)　入院日から6月以内の期間に行った場合　150点
入院日から6月をこえた期間に行った場合　80点

通院・在宅精神療法（1回につき）
1　通院精神療法
イ　措置入院退院後の療養担当医療機関の精神科医　660点
ロ　初診料算定日（60分以上）
(1)　精神保健指定医による場合　600点
(2)　(1)以外の場合　550点
ハ　イ・ロ以外
①精神保健指定医による場合　30分以上　410点
30分未満　315点
②①以外の場合　30分以上　390点、30分未満　290点
2　在宅精神療法
イ　措置入院退院後の療養担当医療機関の精神科医　660点
ロ　初診料算定日（60分以上）
(1)　精神保健指定医による場合　640点
(2)　(1)以外の場合　600点
ハ　イ・ロ以外
①精神保健指定医　60分以上　590点、30分以上　410点、30分未満　315点
②①以外の場合　60分以上　540点、60分未満　390点、30分未満　290点

20歳未満加算（初診から1年以内）（＋320点）／児童思春期精神科専門管理加算〔イ　16歳未満の患者　(1)初診から2年以内（＋500点）／(2)　(1)以外（＋300点）、ロ　20歳未満の患者（初診から3月以内1回限り）（＋1200点）〕／特定薬剤副作用評価加算(月1回)（＋25点）／措置入院後継続支援加算(3月に1回限り)（＋275点）／療養生活継続支援加算（イ　精神科退院時共同指導料1を算定（＋500点）、ロ　イ以外（＋350点）／心理支援加算（初回算定月から2年を限度、月2回）（＋250点）／児童思春期支援指導加算（イ　60分以上、精神科初診から3月以内（＋1000点）、ロ　(1)　精神科初診から2年以内（＋450点）、(2)　(1)以外（＋250点））／早期診療体制充実加算（イ　病院　(1)　精神科初診から3年以内（＋20点）、(2)　(1)以外（＋15点）、ロ　診療所　(1)　精神科初診から3年以内（＋50点）、(2)　(1)以外（＋15点））／1回の処方において3種類以上の抗うつ薬又は3種類以上の抗精神病薬を投与した場合（所定点数×50/100）

精神科継続外来支援・指導料（1日につき）　55点
※1回の処方において、3種類以上の抗不安薬又は睡眠薬、3種類以上の抗うつ薬又は3種類以上

の抗精神病薬を投与した場合（臨時投薬等のもの及び3種類の抗うつ薬又は3種類の抗精神病薬を患者の病状等によりやむをえず投与するものを除く）には、算定しない。

療養生活環境整備支援加算（＋40点）／特定薬剤副作用評価加算(月1回限り）（＋25点）／1回の処方において3種類以上の抗うつ薬又は3種類以上の抗精神病薬を投与した場合（所定点数×50/100）

救急患者精神科継続支援料（要届出）　1　入院中の患者　900点
2　入院中の患者以外の患者　300点

標準型精神分析療法（1回につき）　390点（45分をこえた診療に限る）

認知療法・認知行動療法（1日につき）（要届出）
1　医師による場合　480点
2　医師及び看護師が共同して行う場合　350点

心身医学療法（1回につき）　1　入院中の患者　150点
2　入院中の患者以外の患者　初診時110点　再診時80点
20歳未満加算（所定点数の200/100）

入院集団精神療法（1日につき）　100点	**通院集団精神療法**（1日につき）　270点
依存症集団療法（1日につき）（要届出） 1　薬物依存症の場合　340点 2　ギャンブル依存症の場合　300点 3　アルコール依存症の場合　300点	**精神科作業療法**（1日につき）　220点

入院生活技能訓練療法　1　入院日から6月以内の期間に行った場合　100点
2　入院日から6月を超えた期間に行った場合　75点

精神科ショート・ケア（1日につき）（要届出）　1　小規模なもの　275点
2　大規模なもの　330点
※入院中患者であり、退院予定のもの（精神科退院指導料を算定したものに限る）に対して行った場合、所定点数の50/100を算定（入院中1回限り）
早期加算（＋20点）／疾患別等専門プログラム加算（1のみ）（＋200点）

精神科デイ・ケア（1日につき）　1　小規模なもの　590点
2　大規模なもの　700点
※入院中患者であり、退院予定のもの（精神科退院指導料を算定したものに限る）に対して行った場合、所定点数の50/100を算定（入院中1回限り）／3年超・週3日超の減算（90/100）
早期加算（＋50点）

精神科ナイト・ケア（1日につき）　540点 早期加算（＋50点）／3年超・週3日超の減算(90/100)	**精神科デイ・ナイト・ケア**（1日につき）　1000点 早期加算（＋50点）／疾患別等診療計画加算（＋40点）／3年超・週3日超の減算（90/100）
精神科退院指導料（1回）　320点 精神科地域移行支援加算(退院時1回)（＋200点）	**精神科退院前訪問指導料**(入院中3回限り）380点 共同訪問指導加算（＋320点）

精神科訪問看護・指導料
1　精神科訪問看護・指導料（Ⅰ）
イ　保健師又は看護師
(1)　週3日目まで30分以上　580点　(3)　週4日目以降30分以上　680点
(2)　週3日目まで30分未満　445点　(4)　週4日目以降30分未満　530点
ロ　准看護師
(1)　週3日目まで30分以上　530点　(3)　週4日目以降30分以上　630点
(2)　週3日目まで30分未満　405点　(4)　週4日目以降30分未満　490点
ハ　作業療法士
(1)　週3日目まで30分以上　580点　(3)　週4日目以降30分以上　680点
(2)　週3日目まで30分未満　445点　(4)　週4日目以降30分未満　530点
ニ　精神保健福祉士

(1) 週3日目まで30分以上　580点　(3) 週4日目以降30分以上　680点
(2) 週3日目まで30分未満　445点　(4) 週4日目以降30分未満　530点

3　精神科訪問看護・指導料(Ⅲ)

イ　保健師又は看護師

(1) 同一日に2人
週3日目まで30分以上　580点
週3日目まで30分未満　445点
週4日目以降30分以上　680点
週4日目以降30分未満　530点

(2) 同一日に3人以上
週3日目まで30分以上　293点
週3日目まで30分未満　225点
週4日以降30分以上　343点
週4日以降30分未満　268点

ロ　准看護師

(1) 同一日に2人
週3日目まで30分以上　530点
週3日目まで30分未満　405点
週4日目以降30分以上　630点
週4日目以降30分未満　490点

(2) 同一日に3人以上
週3日目まで30分以上　268点
週3日目まで30分未満　205点
週4日目以降30分以上　318点
週4日目以降30分未満　248点

ハ　作業療法士

(1) 同一日に2人
週3日目まで30分以上　580点
週3日目まで30分未満　445点
週4日目以降30分以上　680点
週4日目以降30分未満　530点

(2) 同一日に3人以上
週3日目まで30分以上　293点
週3日目まで30分未満　225点
週4日目以降30分以上　343点
週4日目以降30分未満　268点

ニ　精神保健福祉士

(1) 同一日に2人
週3日目まで30分以上　580点
週3日目まで30分未満　445点
週4日目以降30分以上　680点
週4日目以降30分未満　530点

(2) 同一日に3人以上
週3日目まで30分以上　293点
週3日目まで30分未満　225点
週4日目以降30分以上　343点
週4日目以降30分未満　268点

複数名精神科訪問看護・指導加算(1日につき、ハは週1回)

イ 他の保健師等と同時に指導

(1) 1日1回　同一建物内1人又は2人（+450点）
同一建物内3人以上（+400点）

(2) 1日2回　同一建物内1人又は2人（+900点）
同一建物内3人以上（+810点）

(3) 1日3回　同一建物内1人又は2人（+1450点）
同一建物内3人以上（+1300点）

ロ 准看護師と同時に指導

(1) 1日1回　同一建物内1人又は2人（+380点）
同一建物内3人以上（+340点）

(2) 1日2回　同一建物内1人又は2人（+760点）
同一建物内3人以上（+680点）

(3) 1日3回　同一建物内1人又は2人（+1240点）
同一建物内3人以上（+1120点）

ハ 看護補助者と同時に指導〔同一建物内1人又は2人（+300点）／3人以上（+270点）〕

長時間精神科訪問看護・指導加算(週1回)（+520点）
夜間・早朝訪問看護加算（+210点）／深夜訪問看護加算（+420点）
精神科緊急訪問看護加算（1日につき）月14日目まで（+265点)、月15日目以降（+200点）
精神科複数回訪問加算（1日2回）〔同一建物内1人又は2人（+450点)、3人以上（+400点)〕／（1日3回以上)〔同一建物内1人又は2人（+800点)、3人以上（+720点)〕
看護・介護職員連携強化加算（+250点）(月1回)
特別地域訪問看護加算（所定点数×50/100）
外来感染対策向上加算(月1回)（+6点）／発熱患者等対応加算（月1回)（+20点）

連携強化加算（外来感染対策向上加算を算定した場合、月１回）（＋3点）
サーベイランス強化加算（外来感染対策向上加算を算定した場合、月１回）（＋1点）
抗菌薬適正使用体制加算（月１回）（＋5点）

精神科訪問看護指示料（月１回） 300点
精神科特別訪問看護指示加算（月１回）（＋100点）／手順書加算（６月に１回限り）（＋150点）／衛生材料等提供加算（月１回）（＋80点）

抗精神病特定薬剤治療指導管理料（月１回、１のイは投与開始月及び翌月それぞれ１回）
１ 持続性抗精神病注射薬剤治療指導管理料 イ 入院中の患者 250点
ロ 入院中の患者以外の患者 250点
２ 治療抵抗性統合失調症治療指導管理料 500点

医療保護入院等診療料（１回限り） 300点

重度認知症患者デイ・ケア料（１日につき） 1040点 早期加算（＋50点）／夜間ケア加算（＋100点）

精神科在宅患者支援管理料
１ 精神科在宅患者支援管理料１（月１回）（６月限度）
イ 厚生労働大臣が定める患者（集中的な支援）（週２回以上）
⑴ 単一建物診療患者１人 3000点
⑵ 単一建物診療患者２人以上 2250点
ロ 厚生労働大臣が定める患者（月２回以上）
⑴ 単一建物診療患者１人 2500点
⑵ 単一建物診療患者２人以上 1875点
２ 精神科在宅患者支援管理料２（月１回）（６月限度）
イ 厚生労働大臣が定める患者（集中的な支援）（週２日以上）
⑴ 単一建物診療患者１人 2467点
⑵ 単一建物診療患者２人以上 1850点
ロ 厚生労働大臣が定める患者（月２回以上）
⑴ 単一建物診療患者１人 2056点
⑵ 単一建物診療患者２人以上 1542点
３ 精神科在宅患者支援管理料３（月１回）（１又は２の初回算定日の属する月を含めて２年を限度）
イ 単一建物診療患者１人 2030点
ロ 単一建物診療患者２人以上 1248点

精神科オンライン在宅管理料（＋100点）

練習問題 ○ ×

□1 患者の家族に対する入院精神療法は、患者が統合失調症で、家族関係が疾患・増悪の原因と推定される場合に限り、初回入院時に入院中2回に限り算定できる。

○1 家族に入院精神療法を行った場合は、診療報酬明細書の摘要欄に（家族）と記載します。➡点数表I001 入院精神療法

□2 通院・在宅精神療法が往診や訪問診療で行われた場合は、往診料や訪問診療料は別に算定できない。

×2 算定できます。➡I002 通院・在宅精神療法

□3 標準型精神分析療法は、診療に要した時間が30分をこえたときに限り算定する。

×3 30分ではなく、45分をこえたときに算定します。➡点数表I003 標準型精神分析療法

□4 I004心身医学療法を算定する場合は、診療報酬明細書の傷病名欄に、心身症による身体的傷病名のつぎに「(心身症)」と記載する。

○4 設問のとおり。
例「胃潰瘍（心身症）」

□5 精神科ショート・ケアは、外来患者に限って、1日につき算定する。

○5 設問のとおり。➡点数表I008-2 精神科ショート・ケア

□6 精神科ショート・ケアは実施される内容の種類にかかわらず、実施時間は患者1人あたり1日につき6時間を標準とする。

×6 実施時間は患者1人あたり1日につき3時間を標準とする。6時間を標準とするのは精神科デイ・ケアです。➡点数表I009 精神科デイ・ケア

□7　I008-2 精神科ショート・ケア、I009 精神科デイ・ケア、I010 精神科ナイト・ケア、I010-2 精神科デイ・ナイト・ケア、I015 重度認知症患者デイ・ケアにおいて、各療法を最初に算定した日から起算して1年以内の期間に行う場合は、早期加算を算定する。

○7　I008-2 精神科ショート・ケアは20点、その他は50点を所定点数に加算します。なお、各療法（重度認知症患者デイ・ケアをのぞく）のいずれかを最初に算定した日から起算します。

□8　精神科ナイト・ケアを算定するときは、初診料、再診料の夜間・早朝等加算を算定する。

×8　夜間・早朝等加算の算定はできません。➡点数表 I010 精神科ナイト・ケア

□9　精神科退院前訪問指導料が算定できるのは、入院中の患者の退院に先立って患家等を訪問し、患者、家族等に退院後の療養上の指導を行った場合である。

○9　指導の実施日にかかわらず、退院日に算定します。なお B007 退院前訪問指導料を算定した場合は、精神科退院前訪問指導料は算定できません。➡点数表 I011-2 精神科退院前訪問指導料

処　置

処置(しょち)とは、傷の手当(てあて)や湿布をしたり、眼科で洗眼したり、耳鼻咽喉科で耳や鼻などに薬をつけたりすることなどをいい、数多くの処置行為があります。これらの処置を行ったときに算定するのが処置料です。

処置料には、次の区分があります。

❶ 一般処置	❻ 眼科処置
❷ 救急処置	❼ 耳鼻咽喉科処置
❸ 皮膚科処置	❽ 整形外科的処置
❹ 泌尿器科処置	❾ 栄養処置
❺ 産婦人科処置	❿ ギプス

処置料は次のように算定します。

処置料 ＋(処置医療機器等加算)＋(薬剤料)＋(特定保険医療材料料)

つまり、酸素や薬剤などを使わない場合は、処置料のみの算定の場合もあるわけです。

●薬剤料・処置医療機器等加算・特定保険医療材料料の算定

処置に際して薬剤や酸素などの処置医療機器等、特定保険医療材料を使用した場合に算定します。処置に使用する薬剤は、内用薬、外用薬、注射薬を問いません。薬剤の区分は異なっても、同一の処置に使用した薬剤はすべて合計してから点数に換算します。

●処置医療機器等加算は、所定点数を算定します。
●処置に使用した薬剤の合計薬価が、
15円以下の場合→処置の点数に含まれ、算定できません。
15円をこえた場合→投薬の薬剤料の算定と同じです。
●処置で使用した特定保険医療材料は、

$$\frac{\text{材料価格}}{10}$$ （1点未満四捨五入）

●処置料の加算

緊急のために1,000点以上の処置を行ったときに加算します（要届出）。入院中の患者以外の患者に対して、初診または再診から8時間以内に緊急処置が行われた場合に時間外・休日・深夜のいずれか該当するものを加算します。また、入院中の患者に対して、症状の急変により、緊急処置が行われた場合に休日または深夜を加算します。

> 時間外加算1…所定点数 $\times \frac{80}{100}$ ＝所定点数の1.8倍
>
> 休日加算1・深夜加算1…所定点数 $\times \frac{160}{100}$ ＝所定点数の2.6倍

入院中の患者以外の患者に対して、緊急のために150点以上の処置を行ったときに、次の加算を算定します。（加算1に該当する場合をのぞく）

> 時間外加算2…所定点数 $\times \frac{40}{100}$ を加算＝所定点数の1.4倍
>
> 休日加算2・深夜加算2…所定点数 $\times \frac{80}{100}$ を加算＝所定点数の1.8倍

この加算は入院中の患者については算定できません。ただし外来患者にひきつづいて緊急処置を行い、そのまま入院となった場合は算定できます。

浣腸、注腸、吸入などのように処置料に掲げられていない処置で、簡単な処置（簡単な物理療法を含む）の費用は基本診療料に含まれ、別に算定できませんが、使用した薬剤料（1回の使用量が15円をこえるもの）は算定できます。また、手術など、ほかの診療行為にともなう処置（創傷処置、鼻処置、咽頭処置、喉頭処置、酸素吸入、喀痰吸引、高位浣腸、留置カテーテル設置、導尿（尿道拡張を要するもの以外）など）は、原則としてその診療行為の所定点数に含まれ、別に算定できません。

対称器官（両耳、両眼など）の点数は特に規定する場合をのぞいて「片側」（「1肢につき」等）と、「両側」の区別なく、1回につき所定点数を計算します。

▶創傷・熱傷・重度褥瘡・皮膚科軟膏処置早見表

包帯などで被覆する創傷面・軟膏塗布を行う広さ	創傷 処置	熱傷 処置	重度褥瘡 処置	皮膚科軟膏 処置
❶ 100cm² 未満	52	135	90	—
❷ 100cm² 以上 500cm² 未満	60	147	98	55
❸ 500cm² 以上 3,000cm² 未満	90	337	150	85
❹ 3,000cm² 以上 6,000cm² 未満	160	630	280	155
❺ 6,000cm² 以上	275	1875	500	270

注1：創傷•熱傷・重度褥瘡処置の❶は入院外の患者と、入院中で手術後（手術日から起算して14日限度）の患者のみ算定。

注2：皮膚科軟膏処置の❶は、基本診療料に含まれ算定できません。

注3：熱傷処置、重度褥瘡処置の算定は2か月まで。2か月をこえる処置は創傷処置で算定。

注4：熱傷処置の❶は、第1度熱傷の場合は基本診療料に含まれ算定できません。

注5：重度褥瘡処置の算定は1日につき。

注6：創傷処置の❺又は熱傷処置の❹及び❺については、6歳未満の乳幼児の場合は乳幼児加算（+55点)。

練習問題 ・・・・・・・・・・・・・・・・・・ ○ ×

□1 処置にあたって通常使用される衛生材料は算定できないが、保険医療材料は算定できる。

×1 処置にあたって通常使用される衛生材料、保険医療材料の費用は、所定点数に含まれており、算定できません。

□2 基本診療料に含まれていて、別に算定できない処置には、浣腸、注腸、吸入、100cm² 未満の第 1 度熱傷の熱傷処置、100cm² 未満の皮膚科軟膏処置、洗眼、点眼、点耳、簡単な耳垢栓除去、鼻洗浄、狭い範囲の湿布処置、等がある。

○2 設問のとおり。なお処置の費用が別に算定できない場合でも、処置に際して薬剤を使用したときは、薬剤料を算定できます。

□3 創傷処置の 52 点は外来患者に限って算定する。

×3 入院中の手術後の患者にも手術日から 14 日を限度として算定します。➡点数表 J000 創傷処置

□4 創傷処置で、60cm²未満のものが 2 部位にある場合は 100cm² 以上 500cm²未満の点数を算定する。

○4 それぞれの部位の処置面積を合算し、その広さにあたる点数を算定します。

□5 手術後の創傷処置は処置の回数ごとに算定する。したがって 52 点の処置を 1 日 2 回行えば、52×2＝104 点の算定になる。

×5 手術後の創傷処置は処置の回数に関係なく 1 日につき算定します。

□6 同一傷病で、数部位に創傷処置及び皮膚科軟膏（なんこう）処置を行った場

×6 同一傷病に対して J000 創傷処置、J053 皮膚科軟膏処置、

合には、それぞれの部位ごとに、それぞれの処置料を算定する。

J119「3」湿布処置が行われた場合は、それぞれの部位の処置面積を合算(がっさん)し、その合算した広さをいずれかの処置に係る区分に照らして算定します。

□7　熱傷処置には電撃傷、薬傷、凍傷に対する処置が含まれる。

○7　設問のとおり。➡点数表 J001 熱傷処置

□8　熱傷処置、重度褥瘡処置は初回の処置を行った日から2か月を経過するまでに行われた場合に限り算定する。

○8　2か月を経過した以降の処置は創傷処置の例により算定します。

□9　関節捻挫(ねんざ)に副木(ふくぼく)固定のみを行った場合、副木は特定保険医療材料として算定し、処置の費用は算定できない。

×9　点数表に掲げられていない処置で特殊なものは、処置料に掲げられたもっとも近似する処置の点数により算定します。この場合、創傷処置として算定します。

□10　長期療養患者褥瘡等処置は、入院期間1年以上の入院中の患者に褥瘡処置を行った場合に算定する。

○10　褥瘡処置の回数、部位数にかかわらず1日につき1回の算定です。➡点数表 J001-5 長期療養患者褥瘡等処置

□11　1年以上入院している患者に重度褥瘡処置を行った場合は長期療養患者褥瘡等処置と重度褥瘡処置とをあわせて算定できる。

×11　褥瘡処置は長期療養患者褥瘡等処置に含まれているので重度褥瘡処置は算定できません。

□12　J002 ドレーン法には6歳未

×12　ドレーン法の乳幼児加算は

満の乳幼児加算がある。

3歳未満です。6歳未満の乳幼児加算があるのは、J007 頸椎、胸椎又は腰椎穿刺、J008 胸腔穿刺などです。

□13　J024 酸素吸入は、一般処置である。

○13　設問のとおり。なお使用した酸素も算定します。➡点数表 J 201 酸素加算

□14　J018 喀痰吸引と J050 気管内洗浄を同一日に行った。喀痰吸引 48 点と気管内洗浄 425 点を算定した。

×14　重複算定はできません。点数の高い方の気管内洗浄のみの算定になります。

□15　浣腸は J022 高位浣腸、高圧浣腸、洗腸に準ずる。

×15　浣腸は基本診療料に含まれ、算定できない処置です。別に算定できません。

□16　J026-2 鼻マスク式補助換気(かんき)法に、酸素と窒素を使用したので、処置の薬剤として算定した。

×16　酸素、窒素は薬剤料としては算定できません。それぞれの購入価格を10円で除した点数を合算して算定します。➡点数表 J201 酸素加算

□17　インスリン注射を行っている糖尿病の患者に、人工腎臓を行った。1日につき 140 点の加算が算定できる。

○17　いちじるしく人工腎臓が困難な患者に行った場合には、障害者等加算として 140 点の加算ができます。インスリン注射を行っている糖尿病の患者は、これに該当します。➡点数表 J038 人工腎臓「注 3」

□18　J043-3 ストーマ処置は、外来患者のみに算定できる。

○18　なお、ストーマとは人工膀胱などの、人工排泄口をいいます。

□19　救命のための気管内挿管（そうかん）にあわせて、人工呼吸の所定点数を算定できる。

○19　設問のとおり。➡点数表 J 044 救命のための気管内挿管

□20　熱傷温浴療法（ねっしょうおんよく）は、広範囲熱傷の患者で、入院中の場合に算定するが、外来患者は算定できない。

○20　J052-2 熱傷温浴療法は、体表面積の 30%以上の広範囲熱傷への全身温浴として、受傷後 60 日以内に行われたものを算定します。なお、受傷日を診療報酬明細書の摘要欄に記載します。

□21　皮膚科軟膏処置「100cm² 未満」は、診療所の外来患者のみ算定する。

×21　皮膚科軟膏処置「100cm² 未満」は、基本診療料に含まれ、算定できません。

□22　留置カテーテル設置中に、膀胱洗浄を同一日中に行った。J060 膀胱洗浄 60 点と J063 留置カテーテル設置の 40 点をあわせて算定した。

×22　膀胱洗浄、留置カテーテルを同一日中に行った場合は、主たるものの所定点数を算定します。この場合は膀胱洗浄 60 点のみの算定となります。➡点数表 J 060 膀胱洗浄

□23　J114 ネブライザは処置なので外来管理加算はできない。

○23　設問のとおり。なおネブライザとは、気管などに薬液を噴霧する装置です。

□24　午前中にネブライザの処置を行い、午後に同日再診で超音波

×24　同一日中の、ネブライザ、超音波ネブライザの重複算定はで

ネブライザを行ったので、それぞれ算定する。

きません。

□25　J089 睫毛抜去（多数）の患者で、両眼の上眼瞼と下眼瞼に、それぞれ睫毛乱生があり、同一日に抜毛したので 45 点を算定した。

○25　上眼瞼と下眼瞼にそれぞれ処置をした場合でも 1 回の算定です。➡点数表 J089 睫毛抜去

□26　両耳に同一の耳処置を行った場合、所定点数の 2 倍を算定する。

×26　J095 耳処置には耳浴と耳洗浄が含まれており、これらを含めて、片側、両側に関係なく、1 回につき所定点数を算定します。

□27　両眼に同一の眼科処置を行った場合は、片側、両側に関係なく 1 回につき所定点数を算定する。

○27　両眼に異なる疾患があり、それぞれ異なった処置を行った場合は、それぞれ別に算定できます。

□28　鼻処置と咽頭処置を行った場合はそれぞれ算定する。

×28　J097 鼻処置と J098 口腔、咽頭処置をあわせて行った場合は、口腔、咽頭処置の所定点数は別に算定できません。

□29　ルゴール液の噴霧吸入は、J098 口腔、咽頭処置で算定する。

○29　なお口腔、咽頭処置は、入院中の患者以外の患者のみ算定します。

□30　腰痛症の患者に腰部固定帯で腰部を固定した場合は、J119-2 腰部又は胸部固定帯固定で算定する。この場合、腰部固定帯の費用は別に算定できない。

×30　腰部又は胸部固定帯の費用は J200 腰部、胸部又は頸部固定帯加算を算定します。

□31　外来診療料には、腰部又は胸部固定帯固定の所定点数が含まれるので、腰部、胸部又は頸部固定帯加算の算定はできない。

×31　処置医療機器等加算は外来診療料に含まれないので、「腰部、胸部又は頸部固定帯加算」は別に算定できます。

□32　肩部（けんぶ）に、マッサージと電気療法を行った。マッサージなどの手技による療法と、器具などによる療法をそれぞれ算定するので、70点となる。

×32　この場合は、療法の種類、回数または部位数にかかわらず、1日につき35点を算定します。

➡点数表 J119 消炎鎮痛等処置「注1・2」

□33　患者または家族に行わせて差しつかえない湿布は、処置の費用を算定できない。

○33　湿布薬の必要量を投与します。湿布処置は算定できません。

➡点数表 J119 消炎鎮痛等処置

□34　消炎鎮痛等処置の湿布処置は病院では算定できない。

○34　診療所の外来患者のみ算定します。

□35　患者に解熱のための坐薬を挿入したので、処置料として肛門処置を算定した。

×35　単に坐薬等を挿入した場合は、算定できません。

□36　鼻腔栄養は、患者が口から食物を摂（と）ることが不可能なので、鼻から胃まで管を通して、高カロリー薬や流動食を注入する処置である。

○36　設問のとおり。なお高カロリー薬注入の場合は、入院時食事療養費、投薬料は算定せず、薬価基準にない流動食注入の場合は、入院時食事療養費を算定します。

➡点数表 J120 鼻腔栄養

□37　手術後にギプスを装着した場合のギプス料は、手術料に含ま

×37　手術料とギプス料はそれぞれ別に算定できます。

れる。

□**38**　6歳未満の乳幼児にギプスの処置を行ったときは、所定点数の100分の55を加算する。

○**38**　設問のとおり。

□**39**　外来患者に対して行った緊急処置に係る時間外加算は、ギプス料においても算定できる。

○**39**　設問のとおり。

□**40**　J200 腰部、胸部又は頸部固定帯加算（170点）を算定した場合は、150点をこえるので時間外・休日・深夜加算ができる。

×**40**　腰部、胸部又は頸部固定帯加算は処置医療機器等加算による加算なので、時間外・休日・深夜加算の対象とはなりません。時間外加算の対象となるのは処置料に掲げられた所定点数と各注の加算を合計した点数です。

□**41**　6歳以上の患者に外来で時間外に骨髄穿刺（胸骨）を行った場合、時間外加算を算定できる。

○**41**　J011 骨髄穿刺（胸骨）は310点で、150点以上ですので、時間外加算を算定できます。処置点数が150点以上、緊急の場合、この2つの条件を満たした場合に時間外加算を算定します。

手　術

手術料は次のように算定します。

手術料 ＋（輸血料）＋（手術医療機器等加算）＋（薬剤料）
＋（特定保険医療材料料）

輸血料 ＋（薬剤料）＋（特定保険医療材料料）

注：輸血料は手術料の算定がなくても単独で算定ができます。

手術に使用される薬剤料、特定保険医療材料料の算定は、それぞれ処置料の場合と同じです。ただし手術にともなって行った処置（ギプスを除く）、診断穿刺・検体採取、手術に通常使用される保険医療材料（チューブ、縫合糸〈特殊縫合糸を含む〉など）、衛生材料（ガーゼ、脱脂綿、絆創膏など）、外皮用殺菌剤、患者の衣類、1回の手術に使用される総価格が15円以下の薬剤の費用は、手術の所定点数に含まれるので、別に算定できません。

また、手術当日に手術に関連して行われる処置（ギプスを除く）、注射の手技料は術前・術後に関係なく算定できません。内視鏡による手術と同時に行う内視鏡検査料も算定できません。

●対称器官の手術

眼や耳などの対称器官で、術名の末尾に（両側）と特記のある手術は、たとえば「萎縮性鼻炎手術（両側）」などは、両側を手術しても、片側だけを手術しても点数はかわりません。また対称器官で術名の末尾に（両側）という特記のない手術（たとえば「麦粒腫切開術」など）は、片側についての点数ですから、もし両側に手術を行えば、左右別にそれぞれ算定できます。

●同一手術野に同時に2種以上の手術

K718 虫垂切除術とK733 盲腸縫縮術のように1か所を切り開くことによって、同時に2種以上の手術を行った場合は、主たる手術を算定します。「主たる手術」とは点数の高い手術をいいます。なお2種以上の手術でも同一手術野でなければそれぞれ算定できます。

●手術料の加算

極低出生体重児、新生児、乳幼児、３歳以上６歳未満の幼児に手術を行った場合や、外来患者に緊急のために時間外・休日・深夜に手術を行った場合などに加算します。なおこれらの加算が算定できるのは手術料（手術の技術料）についてのみであり、輸血料、薬剤料などは加算の対象となりません。

❶**極低出生体重児**（手術時体重 1500g 未満）…所定点数×$\frac{400}{100}$を加算＝所定点数の５倍

❷**新生児**（生後 28 日未満、極低出生体重児を除く）…所定点数×$\frac{300}{100}$を加算＝所定点数の４倍

❸**乳幼児**（３歳未満）…所定点数×$\frac{100}{100}$を加算＝所定点数の２倍

❹**幼児**（３歳以上６歳未満）…所定点数×$\frac{50}{100}$を加算＝所定点数の 1.5 倍

❺**外来患者**に緊急のため手術を行った場合（時間外等加算１は届出保険医療機関のみの算定）
- 時間外加算１…所定点数×$\frac{80}{100}$＝所定点数の 1.8 倍
- 時間外加算２…所定点数×$\frac{40}{100}$＝所定点数の 1.4 倍
- 休日加算１・深夜加算１…所定点数×$\frac{160}{100}$＝所定点数の 2.6 倍
- 休日加算２・深夜加算２…所定点数×$\frac{80}{100}$＝所定点数の 1.8 倍

❻**入院中の患者**に緊急のため手術を行った場合は、休日と深夜の加算ができます。

❼休日加算と時間外加算又は深夜加算を重複して加算することはできません。

❽時間外等加算１（要届出）は、外来の場合は、初診又は再診から８時間以内に行われる緊急手術時にのみ加算できます。

❾手術料の加算条件が重なった場合…通則の加算を足し合わせる。
例：1000 点の手術を、乳幼児に深夜の緊急外来で行った場合。（時間外等加算２を算定する場合）
1000 点＋(1000×1)点＋(1000×0.8)点＝2800 点

●輸血料

輸血料は輸血の方法によって点数が異なります。

❶ **自家採血輸血**（200mL ごとに）	❷ **保存血液輸血**（200mL ごとに）
１回目 750 点 ２回目以降 650 点	１回目 450 点 ２回目以降 350 点
❸ **自己血貯血** ・６歳以上の患者の場合 （200mL ごとに） (1)液状保存の場合 250 点 (2)凍結保存の場合 500 点 ・６歳未満の患者の場合 （体重 1kg につき 4mL ごとに） (1)液状保存の場合 250 点 (2)凍結保存の場合 500 点	❹ **自己血輸血** ・６歳以上の患者の場合 （200mL ごとに） (1)液状保存の場合 750 点 (2)凍結保存の場合 1500 点 ・６歳未満の患者の場合 （体重１kg につき４mL ごとに） (1)液状保存の場合 750 点 (2)凍結保存の場合 1500 点
❺ **希釈式自己血輸血**	

・6歳以上の患者の場合（200mL ごとに）1000点 ・6歳未満の患者の場合（体重1kg につき4mL ごとに）1000点
❻ **交換輸血**（1回につき）　**5250点**

輸血にあたって薬剤を使用した場合の薬剤料の算定は、手術の場合と同じです。なお、輸血（保存血液輸血）に使用した各種の血液の代金は、

$$\text{血液代金} = \frac{\text{購入価格}}{10} \quad \text{（端数五捨五超入）}$$

練習問題 ○ ×

□1　手術に通常使用するガーゼなどの衛生材料や、特殊縫合糸などは算定できる。

×1　手術に通常使用するガーゼ、絆創膏、脱脂綿などの衛生材料、チューブ、縫合糸、特殊縫合糸などの保険医療材料や、患者の衣類などは、手術の所定点数に含まれており算定できません。算定できるものは、厚生労働省告示の「特定保険医療材料及びその材料価格（材料価格基準）」に定められているものです。

□2　手術に使用される特定保険医療材料は、材料価格を10円で除してえた点数を算定する。

○2　購入単価は、とくに規定する場合をのぞき、特定保険医療材料1個あたりの材料価格です。2以上の特定保険医療材料をセットで購入した場合は、それぞれ1個あたりの価格を購入単価とします。

□3　手術当日に手術と関係のない薬剤を同日に注射した場合、注射の実施料は算定できる。

○3　設問のとおり。ただし、手術に関連して行う注射の実施料は、術前、術後にかかわらず算定できません。

□4　画像診断の費用を別に算定できない手術を行った場合、使用したフィルムの費用も手術料に含まれる。

×4　フィルムの費用は算定できます。また、画像診断に特定保険医療材料または薬剤を使用した場合も、それぞれ算定できます。

□5　縫合による創面（そうめん）をめだたなく

○5　設問のとおり。露出（ろしゅつ）部の創

するような手術のことを真皮縫合(しんぴほうごう)といって、所定点数に460点の加算が認められる。

傷に限って加算できます。なお露出部とは、頭部、頸部、上肢の肘関節以下、下肢の膝関節以下をいいます。➡点数表 K000 創傷処理「注2」

□6　創傷処理とは、切傷や、刺し傷、挫創(ざそう)（うちみ）などの切除、結紮(けっさく)、縫合を行う場合の第1回治療をいう。

○6　設問のとおり。なお第2診以後の手術創の処置は、J000 創傷処置で算定します。

□7　汚染(おせん)された挫創(ざそう)に対し、通常、麻酔下でブラッシングまたは汚染組織の切除などを行うことをデブリードマンといい、最初の1回に限って算定する。

○7　設問のとおり。ただし熱傷で全身の20%以上に植皮を行うときは、5回に限り算定します。➡点数表 K002 デブリードマン「注1・2」

□8　足底部に行った創傷処理には真皮縫合加算ができる。

○8　平成24年度から足底部も露出部として認められました。

□9　K090 ひょう疽(そ)手術（軟部組織のもの）を第2指と第3指に行った。第1指から第5指までを同一手術野としてとりあつかう手術として、1,190点×1で算定した。

×9　第1指から第5指まで全体を「同一手術野」とする手術と、「それぞれを同一手術野」（別の手術野）とする手術とにわかれています。ひょう疽手術は「それぞれを同一手術野」として算定します。

➡点数表　手術「通則14」

□10　爪甲(そうこう)除去術（770点）を指5本に対して行った場合の手術料は3,850点である。

○10　K089 の爪甲除去術は1指ごとに算定できる手術なので、770点×5＝3,850点 となります。

□11　K415 舌悪性腫瘍手術と K469 頸部郭清術（両側）をあわせて行った場合、所定点数に 6,000 点を加算する。

○11　設問のとおり。なお片側を行った場合は 4,000 点を加算します。➡点数表　手術「通則 9」

□12　産科娩出術において双子の場合は、一児ごとに所定点数を算定できる。

○12　設問のとおり。ただし帝王切開術をのぞきます。

□13　異所性妊娠手術と虫垂切除術を併施した場合は、異所性妊娠手術の所定点数に、虫垂切除術の所定点数の 100 分の 50 に相当する点数を加算して算定する。

×13　K912 異所性妊娠手術と K718 虫垂切除術を併施した場合は、厚生労働大臣が定める（告示）「複数手術に係る費用の特例」に規定がないので、主たる点数により算定します。

□14　肘関節の脱臼で午後 8 時 20 分来院の患者に、K061 関節脱臼非観血的整復術を行った場合は、所定点数に 100 分の 40 を加算する。（時間外等加算 1 の施設基準に適合していない医療機関）

○14　外来患者に緊急のため、休日・深夜に手術を行った場合は 100 分の 80 を加算、時間外の場合は 100 分の 40 を加算します。また、時間外等加算 1 の施設基準に適合している（要届出）医療機関では、休日・深夜は 100 分の 160、時間外は 100 分の 80 を加算します。

□15　診療表示時間外の午後 8 時に虫垂炎で来院した患者に、午後 9 時 50 分に手術を始めて、午後 10 時 10 分に執刀した。この場合の手術料には時間外加算を算定す

×15　手術の開始時間とは執刀した時間をいいます。執刀した時間は午後 10 時 10 分ですから、深夜加算の対象になります。

る。

□16　手術料への休日・深夜加算は、入院患者に緊急に手術を行った場合も認められる。

○16　設問のとおり。病状の急変により休日、深夜に緊急手術を行った場合に算定します。

□17　3歳未満の乳幼児に手術を行った場合は、100分の100の加算をする。

○17　設問のとおり。つまり乳幼児は所定点数の2倍になります。

□18　乳幼児にK001皮膚切開術（10cm未満）を行った。しかも休日の緊急である。合計点数は1,792点になる（時間外等加算2で算定する場合）。

○18　設問のとおり。所定点数にそれぞれの加算点数を加算します。計算方法は、

所定点数(10cm未満)…	640点
乳幼児加算…640点×$\frac{100}{100}$	=640点
休日加算2…640点×$\frac{80}{100}$	=512点
合　計	1,792点

□19　前額部挫創で外来の生後10か月児に、真皮縫合（4cm）、デブリードマンを時間外に行った。手術の所定点数に、それぞれの加算を重複算定し、合計した点数で2,688点となる（時間外等加算2で算定する場合）。

○19　この場合の真皮縫合とデブリードマンは、K000-2小児創傷処理「注」による加算です。時間外と3歳未満乳幼児加算は「注」の加算をしたものが、加算対象となります。計算方法は、

小児創傷処理（5cm未満）…	560点	1,120点
真皮縫合加算…	460点	
デブリードマン加算…	100点	
乳幼児加算…1,120点×$\frac{100}{100}$=	1,120点（小数点以下四捨五入）	
時間外加算2…1,120点×$\frac{40}{100}$=	448点	
合　計	2,688点	

□20　ガングリオン穿刺（せんし）術は、K070 ガングリオン摘出（てきしゅつ）術の点数を算定する。

×20　ガングリオン穿刺術は、「処置」の J116-3 ガングリオン穿刺術により算定します。

□21　K597 ペースメーカー移植術は保険収載されているが、厚生労働大臣が定める施設基準に適合しているものとして届け出た保険医療機関のみが算定できる。

○21　設問のとおり。➡点数表　手術「通則 4・5」

□22　脳死臓器提供管理料は、脳死判定後の脳死した者への処置は別に算定できない。

○22　臓器提供者の脳死後に、その身体に対して行われる処置などの費用は、所定点数に含まれます。
➡点数表 K914 脳死臓器提供管理料「注」

□23　輸血料は、手術料の算定がなければ算定できない。

×23　手術料の算定がなくても単独で算定できます。➡点数表　手術「通則 1」

□24　輸血料の血液代金の端数は四捨五入で算定する。

×24　血液代金の端数整理は五捨五超入です。輸血に使用した各種の血液や血液成分製剤の費用は、薬剤料の項で算定し、輸血の所定点数に加算します。生血（せいけつ）の場合は算定できません。

□25　6 歳未満の乳幼児に輸血を行った場合は、所定点数に 26 点を加算する。

○25　設問のとおり。➡点数表 K920 輸血「注 9」

□26　輸血にあたって使用した輸

○26　設問のとおり。➡点数表 K920 輸血用回路、輸血用針の費用は、所定点数に含まれ、算定できない。

血「注10」

□27　自己血貯血は、手術を予定している患者自身から採血し保存した場合に算定する。

○27　設問のとおり。

□28　手術を予定している患者から採血して貯血しておいた自己血を輸血することを、自己血輸血という。

○28　手術時か、手術後3日以内に輸血を行ったときに算定できます。

□29　輸血管理料は、輸血を行った場合に月1回に限り算定する。

○29　厚生労働大臣が定める施設基準に適合しているものとして，届け出た保険医療機関が算定できます。

□30　輸血と補液を同時に行った場合は、輸血の量と補液の量は別々のものとして算定し、補液はレセプト点数欄㉚の注射料で算定する。

○30　輸血は診療報酬明細書点数欄の㊿「手術・麻酔」で算定し、補液は㉚「注射」で算定します。

□31　輸血は手術料の項目に入る医療行為である。手術料と同様、時間外に相当する時間に行った場合は、その加算算定もできる。

×31　輸血の時間外、休日、深夜の加算はありません。

□32　6歳未満の患者に自己血輸血を行った場合は、診療報酬明細書摘要欄に患者の体重と輸血量を記載する。

○32　設問のとおり。

□**33**　K300 鼓膜切開術にイオントフォレーゼを使用した場合、K933 イオントフォレーゼ加算と麻酔料が算定できる。

×**33**　麻酔料は算定できません。なお、イオントフォレーゼとはイオン浸透式の鼓膜麻酔装置をいいます。

麻　酔

●麻酔料算定の基本

麻酔(ますい)料は点数表では、

- **麻酔料**…手術を目的とする麻酔
- **神経ブロック料**…痛みをとる１つの治療として行われる麻酔

に区分されています。

麻酔料の算定方法はおおよそ次のとおりです。

麻酔料 ＋（薬剤料）＋（特定保険医療材料料）
神経ブロック料 ＋（薬剤料）＋（特定保険医療材料料）

同一の目的のために、２以上の方法による麻酔を行った場合の麻酔料、神経ブロック料は、主たる麻酔（点数の高いほうの麻酔の１つ）の所定点数を算定します。点数表の麻酔料の項に掲げられていない局所(きょくしょ)麻酔（表面麻酔、浸潤(しんじゅん)麻酔、簡単な伝達麻酔）は算定できません。ただし薬剤を使用したときに限り、薬剤料のみを算定します。

また、麻酔の際の血圧降下など当然予想される副作用(ふくさよう)などを防ぐための注射や、鎮静剤(ちんせいざい)などの注射や投薬は、麻酔の薬剤として合算できます。これを前処置、前投薬といいます。

●麻酔料の加算

❶**未熟児**（出生時体重2,500g未満、生後90日以内）
所定点数×$\frac{200}{100}$を加算＝所定点数の３倍

❷**新生児**（生後28日未満、未熟児を除く）
所定点数×$\frac{200}{100}$を加算＝所定点数の３倍

❸**乳　児**（生後28日以上１歳未満）
所定点数×$\frac{50}{100}$を加算＝所定点数の1.5倍

❹**幼　児**（１歳以上３歳未満）
所定点数×$\frac{20}{100}$を加算＝所定点数の1.2倍

❺**時間外**（入院中の患者以外）
所定点数×$\frac{40}{100}$を加算＝所定点数の1.4倍

❻**休日・深夜**（外来、入院とも）
所定点数×$\frac{80}{100}$を加算＝所定点数の1.8倍

練習問題 ○ ×

□1 麻酔に使用した薬剤は、15円以下は算定できない。

○1 設問のとおり。処置や手術に使用する薬剤と同じように、薬価が15円以下は算定しません。

□2 麻酔料は処置や手術に限らず、検査や画像診断のために麻酔を実施した場合にも算定できる。

○2 設問のとおり。➡点数表 検査「通則」・画像診断「通則」

□3 麻酔の年齢加算は、未熟児、新生児、乳児、幼児の4つにわかれて加算される。

○3 設問のとおり。

□4 緊急手術に対する麻酔の時間外、休日、深夜加算は、外来患者のみでなく、入院中の患者に実施した場合も算定できる。

×4 診療報酬点数表の麻酔の通則3には、入院中の患者に対し緊急のために休日または深夜に、これらの加算が算定できる緊急手術を行った場合には、麻酔料もこれらの加算ができるといった主旨の規程がありますが、時間外加算は対象外です。

□5 同一の目的のために、2以上の麻酔を行った場合の麻酔料は、すべて算定できる。

×5 主たる麻酔の所定点数のみ算定できます。この場合薬剤料は、2以上の麻酔に使用されたすべての薬剤について算定できます。

□6 麻酔の前処置として行われる注射及び投薬の薬剤料は、麻酔の薬剤と合算して算定する。

○6 血圧降下や副作用等を防止するための注射や、麻酔の前投薬として行われる鎮静剤などの薬剤料は、麻酔の薬剤料として算定します。

□7　麻酔の前処置として行った皮内、皮下及び筋肉内注射は、外来では実施料を算定するが、入院では実施料は算定できない。

×7　外来、入院に関係なく麻酔の前処置としての注射の実施料は算定できません。

□8　検査・画像診断・処置・手術の際に、麻酔が前処置と局所麻酔のみによって行われる場合の麻酔の手技料は算定できない。

○8　麻酔の手技料は、それぞれの診療料に含まれ、算定できません。ただし薬剤を使用した場合の薬剤料は算定できます。

□9　未熟児、新生児、乳児、1歳以上3歳未満の幼児について、診療時間外の麻酔加算が重複した場合は、手術の場合と同様に加算ができる（緊急の場合）。

○9　設問のとおり。この場合、緊急加算になります。たとえば、緊急手術にともなって、L004 脊椎（せきつい）麻酔を乳児に対して時間外に行った場合の、麻酔の点数は、

所定点数…	850点
乳児加算…	850点×$\frac{50}{100}$＝425点
時間外加算…	850点×$\frac{40}{100}$＝340点
合　計	1,615点

□10　迷もう麻酔とは、吸入麻酔で、実施時間が10分未満のものをいう。

○10　設問のとおり。➡点数表 L000 迷もう麻酔

□11　ヘルニアの手術で、硬膜外（こうまくがい）麻酔を行うために、局所麻酔薬を注入した。この場合局所麻酔薬を

○11　設問のとおり。➡点数表 L002 硬膜外麻酔

注入した時点を開始時間、また検査•画像診断・処置・手術が終了した時点を終了時間とする。

□12　L004 脊椎麻酔を実施中の患者に、経皮的動脈血酸素飽和度測定を行った場合、検査料として1日につき35点を算定する。

○12　D223 経皮的動脈血酸素飽和度測定は、静脈麻酔、硬膜外麻酔、脊椎麻酔などを実施中の患者に行った場合に算定します。

□13　上肢伝達麻酔は、検査・画像診断・処置・手術のために腕神経叢の麻酔を行った場合に算定できる。

○13　設問のとおり。➡点数表 L005 上・下肢伝達麻酔

□14　ガス麻酔器を使用する10分以上20分未満の麻酔は閉鎖循環式全身麻酔として算定する。

×14　ガス麻酔器を使用する10分以上20分未満の麻酔の場合は、L007 開放点滴式全身麻酔により算定します。

□15　L008 マスク又は気管内挿管による閉鎖循環式全身麻酔における実施時間は、麻酔を行うために患者が手術室に入室した時点を開始とし、手術室から退出した時点を終了とする。

×15　患者に閉鎖循環式全身麻酔器を接続した時点を開始とし、麻酔器から離脱した時点を終了とします。実施時間を診療報酬明細書摘要欄に記載します。

□16　マスク又は気管内挿管による閉鎖循環式全身麻酔の際に使用する、ソーダライムの費用は、所定点数に含まれるので算定できない。

○16　設問のとおり。ソーダライムなどの二酸化炭素吸着剤の費用は所定点数に含まれ、別に算定できません。

□17　マスク又は気管内挿管による閉鎖循環式全身麻酔と、硬膜外麻酔をあわせて行った場合は、主たる麻酔の所定点数を算定するので、マスク又は気管内挿管による閉鎖循環式全身麻酔のみを算定する。

×17　「マスク又は気管内挿管による閉鎖循環式全身麻酔」、硬膜外麻酔をあわせて行った場合は、頸・胸部、腰部、仙骨部ごとにそれぞれの加算点数を算定できます。

➡点数表 L008 マスク又は気管内挿管による閉鎖循環式全身麻酔「注4」

□18　硬膜外麻酔にも時間加算は認められる。2時間をこえた場合、30分またはその端数を増すごとに、頸・胸部、腰部、仙骨部ごとにそれぞれの時間加算を算定できる。しかしマスク又は気管内挿管による閉鎖循環式全身麻酔をあわせて行った場合は、硬膜外麻酔の時間加算は算定できない。

×18　L008 マスク又は気管内挿管による閉鎖循環式全身麻酔と硬膜外麻酔をあわせて行った場合、閉鎖循環式全身麻酔「注4」の硬膜外麻酔併施加算が算定でき、実施時間によってさらに「注5」の麻酔管理時間加算を算定できます。

➡点数表 L008 マスク又は気管内挿管による閉鎖循環式全身麻酔「注4・5」

□19　麻酔管理料(I)が算定できる麻酔は、硬膜外麻酔、脊椎麻酔、マスク又は気管内挿管による閉鎖循環式全身麻酔のみである。

○19　設問のとおり。L009 麻酔管理料(I)は麻酔科を標榜する保険医療機関において、常勤の麻酔科標榜医が麻酔前後の診察を行い、硬膜外麻酔、脊椎麻酔、マスク又は気管内挿管による閉鎖循環式全身麻酔を行った場合に算定します。

□20　麻酔管理料に未熟児加算は算定できる。

×20　麻酔管理料に未熟児・新生児・乳児・幼児加算、時間外・休日・深夜加算は算定できません。

□21　局所麻酔剤を使用した神経

×21　L100 神経ブロックは、疼痛

ブロックは、看護師が行っても算定できる。

管理に専門的知識をもつ医師、またはその経験のある医師が行った場合に算定できるものです。

□**22**　トリガーポイント注射は、神経ブロック料として算定する。この場合外来管理加算は算定できない。

○**22**　L104 トリガーポイント注射は神経ブロック料です。注射料ではないので外来管理加算は算定できません。

□**23**　同一名称の神経ブロックを複数か所行った場合は、それぞれ別に算定する。

×**23**　また、2種類以上の神経ブロックを行っても、主たるもののみの算定です。

□**24**　神経幹内（しんけいかんない）注射とトリガーポイント注射は同時に算定できない。

○**24**　設問のとおり。また神経ブロックと同時に行われた神経幹内注射、トリガーポイント注射も算定できません。➡点数表 L100 神経ブロック・L104 トリガーポイント注射

□**25**　トリガーポイント注射は、圧痛点に局所麻酔剤あるいは局所麻酔剤を主剤とする薬剤を注射する手技であり、施行した回数により算定する。

×**25**　トリガーポイント注射は、施行した回数及び部位にかかわらず、1日に1回算定します。

放射線治療

放射線治療は、主にがん細胞などを縮小して消滅させることを目的とした治療法です。

放射線治療は、悪性腫瘍（癌（がん））などの占拠部位に応じて照射します。

また、薬物治療と併用することで根治的効果をえる可能性のある食道癌に比較的有効例が多く、手術、薬物治療、放射線治療と併用する場合が多くなっています。

また甲状腺癌等は、放射性同位元素内用療法を行います。

ガンマナイフによる定位放射線治療とは、半球状に配置された多数のコバルト60の微小線源から出るガンマ線を集束させ、病巣部を照射する治療法であり、全身照射は造血幹細胞移植を目的として行われるものです。このほかには電磁波温熱療法や密封小線源治療などが放射線治療にあります。

体外照射、外部照射、腔内照射、組織内照射による治療を行うに際し、あらかじめ作成した線量分布図にもとづいた照射計画により放射線照射を行った場合に、放射線治療管理料が算定できます。

小児放射線治療加算（区分番号 M000-M001-3、M002-M004 に掲げるものに限る）

新生児	所定点数×$\frac{80}{100}$
乳幼児（3 歳未満、新生児を除く）	所定点数×$\frac{50}{100}$
幼児（3 歳以上 6 歳未満）	所定点数×$\frac{30}{100}$
小児（6 歳以上 15 歳未満）	所定点数×$\frac{20}{100}$

※小児放射線治療加算は、各区分の「注」に掲げる加算については加算の対象とならない。

練習問題 ・・・・・・・・・・・・・・・・ ○ ×

□1　放射線治療料は診療報酬明細書の⑧⓪に記載する。

○1　設問のとおり。㊜と表示して、回数、点数を記載します。

□2　放射線治療管理料は、患者1人につき月1回の算定である。

×2　分布図の作成1回につき1回、1連につき2回に限り算定します。

➡点数表 M000 放射線治療管理料「注1」

□3　放射性同位元素内用療法管理料は、甲状腺疾患を有する患者等に対し、計画的な治療管理を行った場合に、月1回に限り算定する。

○3　入院、入院外を問わず、療法の内容について患者に説明と指導をした場合に算定します。また、レセプト摘要欄に(放内)と表示して、管理を開始した月日を記載します。 ➡点数表 M000-2 放射性同位元素内用療法管理料「注」

□4　M001 体外照射の治療料は、疾病の種類、部位の違い、部位数、同一患部に対する照射方法にかかわらずそれぞれに算定する。

×4　疾病の種類、部位の違い、部位数、同一患部に対する照射方法にかかわらず、1回につき所定点数を算定します。

□5　M001-2 ガンマナイフによる定位放射線治療は、数か月間の一連の治療過程に複数回の治療を行った場合でも、所定点数は1回のみの算定である。

○5　設問のとおり。

□6　全身照射は、造血幹細胞移植を目的として行われるものに限り算定できる。

○6　M002 全身照射は、1回の造血幹細胞移植について、一連として1回に限り算定できます。

病理診断

●病理診断料算定の基本

病理診断とは、患者から採取した、病変組織・細胞から作られた顕微鏡用のガラス標本を顕微鏡で観察し、診断することをいいます。

病理診断の費用は、次のように算出します。

病理標本作製料 ＋ 病理診断・判断料

さらに検体を採取したり、薬剤、特定保険医療材料を使用した場合は、診断穿刺・検体採取料、薬剤料（検査の算定方法に従う）、特定保険医療材料料を算定します。

▶病理標本作製料

❶ 病理標本作製料は、病理標本の作製を行ったときに3臓器を限度として算定します。

❷ リンパ節については、所属リンパ節ごとに1臓器として数えますが、複数の所属リンパ節が1臓器に存在する場合は、複数の所属リンパ節を1臓器として数えます。

❸ 対象器官の病理標本作製料の所定点数は、両側の器官の病理標本作製料の点数とします。

＊病理組織標本作製　1　組織切片　860点（1臓器につき） 2　セルブロック法　860点（1部位につき）
＊電子顕微鏡病理組織標本作製（1臓器につき）　2000点
＊免疫染色（免疫抗体法）病理組織標本作製　1　エストロジェンレセプター　720点 2　プロジェステロンレセプター　690点 3　ＨＥＲ2タンパク　690点 4　ＥＧＦＲタンパク　690点 5　ＣＣＲ4タンパク　10000点 6　ＡＬＫ融合タンパク　2700点 7　ＣＤ30　400点 8　その他（1臓器につき）　400点 1・2を同一月に実施した場合(＋180点) 8を確定診断のために4種類以上の抗体を用いた免疫染色が必要な患者に対して実施した場合(＋1200点)
＊術中迅速病理組織標本作製（1手術につき）　1990点
＊迅速細胞診　1　手術中の場合　450点（1手術につき）

2　検査中の場合　450点（1検査につき）	
＊細胞診（1部位につき）　1　婦人科材料等によるもの　150点 婦人科材料等液状化検体細胞診加算　（＋45点） 2　穿刺吸引細胞診、体腔洗浄等によるもの　190点 液状化検体細胞診加算　（＋85点）	
ＨＥＲ２遺伝子標本作製 1　単独の場合 2　免疫染色（免疫抗体法）病理組織標本作製の3による病理標本作製をあわせて行った場合	 2700点 3050点
ＡＬＫ融合遺伝子標本作製	6520点
ＰＤ−Ｌ1タンパク免疫染色（免疫抗体法）病理組織標本作製	2700点
ミスマッチ修復タンパク免疫染色（免疫抗体法）病理組織標本作製 遺伝カウンセリング加算（＋1000点）	2700点
BRAF V600E変異タンパク免疫染色（免疫抗体法）病理組織標本作製	1600点

注：＊印は病理診断対象項目。

▶病理診断・判断料

❶　病理標本作製の種類または回数にかかわらず、月1回に限り算定します。

❷　病理診断料は、病理診断を専ら担当する医師が勤務する病院または病理診断を専ら担当する常勤の医師が勤務する診療所で算定します。したがって、ほかの保険医療機関の病理診断医師が出向いて病理診断を行った場合など、勤務の実態がない場合は算定できません。

❸　病理診断料を算定した場合は、病理判断料は算定しません。

病理診断料（月1回限度） 1　組織診断料　520点 2　細胞診断料　200点 病理診断管理加算1 1　組織診断を行った場合（＋120点） 2　細胞診断を行った場合（＋60点） 病理診断管理加算2 1　組織診断を行った場合（＋320点） 2　細胞診断を行った場合（＋160点） 悪性腫瘍病理組織標本加算（＋150点）
病理判断料（月1回限度） 130点

練習問題 ・・・・・・・・・・・・・・・・> ○ ×

□1 病理標本作製で3臓器以上の標本作製を行った場合、3臓器を限度として算定する。

○1 設問のとおり。

□2 N000 病理組織標本作製において、胃と十二指腸はそれぞれ別に1臓器として算定する。

×2 気管支・肺臓、食道、胃・十二指腸、小腸、盲腸、上行結腸・横行結腸・下行結腸、S状結腸、直腸、子宮体部・子宮頸部については、上記区分ごとに1臓器として算定します。

□3 電子顕微鏡病理組織標本作製と免疫染色（免疫抗体法）病理組織標本作製のうち、どちらかを算定した場合でも、他方をあわせて算定できる。

○3 N001 電子顕微鏡病理組織標本作製、N000 病理組織標本作製、N002 免疫染色（免疫抗体法）病理組織標本作製のうち、いずれを算定した場合であっても、他の2項目とあわせて算定できます。

□4 細胞診において、同一部位または近接した部位から同時に数検体を採取して標本作製を行った場合、それぞれ所定点数を算定できる。

×4 それぞれ算定することはできません。1回のみの算定となります。➡点数表 N004 細胞診

□5 病理診断料は、病理診断を専ら担当する常勤の医師が勤務する病院でなければ算定をすることはできない。

×5 病院の場合は非常勤の病理医が診断した場合でも N006 病理診断料を算定することができますが、診療所の場合は病理医の常勤が要件となっています。

特掲診療料　その他

●看護職員処遇改善評価料

看護職員処遇改善評価料は、地域で新型コロナウイルス感染症に係る医療など、一定の役割を担う保険医療機関に勤務する保健師、助産師、看護師及び准看護師の賃金を改善するための措置を実施することを評価したものです。

入院基本料、特定入院料または A400 短期滞在手術等基本料（短期滞在手術等基本料１を除く）を算定している患者について、１日につき１回に限り算定します。

▶外来・在宅ベースアップ評価料(I)

外来・在宅ベースアップ評価料(I)は、保険医療機関に勤務する主として医療に従事する職員（医師及び歯科医師を除く。）の賃金の改善を実施することについて評価したものです。施設基準を満たす保険医療機関を受診した患者に対して初診、再診、訪問診療を行った場合に算定します。

❶　外来・在宅ベースアップ評価料(I)「１」

初診料、小児科外来診療料「１」の「イ」もしくは「２」の「イ」又は小児かかりつけ診療料「１」の「イ (1)」「ロ (1)」「２」の「イ (1)」もしくは「２」の「ロ (1)」を算定した日に限り、１日につき１回算定。

❷　外来・在宅ベースアップ評価料(I)「２」

再診料、外来診療料、短期滞在手術等基本料「１」、小児科外来診療料「１」の「ロ」もしくは「２」の「ロ」、外来リハビリテーション診療料、外来放射線照射診療料、地域包括診療料、認知症地域包括診療料、小児かかりつけ診療料「１」の「イ (2)」・「１」の「ロ (2)」、「２」の「イ (2)」もしくは「２」の「ロ (2)」、または外来腫瘍化学療法診療料を算定した日に限り、１日につき１回算定。

❸　外来・在宅ベースアップ評価料(I)「３」の「イ」

在宅患者訪問診療料(I)「１」の「イ」もしくは「２」の「イ」または在宅がん医療総合診療料（訪問診療を行った場合に限る）を算定した日

に限り、１日につき１回算定。

❹ 外来・在宅ベースアップ評価料(Ⅰ)「３」の「ロ」

在宅患者訪問診療料(Ⅰ)「１」の「ロ」もしくは「２」の「ロ」または在宅患者訪問診療料(Ⅱ)を算定した日に限り、１日につき１回算定。

▶外来・在宅ベースアップ評価料(Ⅱ)

外来・在宅ベースアップ評価料(Ⅱ)は、保険医療機関が勤務する対象職員の賃金のさらなる改善を必要とする場合において、賃金の改善を実施することについて評価したものです。施設基準を満たす保険医療機関を受診した患者に対して初診、再診、訪問診療を行った場合に算定します。

❶ 外来・在宅ベースアップ評価料(Ⅱ)における「イ」の「初診または訪問診療を行った場合」

外来・在宅ベースアップ評価料(Ⅰ)の「１」もしくは「３」を算定した場合に、１日につき１回に限り算定。

❷ 外来・在宅ベースアップ評価料(Ⅱ)における「ロ」の「再診時等」

外来・在宅ベースアップ評価料(Ⅰ)の「２」を算定した場合に、１日につき１回に限り算定。

▶入院ベースアップ評価料

入院ベースアップ評価料は、保険医療機関に勤務する対象職員の賃金の改善を実施することについて評価したものです。入院基本料、特定入院料または短期滞在手術等基本料（短期滞在手術等基本料１を除く）を算定している患者について、１日につき１回に限り算定。

〈別表 1：看護職員処遇改善評価料の区分〉

[A]	区分	点数
1.5 未満	1	1 点
1.5 以上　2.5 未満	2	2 点
2.5 以上　3.5 未満	3	3 点
3.5 以上　4.5 未満	4	4 点
4.5 以上　5.5 未満	5	5 点
5.5 以上　6.5 未満	6	6 点
6.5 以上　7.5 未満	7	7 点
7.5 以上　8.5 未満	8	8 点
8.5 以上　9.5 未満	9	9 点
9.5 以上　10.5 未満	10	10 点
⋮ 以下［A］の数値及び点数は 1 ずつ増える		

[A]	区分	点数
143.5 以上　144.5 未満	144	144 点
144.5 以上　147.5 未満	145	145 点
147.5 以上　155.0 未満	146	150 点
155.0 以上　165.0 未満	147	160 点
165.0 以上　175.0 未満	148	170 点
175.0 以上　185.0 未満	149	180 点
185.0 以上　195.0 未満	150	190 点
⋮ 以下［A］の数値及び点数は 10 ずつ増える		
315.0 以上　325.0 未満	163	320
325.0 以上　335.0 未満	164	330
335.0 以上	165	340

〈別表 2：外来・在宅ベースアップ評価料(I)〉

1　初診時	6 点
2　再診時等	2 点
3　訪問診療時	
イ　同一建物居住等以外の場合	28 点
ロ　イ以外の場合	7 点

〈別表 3：外来・在宅ベースアップ評価料(II)の区分〉

[B]	区分	点数（イ）	点数（ロ）
0 を超える	1	8 点	1 点
1.5 以上	2	16 点	2 点
2.5 以上	3	24 点	3 点
3.5 以上	4	32 点	4 点
4.5 以上	5	40 点	5 点
5.5 以上	6	48 点	6 点
6.5 以上	7	56 点	7 点
7.5 以上	8	64 点	8 点

〈別表 4：入院ベースアップ評価料の区分〉

［C］	区分	点数	［C］	区分	点数
0 を超え 1.5 未満	1	1 点	159.5 以上 160.5 未満	160	160 点
1.5 以上 2.5 未満	2	2 点	160.5 以上 161.5 未満	161	161 点
2.5 以上 3.5 未満	3	3 点	161.5 以上 162.5 未満	162	162 点
3.5 以上 4.5 未満	4	4 点	162.5 以上 163.5 未満	163	163 点
⋮ 以下［C］の数値及び点数は 1 ずつ増える			163.5 以上 164.5 未満	164	164 点
			164.5 以上	165	165 点

練習問題 ○ ×

□1　外来・在宅ベースアップ評価料(I)は、医療に従事する職員として医師も対象に含まれる。

×1　保険医療機関に勤務する主として医療に従事する職員の対象に医師は含まれません。

□2　看護職員処遇改善評価料は、入院基本料、特定入院料又は短期滞在手術等基本料を算定している患者について、1日につき1回算定することができる。

×2　短期滞在手術等基本料1を除き、1日につき1回に限り算定することができます。

第Ⅱ部

実　技

診療報酬請求事務

医療機関が、医療の費用を保険点数にもとづいて金額に換算し、保険者に請求するための用紙を診療報酬明細書といいます。

診療報酬明細書は、だれが、どのような病気で、どのような治療を、いつ受けたのか、そしてその治療にかかった費用の当月の額と、使用保険の種類が一目でわかるようになっています。

そして、わかりやすく正しい診療報酬明細書を作成することを、診療報酬請求事務といっています。

●診療報酬明細書と記入の方法

▶診療報酬明細書の種類

保険の種別に関係なく、入院外用と入院用の 2 種類のみです。後期高齢者医療や公費負担医療も同じ用紙を使用します。

▶診療報酬明細書の上書き部分

右のページを見てください。診療報酬明細書の ❶ 年月分～⑬ 診療実日数欄までを「上書き部分」、その下の右側の余白を「摘要(てきよう)欄」、左側の点数記入欄を「点数欄」といいます。

❶ 「令和　年　月分」欄

診療した年月を記入します。請求する月ではなく、カルテの診療内容の年月です。月遅れの分についても同じです。

❷ 「医療機関コード」欄

それぞれの医療機関に定められた、医療機関コード 7 桁を記入します。医療機関で独自の診療報酬明細書を作成する場合は、最初から 7 桁の数字が印刷されています。また、ゴム印を作成して使用してもよいことになっています。

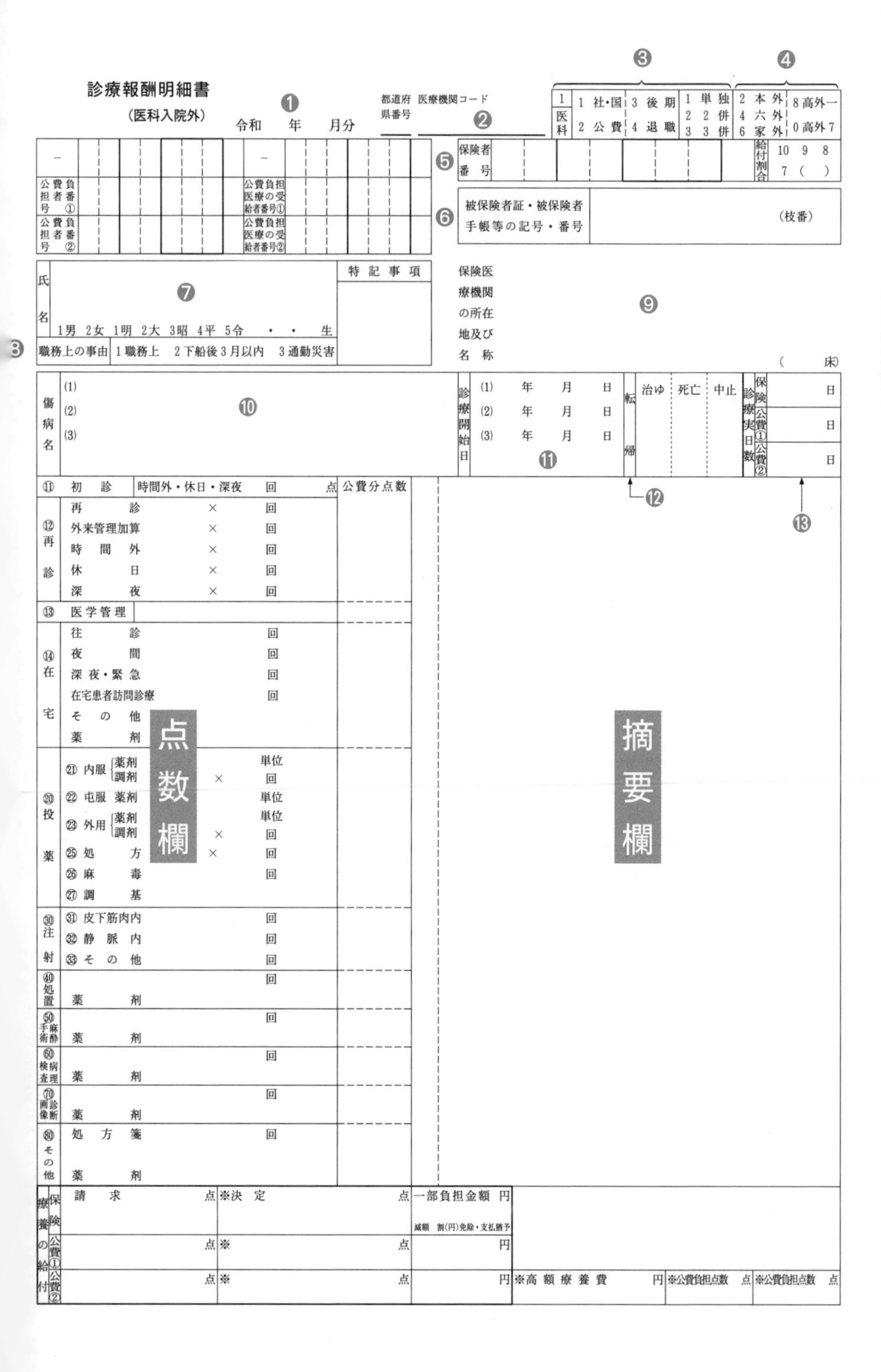

診療報酬明細書

（医科入院外）　令和　年　月分 ❶

都道府県番号　医療機関コード ❷

❸ 1 医科 | 1 社・国 2 公費 | 3 後期 4 退職 | 1 単独 2 2併 3 3併

❹ 2 本外 4 六外 6 家外 | 8 高外一 0 高外7

公費負担者番号① / 公費負担医療の受給者番号①

公費負担者番号② / 公費負担医療の受給者番号②

❺ 保険者番号　給付割合 10 9 8 7（ ）

❻ 被保険者証・被保険者手帳等の記号・番号（枝番）

❼ 氏名　1男 2女 1明 2大 3昭 4平 5令　・　・　生

特記事項

❽ 職務上の事由　1 職務上　2 下船後3月以内　3 通勤災害

❾ 保険医療機関の所在地及び名称　（　床）

❿ 傷病名 (1) (2) (3)

⓫ 診療開始日 (1) 年 月 日 (2) 年 月 日 (3) 年 月 日

⓬ 転帰　治ゆ　死亡　中止

⓭ 診療実日数　保険　日　公費①　日　公費②　日

点数欄			公費分点数
⑪ 初診	時間外・休日・深夜	回 点	
⑫ 再診	再診 ×	回	
	外来管理加算 ×	回	
	時間外 ×	回	
	休日 ×	回	
	深夜 ×	回	
⑬ 医学管理			
⑭ 在宅	往診	回	
	夜間	回	
	深夜・緊急	回	
	在宅患者訪問診療	回	
	その他		
	薬剤		
⑳ 投薬	㉑ 内服 {薬剤 調剤 ×	単位 回	
	㉒ 屯服 薬剤	単位	
	㉓ 外用 {薬剤 調剤 ×	単位 回	
	㉕ 処方 ×	回	
	㉖ 麻毒	回	
	㉗ 調基		
㉚ 注射	㉛ 皮下筋肉内	回	
	㉜ 静脈内	回	
	㉝ その他	回	
㊵ 処置		回	
	薬剤		
㊿ 手術麻酔		回	
	薬剤		
(60) 検査病理		回	
	薬剤		
(70) 画像診断		回	
	薬剤		
(80) その他	処方箋	回	
	薬剤		

摘要欄

療養の給付	請求	※決定	一部負担金額
保険	点	点	円 減額 割(円)免除・支払猶予
公費①	点	※ 点	円
公費②	点	※ 点	円

※高額療養費　円　※公費負担点数　点　※公費負担点数　点

❸ 「保険種別」欄

- 保険の種別にしたがって左の番号を○で囲みます。
- たとえば社保または国保は1を、退職者医療は4を囲み、さらに単独の1を囲みます。
- 公費負担医療は2を、後期高齢者医療は3を囲みます。
- 2併、3併は公費負担医療との併用の場合に番号を囲みます。

〈外来の例〉

1 医科	「保険種別1」		「保険種別2」	「本人・家族」	
1 医 科	1 社•国 2 公 費	3 後期 4 退職	1 単独 2 2併 3 3併	2 本外 4 六外 6 家外	8 高外一 0 高外7

「保険種別1」欄

健康保険 国民健康保険	1 社・国
公費負担医療	2 公 費
後期高齢者医療	3 後 期
退職者医療	4 退 職

「保険種別2」欄

単 独	1 単 独
1種の公費負担医療との併用	2 2 併
2種以上の公費負担医療との併用	3 3 併

※それぞれ該当するものの番号を○で囲む（○は欄ごとに1つ）

❹ 「本人・家族」欄 〈外来の例〉

- 社保——本人は2、6歳未満は4、家族は6を囲みます。
- 国保——本人（世帯主、組合員）は2、6歳未満は4、家族・その他は6を囲みます。
- 退職者——本人は2、家族は6を囲みます。
- 後期高齢者は所得によって給付割合がわかれます。

健康保険　本人 国民健康保険　世帯主 国民健康保険組合　世帯主	2 本 外 1 本 入
健康保険　家族 国民健康保険　その他 国民健康保険組合　その他	6 家 外 5 家 入

※ 該当するものの番号を○で囲む。
※ 国民健康保険の場合、市町村国民健康保険であって、世帯主とその他の給付割合が同じ場合は、いずれか一方を○で囲む。
※ 6歳未満（義務教育就学以前の乳幼児）は六外・六入
※ 本外
※ 家外 } 外来の保険種別
※ 本入
※ 家入 } 入院の保険種別

〈外来の場合の記入例〉

医保単独　本人

1 医科	① 社・国 2 公 費	3 後期 4 退職	① 単独 2 2併 3 3併	② 本外 4 六外 6 家外	8 高外一 0 高外7
				給付割合	10 9 8 7 (　)

医保単独　家族

1 医科	① 社・国 2 公 費	3 後期 4 退職	① 単独 2 2併 3 3併	2 本外 4 六外 ⑥ 家外	8 高外一 0 高外7
				給付割合	10 9 8 7 (　)

医保単独　家族（6歳未満）

1 医科	① 社・国 2 公 費	3 後期 4 退職	① 単独 2 2併 3 3併	2 本外 ④ 六外 6 家外	8 高外一 0 高外7
				給付割合	10 9 ⑧ 7 (　)

一般国保（7割）

1 医科	① 社・国 2 公 費	3 後期 4 退職	① 単独 2 2併 3 3併	② 本外 4 六外 6 家外	8 高外一 0 高外7
				給付割合	10 9 8 ⑦ (　)

組合国保　世帯主（7割）

1 医科	① 社・国 2 公 費	3 後期 4 退職	① 単独 2 2併 3 3併	② 本外 4 六外 6 家外	8 高外一 0 高外7
				給付割合	10 9 8 ⑦ (　)

組合国保　家族（7割）

1 医科	① 社・国 2 公 費	3 後期 4 退職	① 単独 2 2併 3 3併	2 本外 4 六外 ⑥ 家外	8 高外一 0 高外7
				給付割合	10 9 8 ⑦ (　)

後期高齢者（9割）

1 医科	1 社・国 2 公 費	③ 後期 4 退職	① 単独 2 2併 3 3併	2 本外 4 六外 6 家外	⑧ 高外一 0 高外7
				給付割合	10 9 8 7 (　)

公費と医保本人

1 医科	① 社・国 2 公 費	3 後期 4 退職	1 単独 ② 2併 3 3併	② 本外 4 六外 6 家外	8 高外一 0 高外7
				給付割合	10 9 8 7 (　)

公費と医保家族

1 医科	① 社・国 2 公 費	3 後期 4 退職	1 単独 ② 2併 3 3併	2 本外 4 六外 ⑥ 家外	8 高外一 0 高外7
				給付割合	10 9 8 7 (　)

⑤ 「保険者番号」欄

■　カルテのとおりに保険者番号を正確に転記します。

■　月の途中で保険者番号の変更があった場合は、保険者番号ごとにそれぞれ別の診療報酬明細書を作成します。

⑥ 「被保険者証・被保険者手帳等の記号・番号」欄

■　カルテのとおりに、正確に転記します。

■　被保険者が月の途中で、記号・番号の変更、継続または任意継続に変更した場合は、変更後の記号・番号を記入します。

■　記号・番号の欄に枝番の記載がある場合は、あわせて記載します。

■　電子資格確認の場合は、オンラインにより提供された資格情報をもとに記載します。

⑦ 「氏名」欄

■　受診者の氏名を記入します。

■　性別、年号の数字を○で囲み、生年月日を記入します。

⑧ 「職務上の事由」欄

船員保険の被保険者については、「1　職務上」、「2　下船後3月以内」、「3　通勤災害」のうち該当する番号を○で囲みます。ただし、「1　職務上」と「3　通勤災害」については、災害発生時が平成21年12月31日以前のものに限ります。共済組合の船員組合員については、下船後3月以内の傷病で職務上の取扱いとなる場合に「2　下船後3月以内」の番号を○で囲みます。そのほかの保険の場合はこの欄は使用しません。

⑨ 「保険医療機関の所在地及び名称」欄

保険医療機関の指定申請の際に、都道府県知事に届け出た所在地と名称を記入します。医療機関が独自に診療報酬明細書を作成している場合は、最初からこの部分が印刷されていますし、また所在地と名称のゴム印を使用してもよいことになっています。

⑩ 「傷病名」欄

■　カルテに記載されている傷病名を発生順に記入します。

■　傷病名は、わが国で通常使用されている傷病名を、わかりやすく記入しなければなりません。

傷病名		診療開始日		転帰	治ゆ	死亡	中止	診療実日数		
	(1)A病　　(6)F病　○年○月○日		(1) ○年○月○日						保険	日
	(2)B病　　「以下、摘要欄」		(2) ○年○月○日							
	(3)C病		(3) ○年○月○日						公費①	日
	(4)D病		(4) ○年○月○日							
	(5)E病		(5) ○年○月○日						公費②	日

				公費分点数	
⑪初診	時間外・休日・深夜		回　点		(7)G病　○年○月○日
⑫再診	再診	×	回		(8)H病　○年○月○日
	外来管理加算	×	回		(9)I病　○年○月○日
	時間外	×	回		
	休日	×	回		
	深夜	×	回		
⑬医学管理					

■　傷病名が4以上ある場合には、「傷病名」欄の余白に順番に番号をつけて、傷病名を記入し、この欄に記入しきれない場合には「以下、摘要欄」と記入したうえで、摘要欄に順次番号をつけて記入し、最終行の下に実線をひいてそのほかの記入事項と区別します。

⑪「診療開始日」欄

■　傷病名の順番に、それぞれ診療開始日をカルテから転記します。

■　「診療開始日」欄には、その傷病について、保険で診療を開始した年月日を記入します。したがって、ふつうはその傷病の初診日（患者の傷病について医学的に初診といわれる診療行為のあった日）と一致しますが、自費から保険へきりかわった場合などは一致しません。

たとえば自費から保険へきりかわった場合、初診日は自費で診療を受けた日ですが、明細書に記入するのは保険で診療を開始した日です。この場合は、摘要欄に、自費から保険にきりかわったことを記入しなければなりません。

■　傷病名が4以上ある場合は開始日も余白に記載します。

■　保険種別の変更があった場合には、そのきりかわった保険で診療を開始した日を記載し、摘要欄にその旨を記入する必要があります。

⑫「転帰」欄

■　転帰（てんき）は、診療を担当した月に、患者がどのような状態になったかを示すものです。治ゆした場合には「治ゆ」を、死亡した場合には「死亡」を、中止または転医の場合には「中止」をそれぞれ○で囲みます。翌月に診療を繰りこす場合は何も表示しません。

■　傷病名が２以上ある場合は「傷病名」の番号をつけて区別します。

⑬ **「診療実日数」欄**

■　患者の診療を行った暦日の日数を記入します。

■　患者またはその看護にあたっている者から、電話によって治療上の意見を求められて指示した場合（電話再診）の実日数は、１日として数えます。なお、その回数を摘要欄に記入する必要があります。

■　同一日に、初診と再診（電話再診を含む）が２回以上行われた場合（同日再診）は、その回数を摘要欄に記入する必要があります。右のように、摘要欄に「同日再診１回」というように明記します。ただし実日数は１日として数えます。

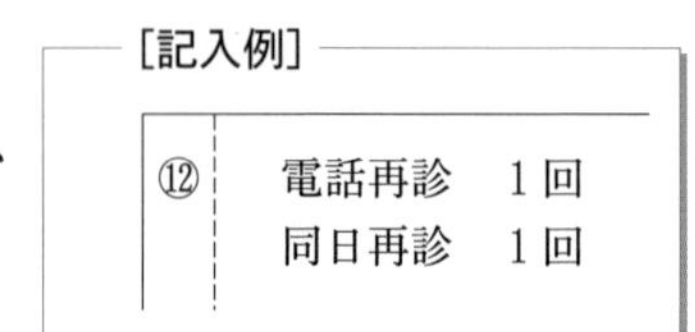

▶入院診療報酬明細書の場合の記載要領

	入院年月日 ❶　年　月　日			
❷─	病	診	⑨⓪ 入院基本料・加算　点	
⑨⓪ 入 院	❸		❹ ×　日間 ×　日間 ×　日間 ×　日間 ×　日間	
			⑨② 特定入院料・その他 ❺	

❶ 入院した年月日を記載します。

❷ 病院、診療所の該当する文字を○で囲みます。

❸ 入院基本料、加算を略号で記載します。

❹ １日の入院基本料と加算を合計した点数に日数、合計点数を記載します。

❺ 特定入院料などを算定した場合に記載します。

●診療報酬明細書の点検

書きあげた診療報酬明細書は、社保は支払基金に、国保は国保連合会に提出します。提出する前には必ず点検をする作業があります。最も熟練した人が書いた診療報酬明細書でも、ミスがないとはいえません。完全な点検があってこそ、誤りのない診療報酬明細書にしあがるのです。診療報酬明細書は保険医療機関にとって、金券と同じく大切なものです。

手書きの診療報酬明細書の点検項目

❶ カルテの保険者番号と診療報酬明細書用紙の一致を確認する。

❷ 保険者番号と給付割合の一致を確認する。

❸ 上書きの確認をする。

転記業務は単純なミスをしがちです。記入もれや記入ミスの点検をします。診療年月、病名、診療開始日、性別、生年月日など、ごくあたり前に記入する欄ほど、記入もれが多いものです。

❹ 初診料があることを確認する。

診療年月と診療開始日が同月である場合。

❺ 初診と再診の回数の合計と、診療実日数の一致を確認する。

一致しない場合には算定もれ、過算定、または同日再診や電話再診などの記入もれの有無を点検します。

❻ 初診、再診での加算の確認をする。

休日なのに加算がされていないか、時間外なのに休日加算になっていないかなどの確認をします。

❼ 初診が2回以上の場合の治ゆの確認をする。

❽ 横計の確認をする。

各コード番号ごとに、摘要欄に記載した回数の合計と点数の合計が、請求欄と一致するかどうかを点検します。

❾ 縦計の確認をする。

点数欄の点数と上から加えた合計点数とを再確認します。

❿ 摘要欄の記入もれを確認する。

加算の説明など付記の必要なもの、記入もれを点検します。

実技−診療報酬明細書作成練習問題

次のページから診療報酬明細書作成の練習問題がはじまります。ここからは、最初に練習問題の診療録、次に解答例としての診療報酬明細書、最後に解説という構成になっています。問題、解答例、解説を照合しやすいようにそれぞれ濃淡をかえた青色のインデックスをつけました。

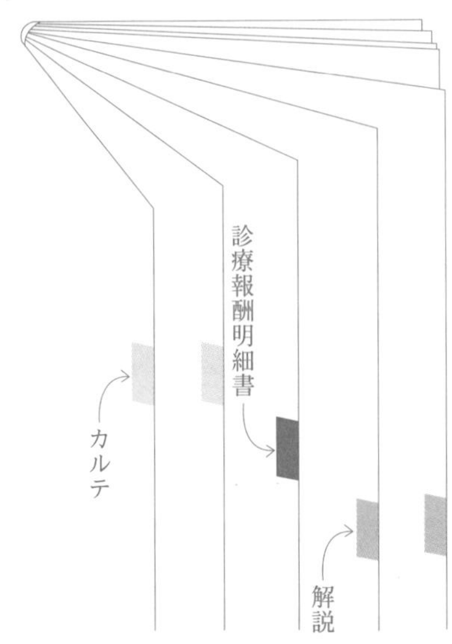

なお、練習問題のカルテは、学習の上での便宜をはかって、わかりやすく作成したものですので、この点ご理解ください。また個人名は実在する個人名とはいっさいかかわりはありません。

本書の366〜367ページに、医科入院外と医科入院の診療報酬明細書のフォーマットを掲載してありますので、実際にレセプトを作成される方は160%程度に拡大コピーしてお使いください。

また、薬価基準の抜粋を361〜365ページに掲載しましたのでご利用ください。(薬価は常に改定されていますが、薬剤料の計算式自体は同じです。)

● 練習問題 1　次の診療録から診療報酬明細書を作成しなさい。

○施設の概要等：診療所(内科)
　※　明細書発行体制等届出医療機関
○職員の状況：薬剤師常勤

○診療時間：月曜～金曜　9時～17時
　土曜　9時～12時
　日曜・祝日　休診

診　療　録

公費負担者番号		保険者番号	1 2 0 0 1 4
公費負担医療の受給者番号		被保険者証・被保険者手帳 記号・番号	01・480907
		有効期限	令和　年　月　日

受診者			
氏名	工藤　みやび	世帯主(組合員)氏名	工藤義之
生年月日	明・大・昭・平・(令)5年6月15日　男・(女)	資格取得	昭・平・(令)5年6月15日
住所	電話　259　局　7161　番	保険者	
職業	世帯主との続柄　家族	一部負担金の割合	2割　　割

傷病名	開始	終了	転帰
咽頭炎	令和6年4月18日	年　月　日	治ゆ・死亡・中止
気管支炎	令和6年4月26日	年　月　日	治ゆ・死亡・中止
	年　月　日	年　月　日	治ゆ・死亡・中止
	年　月　日	年　月　日	治ゆ・死亡・中止

既往症・原因・主要症状・経過等	処方・手術・処置等
R 6.4.18 昨夜から軽い鼻閉 KT 38.5℃　Husten (+) くしゃみ、咽頭発赤 処方薬剤の情報提供 (文書)	6.4.18 Rp ケフレックスシロップ用細粒　1.5 アスベリンシロップ0.5%　3 mL 小児用ペレックス配合顆粒　3 g 分3×2TD
R 6.4.19 KT 37.8℃ Husten(+)	6.4.19 Rp ケフレックスシロップ用細粒　1.5 アスベリンシロップ0.5%　3 mL 分3×2TD
R 6.4.26 今朝KT 38.2℃ Husten(+) tonsil red 処方薬剤の情報提供 (文書)	6.4.26 Rp ワイドシリン細粒　3.0 メプチンシロップ　15 mL ブロムヘキシン塩酸塩シロップ　3 mL アスベリンシロップ0.5%　3 mL 分3×3TD

会計欄 レセプト	記入例

● 解答例 1

診療報酬明細書（医科入院外）　令和 6 年 4 月分

都道府県番号　医療機関コード

1 医科　①社・国　3 後期　①単独　2 本外　8 高外一
2 公費　4 退職　2 2併　3 3併　④六外　6 家外　0 高外7

保険者番号	1 2 0 0 1 4
給付割合	10 9 ⑧ 7 ( )
被保険者証・被保険者手帳等の記号・番号	01・480907 (枝番)

公費負担者番号①　公費負担医療の受給者番号①
公費負担者番号②　公費負担医療の受給者番号②

氏名	工藤 みやび
	1男 ②女 1明 2大 3昭 4平 ⑤令 5・6・15生
職務上の事由	1 職務上 2 下船後3月以内 3 通勤災害

特記事項

保険医療機関の所在地及び名称　（ 床）

傷病名	診療開始日
(1) 咽頭炎	(1) 令和 6 年 4 月 18 日
(2) 気管支炎	(2) 令和 6 年 4 月 26 日
(3)	(3) 年 月 日

転帰：治ゆ　死亡　中止

診療実日数：保険 3 日　公費① 日　公費② 日

区分	項目	点数 × 回数	回数	点数
⑪ 初診	時間外・休日・深夜		1 回	366 点
⑫ 再診	再診	114 ×	2 回	228
	外来管理加算	52 ×	2 回	104
	時間外	×	回	
	休日	×	回	
	深夜	×	回	
⑬ 医学管理				8
⑭ 在宅	往診		回	
	夜間		回	
	深夜・緊急		回	
	在宅患者訪問診療		回	
	その他			
	薬剤			
⑳ 投薬	㉑ 内服 薬剤		7 単位	70
	㉑ 内服 調剤	11 ×	3 回	33
	㉒ 屯服 薬剤		単位	
	㉓ 外用 薬剤		単位	
	㉓ 外用 調剤	×	回	
	㉕ 処方	45 ×	3 回	135
	㉖ 麻毒		回	
	㉗ 調基			14
㉚ 注射	㉛ 皮下筋肉内		回	
	㉜ 静脈内		回	
	㉝ その他		回	
㊵ 処置			回	
	薬剤			
㊿ 手術・麻酔			回	
	薬剤			
60 検査・病理			回	
	薬剤			
70 画像診断			回	
	薬剤			
80 その他	処方箋		回	
	薬剤			

公費分点数

⑫ *明　1×2

⑬ *薬情　4×2

㉑ *ケフレックスシロップ用細粒100　1.5
アスベリンシロップ0.5%　3 mL
小児用ペレックス配合顆粒　3 g　8×2

*ケフレックスシロップ用細粒100　1.5
アスベリンシロップ0.5%　3 mL　6×2

*ワイドシリン細粒20%　3.0
メプチンシロップ5μg/mL　15 mL
ブロムヘキシン塩酸塩シロップ0.08%「トーワ」　3 mL
アスベリンシロップ0.5%　3 mL　14×3

療養の給付	請求 点	※決定 点	一部負担金額 円
保険	958		減額 割(円)免除・支払猶予
公費①	点	※ 点	円
公費②	点	※ 点	円

※高額療養費 円　※公費負担点数 点　※公費負担点数 点

● 解説 1

ポイント　保険者番号 6 桁は国民健康保険。続柄が家族ですから国保の家族です。4 月 18 日は診療開始日と同じなので初診です。

初　診：時間内初診料 **291** 点を算定します。患者は 0 歳児ですので、乳幼児加算として **75** 点を加算します。

再　診：19 日、26 日の 2 日間とも時間内の再診です。また、明細書発行体制等届出医療機関なので、明細書発行体制等加算を加算します。
（時間内再診料 **75** 点＋乳幼児加算 **38** 点＋明細書発行体制等加算 1 点）×2＝**228** 点　となります。
2 日間とも投薬が行われているのみですので、外来管理加算を算定できます。
　外来管理加算 **52** 点×2＝**104** 点

医学管理：18 日と 26 日に薬剤の情報を文書で提供しているので、薬剤情報提供料を算定できます。
　薬剤情報提供料 **4** 点×2＝**8** 点

投　薬：［18 日］内服薬の処方があります。2 日間の処方です。

ケフレックスシロップ用細粒 100	36.30×1.5	79.26 → **8** 点×2TD
アスベリンシロップ 0.5%	19.70×0.3	
小児用ペレックス配合顆粒	6.30×3.0	

［19 日］内服薬の処方があります。2 日間の処方です。

ケフレックスシロップ用細粒 100	36.30×1.5	60.36 → **6** 点×2TD
アスベリンシロップ 0.5%	19.70×0.3	

［26 日］内服薬の処方があります。3 日間の処方です。

ワイドシリン細粒 20%	11.80×3.0	144.51→ **14** 点×3TD
メプチンシロップ 5μg/mL	6.70×15	
ブロムヘキシン塩酸塩シロップ 0.08%「トーワ」 3mL	0.90×3	
アスベリンシロップ 0.5%　3mL	19.70×0.3	

調剤料は、内服薬ですので **11** 点です。

調剤料11点×3（18日、19日、26日）、処方料（42点＋乳幼児加算3点）×3（18日、19日、26日）を算定します。
薬剤師常勤なので、調剤技術基本料14点を算定します。

解説

● 練習問題２　次の診療録から診療報酬明細書を作成しなさい。

○施設の概要等：診療所
　※時間外対応加算１　届出医療機関

○診療時間：月曜～金曜　９時～１７時
　土曜　９時～１２時
　日曜・祝日　休診

診　療　録

公費負担者番号		保険者番号	0 1 3 6 0 0 1 5
公費負担医療の受給者番号		被保険者証・被保険者手帳 記号・番号	36001578・867
		有効期限	令和　年　月　日

受診者			
氏名	津島法子	被保険者氏名	津島法夫
生年月日	明・大・(昭)・平・令40年9月18日　男・(女)	資格取得	(昭)・平・令 46年4月1日
住所	電話　26　局　6999　番	事業所（船舶所有者） 所在地	
		名称	
職業	被保険者との続柄：妻	保険者 所在地	
		名称	

傷病名	職務	開始	終了	転帰	期間満了予定日
本態性高血圧症（主）	上・外	平成26年8月6日	年　月　日	治ゆ・死亡・中止	年　月　日
急性胃腸炎	上・外	令和6年4月18日	6年4月26日	(治ゆ)・死亡・中止	年　月　日
	上・外	年　月　日	年　月　日	治ゆ・死亡・中止	年　月　日
	上・外	年　月　日	年　月　日	治ゆ・死亡・中止	年　月　日

既往症・原因・主要症状・経過等	処方・手術・処置等
R6.4.11 頭痛、のぼせ感あり、不眠 BD　160～98 日常生活について管理 ＊本態性高血圧症…特定疾患	6.4.11 Rp　i）アルドメット(250)　3T ヒドロクロロチアジド(25)　3T 3×28TD ii）バランス錠(10)　2T　4P
R6.4.18(PM11：00) 夕方より腹痛 下痢(＋) PM9：00頃より　KT　37.3℃ 処方薬剤の情報提供 (文書)	6.4.18 1）往診　6.5km 2）Rp　カナマイシン(250)　4C プリンペラン　4T タンナルビン　4.0 4×3TD
R6.4.21(日曜日) 下痢(－)　嘔吐(＋) KT　37℃	6.4.21 1）往診 2）Rp　do　3TD
R6.4.26 BD　150～95 日常生活について管理 処方薬剤の情報提供 (文書)	6.4.26 Rp　ニトラゼパム5mg錠 1T　1×14TD

● 解答例 2

診療報酬明細書
（医科入院外）　令和 6 年 4月分

都道府県番号　医療機関コード

1 医科　①社・国　2 公費　3 後期　4 退職　①単独　2 2併　3 3併　2 本外　4 六外　⑥家外　8 高外一　0 高外7

保険者番号　0 1 3 6 0 0 1 5　給付割合 10 9 8 7（　）

公費負担者番号①　公費負担医療の受給者番号①
公費負担者番号②　公費負担医療の受給者番号②

被保険者証・被保険者手帳等の記号・番号　36001578・867（枝番）

氏名　津島法子
1男 ②女 1明 2大 ③昭 4平 5令 40・9・18 生

職務上の事由　1 職務上　2 下船後 3 月以内　3 通勤災害

特記事項

保険医療機関の所在地及び名称

（　床）

傷病名	診療開始日	転帰
(1) 本態性高血圧症（主）	(1) 平成 26 年 8 月 6 日	治ゆ (2)
(2) 急性胃腸炎	(2) 令和 6 年 4 月 18 日	
(3)	(3) 年 月 日	

死亡　中止

診療実日数　保険 4 日　公費① 日　公費② 日

区分	項目	点数×回数	回	点
⑪ 初診	時間外・休日・深夜		回	
⑫ 再診	再診	80×	4回	320
	外来管理加算	52×	4回	208
	時間外	×	回	
	休日	190×	1回	190
	深夜	420×	1回	420
⑬ 医学管理				458
⑭ 在宅	往診		回	
	夜間		1回	1370
	（深夜）・緊急		1回	2020
	在宅患者訪問診療		回	
	その他			
	薬剤			
⑳ 投薬	㉑ 内服 薬剤		48単位	336
	㉑ 内服 調剤	11×	4回	44
	㉒ 屯服 薬剤		4単位	8
	㉓ 外用 薬剤		単位	
	㉓ 外用 調剤	×	回	
	㉕ 処方	×	4回	224
	㉖ 麻毒		2回	4
	㉗ 調基			
㉚ 注射	㉛ 皮下筋肉内		回	
	㉜ 静脈内		回	
	㉝ その他		回	
㊵ 処置			回	
	薬剤			
㊿ 手術麻酔			回	
	薬剤			
⑥⓪ 検査病理			回	
	薬剤			
⑦⓪ 画像診断			回	
	薬剤			
⑧⓪ その他	処方箋		回	
	薬剤			

⑫ ＊（時外 1）
⑬ ＊（特）　225×2
＊（薬情）　4×2
⑭ ＊ 往診（18 日）PM11：00
＊ 往診（21 日）
㉑ ＊アルドメット錠 250　3T
ヒドロクロロチアジド錠 25mg「トーワ」3T
7×28

＊ニトラゼパム 5mg 錠　1T　1×14
＊カナマイシンカプセル 250mg「明治」4C
プリンペラン錠 5　4T
タンナルビン　4.0　21×6

㉒ ＊バランス錠 10mg　2T　2×4
㉕ ＊（特処）　56×1

療養の給付	請求 点	※決定 点	一部負担金額 円
保険	5,602		減額 割（円）免除・支払猶予
公費①	点	点	円
公費②	点	点	円

※高額療養費 円　※公費負担点数 点　※公費負担点数 点

明細書 診療報酬

● 解説 2

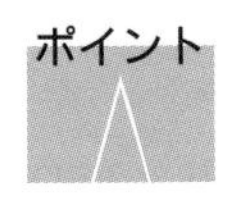

法別番号 01 は全国健康保険協会管掌健康保険です。続柄は妻です。本態性高血圧症が平成 26 年 8 月 6 日から開始となっているので、令和 4 月 11 日は初診ではなく再診です。

4 月 11 日 カルテの「BD」は血圧のことです。

再　診： 時間内再診料 75 点＋時間外対応加算 1　5 点＝80 点。
診療内容が医学管理と投薬のみなので、外来管理加算 52 点を算定します。

医学管理： 主病の本態性高血圧症は「別に厚生労働大臣が定める疾患」に該当します。B000 特定疾患療養管理料（診療所）の 225 点を算定します。

投　薬： 内服薬と屯服薬が処方されています。

アルドメット錠 250　3T　16.80×3
ヒドロクロロチアジド錠 25mg「トーワ」 3T　5.70×3
} 67.50 → 7 点×28TD

バランス錠 10mg　2T　9.80×2＝19.60 → 2 点×4P

内服薬と屯服薬を処方していても、調剤料はあわせて 11 点です。
主病が「別に厚生労働大臣が定める疾患」で 28 日の処方が行われたので、処方料 42 点に特定疾患処方管理加算 56 点を算定します。
バランス錠は向精神薬ですので、調剤料と処方料に 1 点ずつ麻薬等加算を算定します。

4 月 18 日 PM11：00 ですので、深夜加算を算定します。

再　診： 再診料 75 点＋時間外対応加算 1　5 点＝80 点
深夜加算 420 点
外来管理加算 52 点

医学管理： 薬剤情報提供料 4 点

在　宅： 往診を行っているので、往診料を算定します。
時間が深夜ですので、往診料にも深夜加算を算定します。

往診料 720 点＋深夜往診加算 1300 点＝2020 点

投　薬：内服薬の処方です。

カナマイシンカプセル 250mg「明治」　4C　40.00×4
プリンペラン錠 5　4T　6.50×4
タンナルビン　4.0　7.00×4
} 214.00→ 21 点×3TD

内服薬調剤料 11 点、処方料 42 点。

4月21日　休日の受診です。

再　診：再診料 75 点＋時間外対応加算 1　5 点＝80 点

休日加算 190 点

外来管理加算 52 点

在　宅：往診を行っているので、往診料を算定します。休日ですので、往診料にも夜間・休日往診加算を算定します。

往診料 720 点+夜間・休日往診加算 650 点＝1370 点

投　薬：18 日と同じ。

カルテ上に記載する「do」は「前回と同じ」という意味で使用します。

解説

4月26日

再　診：再診料 75 点＋時間外対応加算 1　5 点＝80 点

外来管理加算 52 点

医学管理：特定疾患療養管理料 225 点

薬剤情報提供料 4 点

投　薬：ニトラゼパム 5mg 錠　1T　5.50→1 点×14TD

内服薬調剤料 11 点、処方料 42 点、麻薬等加算 2 点

● 練習問題 3　次の診療録から診療報酬明細書を作成しなさい。

○施設の概要等：診療所（精神科）
○職員の状況：精神保健指定医常勤（通院・在宅精神療法「イ」の算定要件を満たしている）、薬剤師なし。

○診療時間：月曜～金曜　9時～17時
土曜　9時～12時
日曜・祝日　休診

診　療　録

公費負担者番号		保険者番号	0 6 1 3 4 4 3 1
公費負担医療の受給者番号		被保険者証・被保険者手帳　記号・番号	1・4549
		有効期限	令和　年　月　日

受診者			
氏名	小島　明	被保険者氏名	
生年月日	明・大・(昭)・平・令 50年6月1日 (男)・女	資格取得	昭・平・令　年　月　日
住所	電話　局　番	事業所（船舶所有者）所在地	
		名称	
職業	被保険者との続柄：本人	保険者 所在地	
		名称	

傷病名	職務	開始	終了	転帰	期間満了予定日
神経症	上・外	令和6年4月2日	年　月　日	治ゆ・死亡・中止	年　月　日
	上・外	年　月　日	年　月　日	治ゆ・死亡・中止	年　月　日
	上・外	年　月　日	年　月　日	治ゆ・死亡・中止	年　月　日
	上・外	年　月　日	年　月　日	治ゆ・死亡・中止	年　月　日

既往症・原因・主要症状・経過等	処方・手術・処置等
R 6.4.2　初診 主訴：不眠、頭痛、めまい 内科にて検査するも異常なしとのこと まず眠れるようになりたいとのこと。	6.4.2 1）通院精神療法（40分） 2）Rp　①メイラックス錠 1mg　1T 分 1×7 TD ②レンドルミン錠 0.25mg 1T 分 1×7 TD
R 6.4.9 眠れるようになった 対人関係についてアドバイス	6.4.9 1）通院精神療法（40分） 2）Rp　do　7 TD
R 6.4.16 だいぶすっきり（気持ち）してきた	6.4.16 1）do（40分） 2）Rp do 7 TD
R 6.4.23 顔色がよくなってきた よく眠れる→眠剤なしで	6.4.23 1）do（40分） 2）Rp メイラックス錠 1mg　2T 分 2×14TD

● 解答例 3

診療報酬明細書
（医科入院外）　令和 6 年 4月分

都道府県番号　医療機関コード

1 医科　① 社・国　2 公費　3 後期　4 退職　① 単独　2 2併　3 3併　② 本外　4 六外　6 家外　8 高外一　0 高外7

保険者番号：0 6 1 3 4 4 3 1　給付割合：10 9 8 7（ ）

公費負担者番号①　公費負担医療の受給者番号①
公費負担者番号②　公費負担医療の受給者番号②

被保険者証・被保険者手帳等の記号・番号：1・4549（枝番）

氏名：小　島　明
①男 2女 1明 2大 ③昭 4平 5令 50・6・1 生
職務上の事由　1 職務上　2 下船後 3 月以内　3 通勤災害

特記事項

保険医療機関の所在地及び名称
（　床）

傷病名	診療開始日	転帰	診療実日数
(1) 神経症	(1) 令和 6 年 4 月 2 日	治ゆ　死亡　中止	保険 4 日
(2)	(2) 年 月 日		公費① 日
(3)	(3) 年 月 日		公費②

区分	項目		回数	点数
⑪ 初診	時間外・休日・深夜		1 回	291 点
⑫ 再診	再診	75×	3 回	225
	外来管理加算	×	回	
	時間外	×	回	
	休日	×	回	
	深夜	×	回	
⑬ 医学管理				
⑭ 在宅	往診		回	
	夜間		回	
	深夜・緊急		回	
	在宅患者訪問診療		回	
	その他			
	薬剤			
⑳ 投薬	㉑ 内服 薬剤		56 単位	70
	㉑ 内服 調剤	11×	4 回	44
	㉒ 屯服 薬剤		単位	
	㉓ 外用 薬剤		単位	
	㉓ 外用 調剤	×	回	
	㉕ 処方	42×	4 回	168
	㉖ 麻毒		4 回	8
	㉗ 調基			
㉚ 注射	㉛ 皮下筋肉内		回	
	㉜ 静脈内		回	
	㉝ その他		回	
㊵ 処置			回	
	薬剤			
㊿ 手術麻酔			回	
	薬剤			
(60) 検査病理			回	
	薬剤			
(70) 画像診断			回	
	薬剤			
(80) その他	処方箋		回	
			4 回	1640
	薬剤			

公費分点数

㉑ ＊メイラックス錠 1mg　1 T　1×21
レンドルミン錠 0.25mg　1 T　1×21

＊メイラックス錠 1mg　2 T　2×14

(80) ＊通院・在宅精神療法「1」（初診・40 分）
（精神保健指定医による場合）　410×1
＊通院・在宅精神療法「1」（再診・40 分）
（精神保健指定医による場合）　410×3

療養の給付	請求 点	※決定 点	一部負担金額 円
保険	2,446		減額 割(円)免除・支払猶予
公費①	点	点	円
公費②	点	点	円

※高額療養費 円　※公費負担点数 点　※公費負担点数 点

● 解説 3

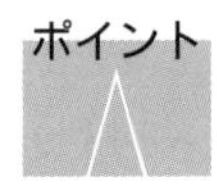

精神科専門療法料は、精神科を標榜する保険医療機関において算定します。また通院・在宅精神療法は、精神科を担当する医師が行った場合に算定します。

4月2日

初　診：時間内初診料 291 点。

投　薬：Rp ①と②は別々の処方です。薬剤料はそれぞれ算定します。

メイラックス錠 1mg　1 T　10.40→ 1 点×7 TD

レンドルミン錠 0.25mg　1 T　12.50→ 1 点×7 TD

内服薬調剤料11点、処方料 42 点。

メイラックスもレンドルミンも向精神薬です。調剤料に 1 点、処方料に 1 点の麻薬等加算を算定します。

精神科：I 002 通院・在宅精神療法「1」は初診時の診療に要した時間が 30 分をこえた場合に算定できます。本問の例では、初診日に精神保健指定医が 40 分間行ったので 410 点を算定します。

なお、診療報酬明細書の摘要欄に、診療に要した時間を記載します。

4月9日

再　診：時間内再診料 75 点。精神科専門療法を行っているので、外来管理加算は算定できません。

投　薬：2 日と同じ。

精神科：通院・在宅精神療法の通院精神療法は、再診の診療に要した時間が 30 分以上の場合は 410 点を算定します。

4月16日

再　診：
投　薬：
精神科：
} 9 日と同じ。

4月23日

再　診：　9日と同じ。

投　薬：　投薬は処方内容がかわりました。

メイラックス錠1mg　2T　10.40×2＝20.80→**2点**×14TD

内服薬調剤料11点、処方料42点。

麻薬等加算2点（調剤料に1点、処方料に1点）。

精神科：　9日と同じ。

注：精神科専門療法料はレセプトの㊵その他の欄に点数を記載します。

通院・在宅精神療法 とは、統合失調症、躁うつ病、神経症、中毒性精神障害（アルコール依存症など）、心因反応、児童・思春期精神疾患、人格障害・精神症状をともなう脳器質性障害などのため、社会生活を営むことがいちじるしく困難な通院または在宅患者（通院または在宅患者の著しい病状改善に資すると考えられる場合にあってはその家族）に、精神科を担当する医師が一定の治療計画のもとに危機介入、対人関係の改善、社会適応能力の向上をはかるための指示、助言などの働きかけを継続的に行う治療方法をいいます。

● 練習問題 4　次の診療録から診療報酬明細書を作成しなさい。

○施設の概要等：病院（100 床）
○職員の状況：薬剤師常勤
○診療時間：月曜～金曜　9 時～20時
　　　　　　土曜　　　9 時～17時
　　　　　　日曜・祝日　休診

診　療　録

公費負担者番号		保険者番号	0 6 1 2 0 4 6 3
公費負担医療の受給者番号		被保険者証・被保険者手帳　記号・番号	136・1710
		有効期限	令和　年　月　日

受診者			
氏名	中村孝則	被保険者氏名	中村智則
生年月日	明・大・(昭)・平・令 40年7月20日　(男)・女	資格取得	(昭)・平・令 56 年 5 月 10 日
住所	電話　24　局　6171　番	事業所（船舶所有者）所在地	
		事業所（船舶所有者）名称	
職業	被保険者との続柄：父	保険者所在地	
		保険者名称	

傷病名	職務	開始	終了	転帰	期間満了予定日
本態性高血圧症(主)	上・外	平成27年 6 月 2 日	年　月　日	治ゆ・死亡・中止	年　月　日
動脈硬化	上・外	平成27年 6 月 2 日	年　月　日	治ゆ・死亡・中止	年　月　日
不眠症・冠不全・慢性胃炎	上・外	令和 4 年 7 月 1 日	年　月　日	治ゆ・死亡・中止	年　月　日
慢性胃炎急性増悪	上・外	令和 6 年 3 月 7 日	年　月　日	治ゆ・死亡・中止	年　月　日

既往症・原因・主要症状・経過等	処方・手術・処置等
R 6.4.6（循環器科受診） BD　170～95 食欲なく胃が時々痛む 食事について管理 ＊本態性高血圧症 慢性胃炎 慢性胃炎急性増悪 } 特定疾患	6.4.6（往診） 1)　ブスコパン　1mL　iM 2)　点滴 G 5%　250mL　1 瓶 グリセオール注　200mL　1 袋 ジピリダモール静注液　2mL 点滴回路使用 3)　Rp ヘプロニカート　6T アプレゾリン　6T ノイキノン(10)　3T パンクレアチン　3.0　分3×14TD
R 6.4.19（循環器科・精神科受診） BD　165～90 日常生活について管理	6.4.19 1)　点滴 G 5%　500mL　1 瓶 塩酸メトクロプラミド注射液 0.5%　2mL　1A プロテアミン12注射液　200mL×2 袋 点滴回路使用 2)　Rp　i）　do　分3×14TD ii）　セルシン(2)　2T　4P
R 6.5.9（循環器科受診） BD　165～90 日常生活について管理 R 6.5.23（循環器科受診） BD　165～90 栄養、運動について管理	6.5.9 1)　静注 { 20%ブドウ糖注　20mL / ハイ・プレアミンS注-10%　20mL　1A 2)　Rp　do　分3×14TD 6.5.23 1)　点滴　do 2)　Rp　do　分3×14TD

● 解答例 4 －①

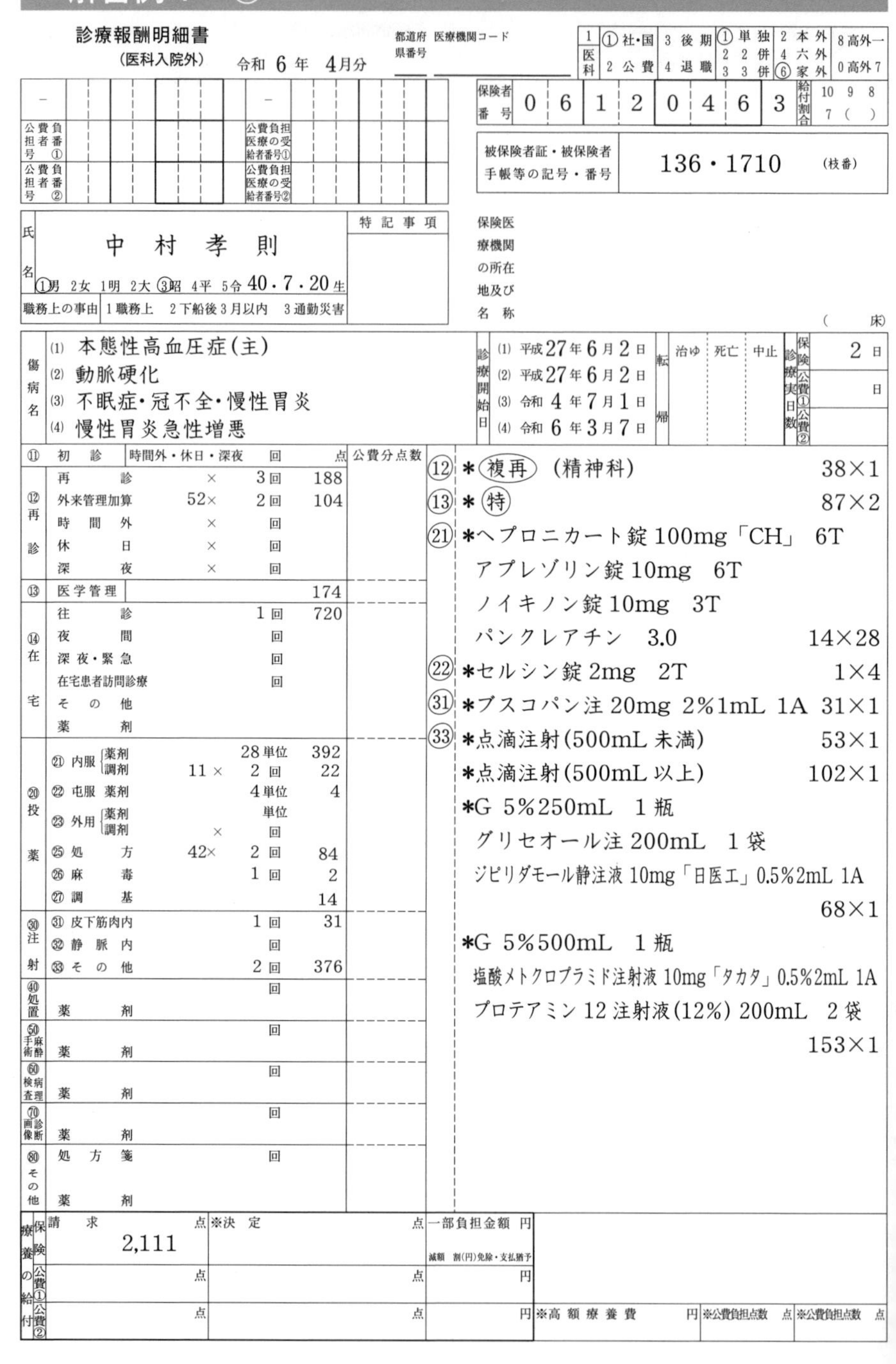

診療報酬明細書
（医科入院外）　令和 6 年 4月分

都道府県番号　医療機関コード

1 医科　①社・国　2 公費　3 後期　4 退職　①単独　2 2併　3 3併　2 本外　4 六外　⑥家外　8 高外一　0 高外7

保険者番号　0 6 1 2 0 4 6 3　給付割合 10 9 8 7（ ）

公費負担者番号①　公費負担医療の受給者番号①
公費負担者番号②　公費負担医療の受給者番号②

被保険者証・被保険者手帳等の記号・番号　136・1710（枝番）

氏名　中村 孝則
①男 2女 1明 2大 ③昭 4平 5令 40・7・20 生

特記事項

職務上の事由　1 職務上　2 下船後3月以内　3 通勤災害

保険医療機関の所在地及び名称

（　床）

傷病名	診療開始日
(1) 本態性高血圧症(主)	(1) 平成27年6月2日
(2) 動脈硬化	(2) 平成27年6月2日
(3) 不眠症・冠不全・慢性胃炎	(3) 令和4年7月1日
(4) 慢性胃炎急性増悪	(4) 令和6年3月7日

転帰：治ゆ　死亡　中止

診療実日数：保険 2日　公費① 日　公費② 日

区分	項目		回数	点数
⑪ 初診	時間外・休日・深夜		回	点
⑫ 再診	再診	×	3回	188
	外来管理加算	52×	2回	104
	時間外	×	回	
	休日	×	回	
	深夜	×	回	
⑬ 医学管理				174
⑭ 在宅	往診		1回	720
	夜間		回	
	深夜・緊急		回	
	在宅患者訪問診療		回	
	その他			
	薬剤			
⑳ 投薬	㉑ 内服 薬剤		28単位	392
	㉑ 内服 調剤	11×	2回	22
	㉒ 屯服 薬剤		4単位	4
	㉓ 外用 薬剤		単位	
	㉓ 外用 調剤	×	回	
	㉕ 処方	42×	2回	84
	㉖ 麻毒		1回	2
	㉗ 調基			14
㉚ 注射	㉛ 皮下筋肉内		1回	31
	㉜ 静脈内		回	
	㉝ その他		2回	376
㊵ 処置			回	
	薬剤			
㊿ 手術麻酔			回	
	薬剤			
60 検査病理			回	
	薬剤			
70 画像診断			回	
	薬剤			
80 その他	処方箋		回	
	薬剤			

公費分点数

⑫ ＊(複再)（精神科）　38×1
⑬ ＊(特)　87×2
㉑ ＊ヘプロニカート錠100mg「CH」 6T
アプレゾリン錠10mg 6T
ノイキノン錠10mg 3T
パンクレアチン 3.0　14×28
㉒ ＊セルシン錠2mg 2T　1×4
㉛ ＊ブスコパン注20mg 2%1mL 1A　31×1
㉝ ＊点滴注射(500mL未満)　53×1
＊点滴注射(500mL以上)　102×1
＊G 5%250mL 1瓶
グリセオール注200mL 1袋
ジピリダモール静注液10mg「日医工」0.5%2mL 1A
68×1
＊G 5%500mL 1瓶
塩酸メトクロプラミド注射液10mg「タカタ」0.5%2mL 1A
プロテアミン12注射液(12%) 200mL 2袋
153×1

療養の給付	請求 点	※決定 点	一部負担金額 円
保険	2,111		減額 割(円)免除・支払猶予
公費①	点	点	円
公費②	点	点	円

※高額療養費 円　※公費負担点数 点　※公費負担点数 点

● 解答例4－②

診療報酬明細書（医科入院外）　令和6年5月分

都道府県番号　医療機関コード

1 医科	①社・国　2 公費	3 後期　4 退職	①単独　2 2併　3 3併	2 本外　4 六外　⑥家外	8 高外一　0 高外7

保険者番号	0 6 1 2 0 4 6 3
給付割合	10 9 8 7（ ）
公費負担者番号①	
公費負担医療の受給者番号①	
公費負担者番号②	
公費負担医療の受給者番号②	
被保険者証・被保険者手帳等の記号・番号	136・1710（枝番）
氏名	中村孝則
性別・生年月日	①男 2女 1明 2大 ③昭 4平 5令 40・7・20生
職務上の事由	1 職務上　2 下船後3月以内　3 通勤災害
特記事項	
保険医療機関の所在地及び名称	（ 床）

傷病名	診療開始日	転帰
(1) 本態性高血圧症（主）	(1) 平成27年6月2日	治ゆ　死亡　中止
(2) 動脈硬化	(2) 平成27年6月2日	
(3) 不眠症・冠不全・慢性胃炎	(3) 令和4年7月1日	
(4) 慢性胃炎急性増悪	(4) 令和6年3月7日	

診療実日数　保険 2日　公費① 日　公費② 日

区分	項目	単価	回数	点数	公費分点数
⑪初診	時間外・休日・深夜		回	点	
⑫再診	再診	75×	2回	150	
	外来管理加算	52×	2回	104	
	時間外	×	回		
	休日	×	回		
	深夜	×	回		
⑬医学管理				174	
⑭在宅	往診		回		
	夜間		回		
	深夜・緊急		回		
	在宅患者訪問診療		回		
	その他				
	薬剤				
⑳投薬	㉑内服 薬剤		28単位	392	
	㉑内服 調剤	11×	2回	22	
	㉒屯服 薬剤		単位		
	㉓外用 薬剤		単位		
	㉓外用 調剤	×	回		
	㉕処方	42×	2回	84	
	㉖麻毒		回		
	㉗調基			14	
㉚注射	㉛皮下筋肉内		回		
	㉜静脈内		1回	50	
	㉝その他		1回	255	
㊵処置			回		
	薬剤				
㊿手術麻酔			回		
	薬剤				
㊅検査病理			回		
	薬剤				
㊆画像診断			回		
	薬剤				
㊇その他	処方箋		回		
	薬剤				

⑬ ＊㊕　87×2

㉑ ＊ヘプロニカート錠100mg「CH」 6T
アプレゾリン錠10mg 6T
ノイキノン錠10mg 3T
パンクレアチン 3.0　14×28

㉜ ＊ブドウ糖注「日医工」〔20%〕20mL 1A
ハイ・プレアミンS注-10%20mL 1A
50×1

㉝ ＊点滴注射(500mL以上)　102×1
＊G 5%500mL 1瓶
塩酸メトクロプラミド注射液10mg「タカタ」0.5%2mL 1A
プロテアミン12注射液(12%) 200mL 2袋
153×1

療養の給付	請求 点	※決定 点	一部負担金額 円			
保険	1,245		減額 割(円)免除・支払猶予			
公費①	点	点	円			
公費②	点	点	円	※高額療養費 円	※公費負担点数 点	※公費負担点数 点

● 解説 4

法別番号 06 は組合管掌健康保険です。続柄は父ですので、家族となります。
また、4 月分と 5 月分がありますので、レセプトは 2 枚に分けて書きます。

[解説 4 −①]

4月6日 循環器科を受診しています。

再　診： 時間内再診料 **75** 点、外来管理加算 **52** 点

医学管理： 主病の本態性高血圧症は「別に厚生労働大臣が定める疾患」に該当します。食事について管理が行われているため、B000 特定疾患療養管理料（100 床以上 200 床未満）の **87** 点を算定します。

在　宅： 往診料 **720** 点

投　薬： 内服薬の処方です。

ヘプロニカート錠 100mg「CH」 6T	5.90×6	142.20 → 14 点×14TD	
アプレゾリン錠 10mg 6T	9.40×6		
ノイキノン錠 10mg 3T	9.50×3		
パンクレアチン 3.0	7.30×3		

内服薬調剤料 **11** 点
処方料 **42** 点
薬剤師常勤なので、調剤技術基本料 **14** 点を算定します。

注　射： iM は皮内、皮下及び筋肉内注射のことですので、手技料は **25** 点です。
ブスコパン注 20mg　2%　1mL　1A　59 → **6** 点
合計 500mL 未満の点滴の実施料は **53** 点です。
G5% は 5%のブドウ糖のことです。

G5%	250mL	284	678→ 68 点
グリセオール注	200mL	306	
ジピリダモール静注液 10mg「日医工」 0.5%	2mL 1A	88	

4月19日｜循環器科と精神科を併科受診しています。
再　診：再診料 75 点＋再診料（2科目）38 点＝113 点
2科目は外来管理加算の算定ができませんので、併科受診の場合も外来管理加算は 52 点です。
医学管理：特定疾患療養管理料 87 点
投　薬：内服薬と屯服薬の処方です。
6日と同様→14 点×14TD
セルシン錠〔2mg〕 2T 6.00×2＝12.00 → 1 点×4P
内服薬調剤料 11 点
処方料 42 点
セルシンは向精神薬なので、麻薬等加算 2 点を算定します。
注　射：点滴実施料（500mL 以上）102 点
G5% 500mL 332
塩酸メトクロプラミド注射液 10mg「タカタ」0.5% 2mL 1A 57
プロテアミン 12 注射液(12%) 200mL 2 袋 570×2
} 1,529 → 153 点

[解説 4 －②]

5月9日｜循環器科受診です。
再　診：再診料 75 点、外来管理加算 52 点
医学管理：特定疾患療養管理料（100 床以上 200 床未満）87 点
投　薬：内服薬の処方です。
4月6日と同様 → 14 点×14TD
調剤料 11 点
処方料 42 点
薬剤師常勤なので、調剤技術基本料 14 点を算定します。
注　射：静脈内注射ですので、実施料は 37 点です。
ブドウ糖注「日医工」〔20%〕20mL 67
ハイ・プレアミンＳ注-10% 20mL 1A 59
} 126 → 13 点

5月23日｜循環器科受診です。
再　診：再診料 75 点、外来管理加算 52 点

医学管理：特定疾患療養管理料 87 点

投　薬：内服薬の処方です。

4 月 6 日と同様 → 14 点×14TD

調剤料 11 点

処方料 42 点

注　射：4 月 19 日と同様の点滴が行われています。

実施料 102 点、薬剤料 153 点

● 練習問題5　次の診療録から診療報酬明細書を作成しなさい。

○施設の概要等：病院（220床）内科、外科、小児科、整形外科、産婦人科、耳鼻咽喉科、皮膚科、脳神経外科、標榜
医師事務体制（25対1）、薬剤師常勤

○診療時間：月曜～金曜　9時～17時
土曜　9時～12時
日曜・祝日　休診

診　療　録

7割給付

公費負担者番号		保険者番号	3 9 0 8 2 0 7 8
公費負担医療の受給者番号		被保険者証・被保険者手帳 記号・番号	02987601
		有効期限	令和　年　月　日

受診者				被保険者氏名	大塚佳乃
氏名	大塚佳乃				
生年月日	明・大・(昭)・平・令 21年2月2日	男・(女)		資格取得	昭・平・令　年　月　日
住所	電話　局　番			事業所（船舶所有者）所在地	
				事業所（船舶所有者）名称	
職業		被保険者との続柄	本人	保険者 所在地	
				保険者 名称	

傷病名	職務	開始	終了	転帰	期間満了予定日
右足指痛風	上・外	令和6年2月3日	年　月　日	治ゆ・死亡・中止	年　月　日
関節リウマチ	上・外	令和6年2月3日	年　月　日	治ゆ・死亡・中止	年　月　日
糖尿病	上・外	令和6年11月7日	年　月　日	治ゆ・死亡・中止	年　月　日
	上・外	年　月　日	年　月　日	治ゆ・死亡・中止	年　月　日

既往症・原因・主要症状・経過等	処方・手術・処置等
R6.11.7（整形外科）内科を併科受診し、糖尿病の診断 右足痛 尿糖　（+++） 生活指導　（食事と運動について）	6.11.7 1．検尿（E. Z. ウロ．沈渣（鏡検法）） 2．検血｛グルコース、尿酸、尿素窒素、クレアチニン　CRP　ASO半定量　抗核抗体　抗DNA抗体定量｝ 3．右足親指デジタルX-P（画像記録用 四×1）2R 4．消炎鎮痛等処置 　ハップスターID　4枚 5．精密眼底（両） 　ミドリンP点眼液　0.4cc 6．Rp　ハップスターID　20枚 　ボルタレンサポ（50）　4ヶ
R6.11.16（整形外科） 足指痛　（++）	6.11.16 1．検血｛グルコース、総コレステロール、中性脂肪、AST　ALT、HDL-コレステロール、ヘモグロビンA1c｝ 2．カピステン1A　iM 3．リドカイン0.5% 3 mL　iM 4．Rp　ハップスターID　20枚
R6.11.22（整形外科） ｛管理栄養士により指導（初回）(対面) 40分　食事せん交付 　前.1H.2H.3H測定｝ 生活指導	6.11.22 1．トレーランG　75　1瓶 　耐糖能精密（常用負荷、血中インスリン） 2．inj　do

● 解答例 5

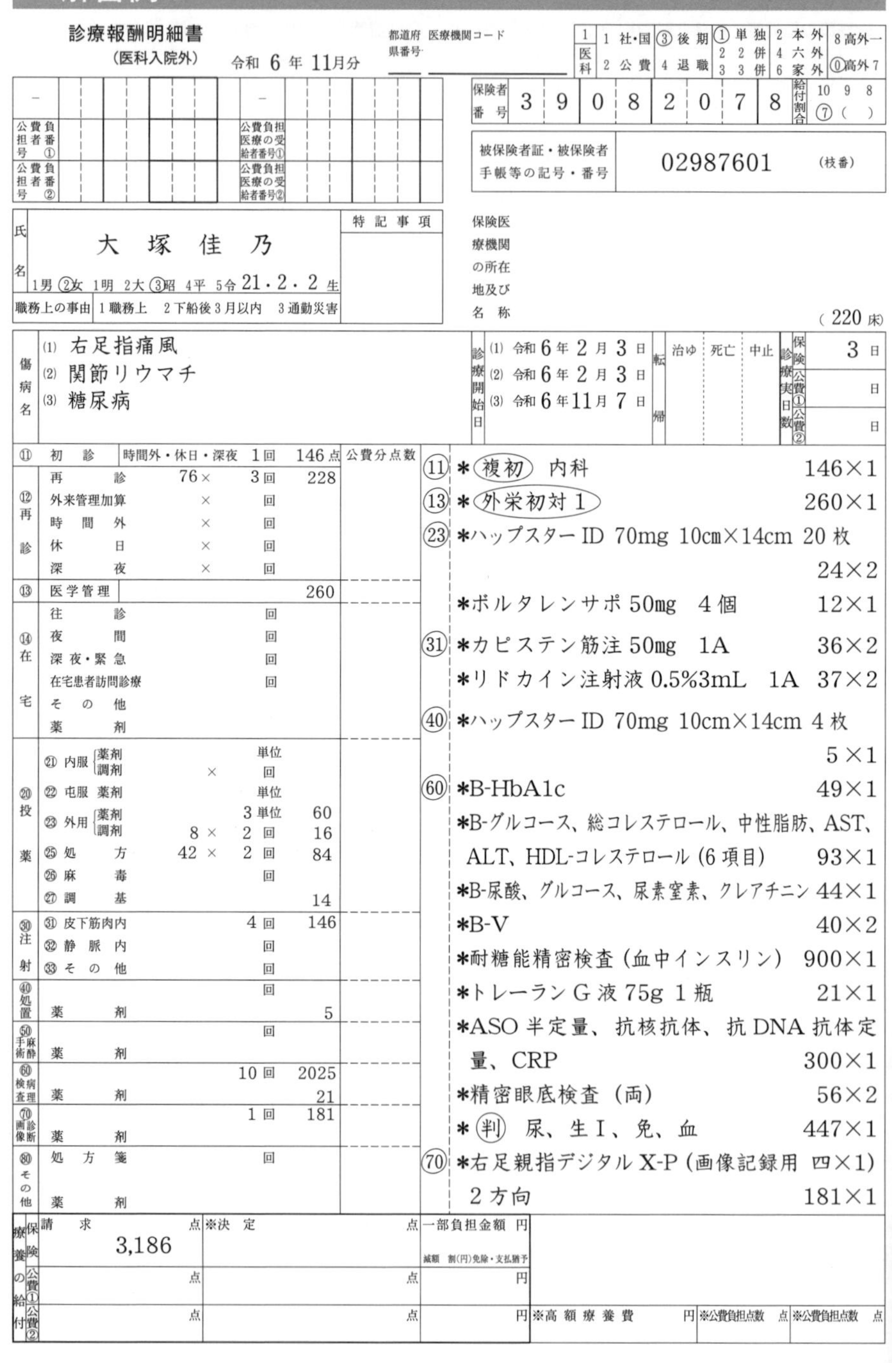

診療報酬明細書（医科入院外）　令和 6 年 11月分

都道府県番号　医療機関コード

1 医科　1 社・国　③ 後期　① 単独　2 本外　8 高外一
2 公費　4 退職　2 2併　4 六外　⓪ 高外7
3 3併　6 家外

保険者番号　39082078　給付割合　10 9 8 ⑦（　）

被保険者証・被保険者手帳等の記号・番号　02987601　（枝番）

公費負担者番号①　公費負担医療の受給者番号①
公費負担者番号②　公費負担医療の受給者番号②

氏名　大塚 佳乃
1男 ②女 1明 2大 ③昭 4平 5令 21・2・2 生

職務上の事由　1 職務上　2 下船後3月以内　3 通勤災害

特記事項

保険医療機関の所在地及び名称　（220 床）

傷病名
(1) 右足指痛風
(2) 関節リウマチ
(3) 糖尿病

診療開始日
(1) 令和 6 年 2 月 3 日
(2) 令和 6 年 2 月 3 日
(3) 令和 6 年 11 月 7 日

転帰　治ゆ　死亡　中止

診療実日数　保険 3 日　公費① 日　公費② 日

区分	項目	点数・回数	点数
⑪ 初診	時間外・休日・深夜 1回		146点
⑫ 再診	再診	76 × 3 回	228
	外来管理加算	× 回	
	時間外	× 回	
	休日	× 回	
	深夜	× 回	
⑬ 医学管理			260
⑭ 在宅	往診	回	
	夜間	回	
	深夜・緊急	回	
	在宅患者訪問診療	回	
	その他		
	薬剤		
⑳ 投薬	㉑ 内服 薬剤	単位	
	㉑ 内服 調剤	× 回	
	㉒ 屯服 薬剤	単位	
	㉓ 外用 薬剤	3 単位	60
	㉓ 外用 調剤	8 × 2 回	16
	㉕ 処方	42 × 2 回	84
	㉖ 麻毒	回	
	㉗ 調基		14
㉚ 注射	㉛ 皮下筋肉内	4 回	146
	㉜ 静脈内	回	
	㉝ その他	回	
㊵ 処置		回	
	薬剤		5
㊿ 手術麻酔		回	
	薬剤		
⑥⓪ 検査病理		10 回	2025
	薬剤		21
⑦⓪ 画像診断		1 回	181
	薬剤		
⑧⓪ その他	処方箋	回	
	薬剤		

公費分点数

⑪ ＊（複初） 内科　146×1
⑬ ＊（外栄初対 1）　260×1
㉓ ＊ハップスター ID 70mg 10cm×14cm 20 枚　24×2
＊ボルタレンサポ 50mg 4 個　12×1
㉛ ＊カピステン筋注 50mg 1A　36×2
＊リドカイン注射液 0.5%3mL 1A　37×2
㊵ ＊ハップスター ID 70mg 10cm×14cm 4 枚　5×1
⑥⓪ ＊B-HbA1c　49×1
＊B-グルコース、総コレステロール、中性脂肪、AST、ALT、HDL-コレステロール（6 項目）　93×1
＊B-尿酸、グルコース、尿素窒素、クレアチニン　44×1
＊B-V　40×2
＊耐糖能精密検査（血中インスリン）　900×1
＊トレーラン G 液 75g 1 瓶　21×1
＊ASO 半定量、抗核抗体、抗 DNA 抗体定量、CRP　300×1
＊精密眼底検査（両）　56×2
＊（判） 尿、生 I、免、血　447×1
⑦⓪ ＊右足親指デジタル X-P（画像記録用 四×1）2 方向　181×1

療養の給付	請求 点	※決定 点	一部負担金額 円
保険	3,186		減額 割（円）免除・支払猶予
公費①			
公費②			

※高額療養費 円　※公費負担点数 点　※公費負担点数 点

● 解説 5

ポイント

法別番号39は後期高齢者医療制度です。右足指痛風と関節リウマチが6年2月3日から開始となっていますが、6年11月7日からの糖尿病で内科を併科受診しているので、注意します。

11月7日　併科受診をしているので、複初を算定します。

初　診：複初（内科）146点

再　診：200床以上の病院では再診料ではなく外来診療料を算定します。
外来診療料76点

医学管理：食事と運動について生活指導を行っていますが、200床以上の病院では特定疾患療養管理料の算定は不可です。

投　薬：外用薬の処方です。
ハップスターID 70mg 10cm×14cm 20枚 11.80×20＝236.00 → 24点
ボルタレンサポ50mg　4個　29.00×4＝116.00 → 12点
外用薬調剤料8点、処方料42点
薬剤師常勤なので、調剤技術基本料14点を算定します。

処　置：消炎鎮痛等処置を行っていますが、湿布処置は診療所のみでの算定です。よって、ここでは薬剤料のみ算定します。
ハップスターID 70mg 10cm×14cm 4枚　11.80×4＝47.20 → 5点

検　査：
D000、001　E、Z、ウロ
D002　沈渣（鏡検法）
→ 外来診療料に含まれるため算定できません。
D007　グルコース、尿酸、尿素窒素、クレアチニン
→ 11＋11＋11＋11＝44点
D012　ASO半定量　15点
D014　抗核抗体 110点、抗DNA抗体定量 159点
D015　CRP　16点
D255　精密眼底検査（両）　56×2＝112点
D400　B-V　40点
㊒尿（34点）＋生Ⅰ（144点）＋免（144点）＝322点
（以上 計 818点）

検体検査と生体検査を両方行っています。

今回行っている尿検査は全て外来診療料に含まれるため、判断料のみの算定です。

D000、001 は尿検査、D007 は生化学検査（Ⅰ）、D012、014、015 は免疫学的検査ですので、それぞれ判断料を算定します。

また、血液検査を行っていますので、採血料（B-V 40 点）を算定します。

D255 精密眼底検査は片側につきの算定ですので、両側を行った場合は左右それぞれ算定します。

なお、検査に使用した薬剤は薬剤料として算定しますが、15 円以下の場合は算定不可となります。

ミドリン P 点眼液 1mL 0.4cc　27.60×0.4＝11.04 → 15 円以下

画　像：デジタル撮影を行っています。撮影部位は右足親指ですので、「その他」の区分で算定します。

また、2R というのは 2 方向のことです。使用したフィルムは 1 枚ですが、2 方向撮影しているので 1 枚のフィルムを 2 分画して 2 回撮影していることが分かります。

写真診断料	43＋43×0.5＝64.5→65 点	181 点
撮影料	68＋68×0.5＝102 点	
フィルム料（画像記録用四ツ切）	13.5 → 14 点	

11 月 16 日　整形外科のみの受診です。

再　診：外来診療料 76 点

投　薬：外用薬の処方です。

ハップスター ID　20 枚　11.80×20＝236.00 → 24 点

外用薬調剤料 8 点、処方料 42 点

調剤技術基本料は同一月に 1 回限りですので算定できません。

注　射：皮内、皮下及び筋肉内注射を 2 回行っています。実施料は 1 回ごとに算定します。

iM　カピステン筋注 50mg 1A　108→11 点＋実施料 25 点＝36 点

iM　リドカイン注射液 0.5% 3mL 1A　119→12 点＋実施料 25 点＝37 点

検　査：血液検査が行われています。

解説

D005　ヘモグロビン A1c　49 点
D007　グルコース、総コレステロール、中性脂肪、
AST、ALT、HDL-コレステロール（6 項目）　93 点
D400　B-V　40 点
㊕血　125 点
（以上 307 点）

血液学的検査と生化学的検査（I）を行っています。生化学的検査（I）は対象検査を 5 項目以上行っているので、項目数に応じた所定点数を算定します。
判断料の算定は月 1 回ですので、7 日に算定した生化学的検査（I）の判断料は算定できません。

整形外科のみの受診です。
外来診療料 76 点

11 月 22 日

再　診：

医学管理：
管理栄養士により食事せんを交付されての指導が対面で行われています。カルテに初回とあるので、「初回」（概ね 30 分以上の栄養指導）を算定します。
B001「9」イ　外来栄養食事指導料（対面で行った場合）　260 点

注　射：
16 日と同様です。
36 点、37 点

検　査：
耐糖能精密は、生体検査の負荷試験等です。
D288　耐糖能精密検査　900 点
トレーラン G 液 75g　205.20 → 21 点

● 練習問題 6　次の診療録から診療報酬明細書を作成しなさい。

○施設の概要等：診療所（皮膚科）
○職員の状況：薬剤師常勤
※明細書発行体制等・時間外対応 2　届出医療機関

○診療時間：月曜～金曜　9 時～17時
土曜　9 時～12時
日曜・祝日　休診

診　療　録

公費負担者番号		保険者番号	0 6 1 3 8 7 0 5
公費負担医療の受給者番号		被保険者証・被保険者手帳 記号・番号	1・2348765
		有効期限	令和　年　月　日

受診者				被保険者氏名	高木　武史
氏名	高木　しおり			資格取得	昭・平・令　年　月　日
生年月日	明・大・昭・(平)・令 12年2月6日	男・(女)		事業所（船舶所有者） 所在地	
住所	電話　局　番			名称	
職業		被保険者との続柄	長女	保険者 所在地	
				名称	

傷病名	職務	開始	終了	転帰	期間満了予定日
アトピー性皮膚炎（顔面・躯幹）	上・外	令和 6 年 6 月 8 日	年　月　日	治ゆ・死亡・中止	年　月　日
	上・外	年　月　日	年　月　日	治ゆ・死亡・中止	年　月　日
	上・外	年　月　日	年　月　日	治ゆ・死亡・中止	年　月　日
	上・外	年　月　日	年　月　日	治ゆ・死亡・中止	年　月　日

既往症・原因・主要症状・経過等	処方・手術・処置等
R 6. 6. 8 ○○病院より紹介（診療情報提供書持参） Jucken(＋＋) 生活環境、食事指導を行う （大麦、スギ花粉、米、ススキ、ブタクサ） 処方薬剤の情報提供（文書）	6. 6. 8 1）皮膚科特定疾患指導管理（Ⅱ） 2）B-末梢血液一般、像（自動機械法） 総蛋白、BUN、CK、AST、ALT、LD、 総ビリルビン、アルカリホスファターゼ、 総コレステロール、蛋白分画 CRP、非特異的 IgE 定量、特異的 IgE 定量（5 種類） 皮内反応検査×5 箇所 診断用アレルゲン皮内エキス「トリイ」 0.2mL×（大麦、スギ花粉、米、ススキ花粉、ブタクサ花粉） 3）皮膚科軟膏処置（200cm²の範囲） パンデル軟膏　0.1%　5 g 4）Rp　パンデル軟膏　0.1%　50g
R 6. 6. 14 Jucken (＋) 引き続き指導	6. 6. 14 1）処置 do（パンデル軟膏　0.1%　5 g） 2）Rp do
R 6. 6. 22 Jucken (＋) 処方薬剤の情報提供（文書）	6. 6. 22 1）処置 do（パンデル軟膏　0.1%　5 g） 2）Rp　パスタロンソフト軟膏 10%　50g

● 解答例 6

診療報酬明細書（医科入院外）　令和 6 年 6 月分

種別	1 医科 ①社・国 ①単独 ⑥家外
保険者番号	06138705
給付割合	10 9 8 7 ( )
被保険者証・被保険者手帳等の記号・番号	1・2348765 （枝番）
氏名	高木　しおり
性別・生年月日	②女　④平 12・2・6 生
職務上の事由	1 職務上　2 下船後3月以内　3 通勤災害

傷病名	診療開始日	転帰	診療実日数
(1) アトピー性皮膚炎（顔面、躯幹）	(1) 令和 6 年 6 月 8 日		保険 3 日
(2)	(2) 年 月 日		公費① 日
(3)	(3) 年 月 日		公費②

区分	項目	点数・回数	合計
⑪ 初診	時間外・休日・深夜 1 回		291 点
⑫ 再診	再診	80 × 2 回	160
	外来管理加算	× 回	
	時間外	× 回	
	休日	× 回	
	深夜	× 回	
⑬ 医学管理			8
⑭ 在宅	往診 / 夜間 / 深夜・緊急 / 在宅患者訪問診療 / その他 / 薬剤	回	
⑳ 投薬	㉑ 内服 薬剤・調剤	× 回	
	㉒ 屯服 薬剤	単位	
	㉓ 外用 薬剤	3 単位	209
	㉓ 外用 調剤	8 × 3 回	24
	㉕ 処方	42 × 3 回	126
	㉖ 麻毒	回	
	㉗ 調基		14
㉚ 注射	㉛ 皮下筋肉内 / ㉜ 静脈内 / ㉝ その他	回	
㊵ 処置		3 回	165
	薬剤		27
㊿ 手術麻酔	薬剤	回	
⑥⓪ 検査病理		8 回	1338
	薬剤		215
⑦⓪ 画像診断	薬剤	回	
⑧⓪ その他	処方箋 / 薬剤	回	

⑫
*（明）　1×2
*（時外 2）　4×2

⑬
*（薬情）　4×2

㉓
*パンデル軟膏 0.1% 50g　94×2
*パスタロンソフト軟膏 10% 50g　21×1

㊵
*皮膚科軟膏処置（200cm²）　55×3
*パンデル軟膏 0.1% 5g　9×3

⑥⓪
*B-末梢血液一般、像（自動機械法）　36×1
総蛋白、尿素窒素、CK、AST、ALT、LD、総ビリルビン、アルカリホスファターゼ、総コレステロール、蛋白分画　103×1
*B-CRP　16×1
*B-IgE(RIST) 定量　100×1
*B-IgE(RAST) 定量　5種類　550×1
*B-皮内反応検査（5箇所）　80×1
*診断用アレルゲン皮内エキス「トリイ」大麦 1：1000 0.2mL
診断用アレルゲン皮内エキス「トリイ」スギ花粉 1：1000 0.2mL
診断用アレルゲン皮内エキス「トリイ」米 1：1000 0.2mL
診断用アレルゲン皮内エキス「トリイ」ススキ花粉 1：1000 0.2mL
診断用アレルゲン皮内エキス「トリイ」ブタクサ花粉 1：1000 0.2mL　43×5
*（判）血、生Ⅰ、免　413×1
*B-V　40×1

療養の給付	請求 点	※決定 点	一部負担金額 円
保険	2,577		
公費①			
公費②			

● 解説 6

血液学的検査、生化学的検査(I)、免疫学的検査などいくつもの検査が行われています。D026 検体検査判断料の算定に注意してください。

6月8日　カルテの「Jucken」は「掻痒感（かゆみ）」のことです。(＋)や(＋＋)は、かゆみの強さを示します。

初　診：時間内初診料 291 点。

医学管理：患者は 16 歳以上のアトピー性皮膚炎ですから、B001「8」皮膚科特定疾患指導管理料(II)の対象疾患ですが、初診の日または初診から 1 か月以内に行った皮膚科特定疾患指導管理料は 初診料に含まれる ため、算定できません。B011-3 薬剤情報提供料の 4 点のみを算定します。

検　査：
D005 末梢血液一般、像(自動機械法)　36 点
D007 総蛋白、尿素窒素、CK、AST、ALT、LD、総ビリルビン、アルカリホスファターゼ、総コレステロール、蛋白分画　103 点（10 項目）
D015 CRP　16 点
D015 非特異的 IgE 定量　100 点
D015 特異的 IgE 定量（5 種類）　110×5＝550 点
D291 皮内反応検査×5 か所　16×5＝80 点
D400 B-V　40 点
㊙血(125 点)＋生 I (144 点)＋免(144 点)＝413 点
（以上 計 1,338 点）

末梢血液一般検査と末梢血液像は血液学的検査の D005 血液形態・機能検査です。総蛋白から蛋白分画測定までの 10 項目は生化学検査(I)の D007 血液化学検査です。また CRP と非特異的 IgE 定量、特異的 IgE 定量は免疫学的検査の D015 血漿蛋白免疫学的検査です。それぞれ判断料が算定できます。

なお D291 皮内反応検査にアレルゲン皮内エキスを使用してい

るので、その薬剤料として、

診断用アレルゲン皮内エキス「トリイ」大麦 1：1000 0.2mL
診断用アレルゲン皮内エキス「トリイ」スギ花粉 1：1000 0.2mL
診断用アレルゲン皮内エキス「トリイ」米 1：1000 0.2mL
診断用アレルゲン皮内エキス「トリイ」ススキ花粉 1：1000 0.2mL
診断用アレルゲン皮内エキス「トリイ」ブタクサ花粉 1：1000 0.2mL
｝各 433.2 → 43 点×5

を算定します。

処　置：カルテに「皮膚科軟膏（なんこう）処置（200cm^{2}の範囲）」とあるので、J053 皮膚科軟膏処置の **55** 点を算定します。
処置に使用した薬剤料はパンデル軟膏 0.1% 5 g で、
18.80×5＝94→**9** 点

投　薬：パンデル軟膏 0.1%　50g　18.80×50＝940 → **94** 点
外用薬調剤料 **8** 点、処方料 **42** 点、調剤技術基本料 **14** 点

6 月 14 日

再　診：時間内再診料 **75** 点、明細書発行体制・時間外対応 2 届出医療機関なので、明細書発行体制等加算 **1** 点、時間外対応加算 2 **4** 点を加算します。なお処置を行っているので外来管理加算は算定できません。

処　置：6 月 8 日と同じ処置です。処置に使った薬剤も同じです。
処置料 **55** 点、薬剤料 **9** 点

投　薬：投薬も 6 月 8 日と同じです。薬剤料 **94** 点
外用薬調剤料 **8** 点と処方料 **42** 点も 8 日と同じですが、調剤技術基本料は同一月に 1 回限りですので算定できません。

6 月 22 日

再　診：時間内再診料 **75** 点、明細書発行体制等加算 **1** 点、時間外対応加算 2　**4** 点は、14 日と同じです。

処　置：処置料 **55** 点、処置の薬剤料 **9** 点は、14 日と同じです。

投　薬：投薬の処方内容がかわりました。
パスタロンソフト軟膏 10%　50g　4.20×50＝210 → **21** 点
外用薬調剤料 **8** 点、処方料 **42** 点

医学管理：薬剤情報提供料は月 1 回の算定ですが、投薬の処方内容がかわったので、**4** 点を算定できます。

● 練習問題 7　次の診療録から診療報酬明細書を作成しなさい。

○施設の概要等：病院40床
○職員の状況：薬剤師常勤

○診療時間：月曜～金曜　9時～17時
土曜　9時～12時
日曜・祝日　休診

診　療　録

公費負担者番号		保険者番号	1 3 8 1 2 3
公費負担医療の受給者番号		被保険者証・被保険者手帳 記号・番号	12-09・6618
		有効期限	令和　年　月　日

受診者		保険者	
氏名	長谷川　千春	世帯主(組合員)氏名	長谷川　司
生年月日	明・大・昭・平・(令) 4年8月19日　男・(女)	資格取得	昭・平・令　年　月　日
住所	文京区小石川3－5－8 電話　局　番	保険者	
職業	世帯主との続柄：家族	一部負担金の割合	2割　割

傷病名	開始	終了	転帰
急性上気道炎	令和6年7月31日	令和6年8月3日	(治ゆ)・死亡・中止
両下腿部熱傷（Ⅱ度）	令和6年8月19日	年　月　日	治ゆ・死亡・中止
	年　月　日	年　月　日	治ゆ・死亡・中止
	年　月　日	年　月　日	治ゆ・死亡・中止

既往症・原因・主要症状・経過等	処方・手術・処置等
R6.8.1 昨夜も元気がなく、食事もとらない。 KT 38.5℃ Husten　(+) 処方薬剤の情報提供（文書）	6.8.1 inj　スルピリン注射液25%　0.5 mL Rp　ラリキシンDSy　4.0 　　アリメジンSy　4 mL 　　メジコン配合Sy　4 mL 　　分3×3TD 胸部デジタルX-P　(四×1)
R6.8.3 KT 38.0℃ 処方薬剤の情報提供（文書）	6.8.3 inj　do Rp　アルピニー坐剤(50) 1個 3回分
R6.8.19 PM 9:00 誤ってポットを倒し、熱湯がかかった。 範囲550cm² 　水泡（+） 処方薬剤の情報提供（文書）	6.8.19 両下腿部熱傷処置「3」 　ソフラチュール　2枚 　スタデルム軟膏5%　6g inj　ソセゴン注射液　15mg　1A　im 　　セフメタゾン静注用 0.25g 1瓶　iV 　　生食注　20 mL「HP」1A Rp　ビクシリンDSy 4.0 　　分3×3TD
R6.8.20 だいぶ良くなってきた。	6.8.20 処置　do

カルテ

既往症・原因・主要症状・経過等	処 方 ・ 手 術 ・ 処 置 等
R 4.8.22 範囲 300cm^2 処方薬剤の情報提供（文書）	4.8.22 処置 do ソフラチュール 1枚 スタデルム軟膏 5% 4g Rp do 3TD
R 4.8.23	4.8.23 処置 do
R 4.8.24	4.8.24 処置 do Rp スタデルム軟膏 5% 10g 2本

● 解答例 7

診療報酬明細書
（医科入院外）　令和 6 年 8 月分

都道府県番号　医療機関コード

1 医科　①社・国　2 公費　3 後期　4 退職　①単独　2 2併　3 3併　2 本外　④六外　6 家外　8高外一　0高外7

保険者番号：13 8123　給付割合：10 9 ⑧ 7（ ）

公費負担者番号①／公費負担医療の受給者番号①
公費負担者番号②／公費負担医療の受給者番号②

被保険者証・被保険者手帳等の記号・番号：12-09・6618（枝番）

氏名：長谷川　千　春
1男 ②女　1明 2大 3昭 4平 ⑤令　4・8・19生

特記事項

職務上の事由：1 職務上　2 下船後 3 月以内　3 通勤災害

保険医療機関の所在地及び名称　（　床）

傷病名	診療開始日	転帰	診療実日数
(1) 急性上気道炎	(1) 令和 6 年 7 月 31 日	治ゆ (1)	保険 7 日
(2) 両下腿部熱傷（Ⅱ度）	(2) 令和 6 年 8 月 19 日	死亡　中止	公費① 日
(3)	(3) 年 月 日		公費②

区分	項目	点数×回数	回数	点数
⑪ 初診	時間外・休日・深夜		1 回	491 点
⑫ 再診	再診	113×	6 回	678
	外来管理加算	52×	2 回	104
	時間外	×	回	
	休日	×	回	
	深夜	×	回	
⑬ 医学管理				12
⑭ 在宅	往診		回	
	夜間		回	
	深夜・緊急		回	
	在宅患者訪問診療		回	
	その他			
	薬剤			
⑳ 投薬	㉑ 内服 薬剤		9 単位	63
	㉑ 内服 調剤	11×	3 回	33
	㉒ 屯服 薬剤		単位	
	㉓ 外用 薬剤		2 単位	31
	㉓ 外用 調剤	8×	2 回	16
	㉕ 処方	45×	5 回	225
	㉖ 麻毒		回	
	㉗ 調基			14
㉚ 注射	㉛ 皮下筋肉内		3 回	102
	㉜ 静脈内		1 回	122
	㉝ その他		回	
㊵ 処置			5 回	1250
	薬剤			85
㊿ 手術・麻酔			回	
	薬剤			
60 検査・病理			回	
	薬剤			
70 画像診断			1 回	202
	薬剤			
80 その他	処方箋		回	
	薬剤			

公費分点数

⑬ ＊（薬情）　4×3
㉑ ＊ラリキシンドライシロップ小児用 10%　4.0
　アリメジンシロップ 0.05%　4mL
　メジコン配合シロップ　4mL　11×3

＊ビクシリンドライシロップ 10%　4.0　5×6
㉓ ＊アルピニー坐剤 50　3 個　6×1
＊スタデルム軟膏 5%　20g　25×1
㉛ ＊スルピリン注射液 25%1mL　1A　34×2
＊ソセゴン注射液 15mg　1A　34×1
㉜ ＊セフメタゾン静注用 0.25g　1 瓶
　生食注 20mL「Hp」　1A　122×1

㊵ ＊熱傷処置「3」（外）（初回 8 月 19 日）
　472×1
＊ソフラチュール貼付剤 10cm 10.8mg 10cm×10cm 2 枚
　スタデルム軟膏 5%　6g　23×2
＊熱傷処置「3」　337×1
＊熱傷処置「2」　147×3
＊ソフラチュール貼付剤 10.8mg 10cm×10cm 1 枚
　スタデルム軟膏 5%　4g　13×3

70 ＊胸部デジタル X-P（画像記録用 四×1）
　202×1

療養の給付	請求 点	※決定 点	一部負担金額 円
保険	3,428		減額 割(円)免除・支払猶予
公費①	点	点	円
公費②	点	点	円

※高額療養費 円　※公費負担点数 点　※公費負担点数 点

● 解説 7

ポイント 令和 4 年 8 月 19 日生まれの 1 歳児です。（月の途中で 2 歳になります）年齢加算に注意しましょう。また、途中で治ゆしている傷病がありますので、初・再診料に注意します。

8月1日　7 月から急性上気道炎を継続しているので、再診料の算定となります。

再　診：再診料　75 点＋乳幼児加算　38 点＝113 点
外来管理加算　52 点

医学管理：薬剤情報提供料　4 点

投　薬：内服薬の処方です。

ラリキシンドライシロップ小児用 10%　4.0　24.20×4
アリメジンシロップ 0.05%　4mL　17.00×0.4
メジコン配合シロップ　4mL　17.30×0.4
} 110.52 → 11 点×3TD

内服薬調剤料 11 点
処方料 42 点＋乳幼児加算 3 点＝45 点
調剤技術基本料 14 点

注　射：注射方法の記載がありませんが、薬剤の種類や量で判断します。今回はスルピリンを 0.5mL 使用ですので、iM で算定します。
また、スルピリンはアンプル入りの薬剤で 1 管 1mL ですので、0.5mL 使用でも 1 管での算定です。
iM　スルピリン注射液 25%　0.5mL　94 → 9 点＋実施料 25 点＝34 点

画　像：胸部のデジタル撮影を行っています。撮影料、フィルム料に乳幼児の加算がありますので、注意します。

写真診断料　85 点
撮影料　68＋68×0.5＝102 → 102 点
フィルム料　13.5×1.1＝14.85 → 15 点
} 202 点

8月3日

再　診：再診料　75 点＋乳幼児加算　38 点＝113 点

外来管理加算　52点

医学管理：薬剤情報提供料　4点

投　薬：外用薬の処方です。

アルピニー坐剤50　1個3回分　19.70×3=59.10→6点

外用薬調剤料8点、処方料42点+乳幼児加算3点=45点

注　射：1日と同様です。　34点

8月19日　急性上気道炎が3日に治ゆしているので、初診での受診です。また、時間がPM9:00ですので、年齢加算だけでなく時間外加算にも注意します。また、誕生日ですのでこの日から2歳になります。

初　診：初診料291点+乳幼児時間外加算200点=491点

医学管理：薬剤情報提供料　4点

投　薬：内服薬の処方です。

ビクシリンドライシロップ10%　4.0　12.00×4=48.00　→5点×3TD

内服薬調剤料　11点、処方料42点+乳幼児加算3点=45点

注　射：iM　ソセゴン注射液15mg　1A　89.00→9点+実施料25点=34点

iV　セフメタゾン静注用0.25g　1瓶　270
生食注　20mL「Hp」1A　62
} 332→33点+実施料37点+乳幼児加算52点=122点

処　置：両下腿部の熱傷処置を行っています。

年齢加算はありませんが、150点以上の処置ですので時間加算が算定できます。

処置で使用した薬剤は、15円をこえる場合は算定します。

J001熱傷処置「3」　337点+時間外加算2　337×40／100点=472点

ソフラチュール貼付剤10cm　10.8mg　2枚　77.50×2
スタデルム軟膏5%　6g　12.30×6
} 228.80→23点

8月20日

再　診：再診料75点+乳幼児加算38点=113点

処　置：19日と同様ですが、今回は時間外加算の算定がありません。

解説

J001 熱傷処置「3」 337点、薬剤料23点

8月22日

再　診：再診料75点＋乳幼児加算38点＝113点
医学管理：前回の薬剤と同様ですので、算定不可です。
投　薬：19日と同様。
薬剤料5点×3TD
内服薬調剤料11点
処方料42点＋乳幼児加算3点＝45点
処　置：前回と同じ処置ですが、範囲が縮小されており、薬剤の量も変更されています。
J001 熱傷処置「2」 147点
ソフラチュール貼付剤10cm 10.8mg 1枚 77.50
スタデルム軟膏5%　4g　12.30×4
} 126.7→13点

8月23日

再　診：再診料75点＋乳幼児加算38点＝113点
処　置：22日と同様。
処置料147点、薬剤料13点

8月24日

再　診：再診料75点＋乳幼児加算38点＝113点
投　薬：外用薬の処方です。
スタデルム軟膏5%　10g　2本　12.30×10×2＝246.00→25点
外用薬調剤料8点
処方料42点＋乳幼児加算3点＝45点
処　置：22日と同様。
処置料147点、薬剤料13点

● 練習問題 8　次の診療録から診療報酬明細書を作成しなさい。

○施設の概要等：在宅療養支援診療所　（内科）
10床
○院外処方

○診療時間：月曜～金曜　9時～17時
土曜　9時～12時
日曜・祝日　休診

診　療　録

1割給付

公費負担者番号		保険者番号	3 9 1 3 1 1 4 9
公費負担医療の受給者番号		被保険者証 被保険者手帳 記号・番号	12344321
		有効期限	令和　年　月　日

受診者					
氏名	駒井うめ			被保険者氏名	
生年月日	明・大・(昭)・平・令 22年9月18日	男・(女)		資格取得	昭・平・令　年　月　日
住所	電話　局　番			事業所（船舶所有者） 所在地	
				名称	
職業		被保険者との続柄	本人	保険者 所在地	
				名称	

傷病名	職務	開始	終了	転帰	期間満了予定日
脊髄腫瘍、下半身麻痺	上・外	平成29年6月3日	年　月　日	治ゆ・死亡・中止	年　月　日
左肩関節周囲炎	上・外	平成29年6月20日	年　月　日	治ゆ・死亡・中止	年　月　日
上気道炎	上・外	令和6年7月20日	年　月　日	治ゆ・死亡・中止	年　月　日
	上・外	年　月　日	年　月　日	治ゆ・死亡・中止	年　月　日

既往症・原因・主要症状・経過等	処方・手術・処置等
R 6.7.5 現在、自宅療養中 fever　(－) 左肩の Pain　(＋) 在宅患者訪問診療（PM1：00）	6.7.5 訪問看護指示書　発行 Rp　モーラステープ　28枚 (1日2枚) 重度褥瘡処置(腰部) (初回；29年8月20日) (100cm²～500cm²未満) フエナゾール軟膏 5%　5g
R 6.7.13 在宅患者訪問診療（PM1：00）	6.7.13 処置　do Rp do　28枚
R 6.7.20　往診（PM2：30） 昨夜より BT 38.8°、BP 104/62 タン　(＋) 発汗　(＋)　→　水分補給のこと	6.7.20 点滴 生食　100mL　1袋 ホスミシンS静注用　1g　1瓶 処置 do
R 6.7.26　往診　PM8：30 夕方より BT38.9°、BP 100/60 タン　(－) 患者への往診の担当者等の文書は提供済み (略)	6.7.26 点滴 do

● 解答例 8

診療報酬明細書
（医科入院外）　令和 6 年 7 月分

都道府県番号　医療機関コード

1 医科　1 社・国　③ 後期　① 単独　2 本外　⑧高外一
2 公費　4 退職　2 2併　4 六外　0 高外7
3 3併　6 家外

保険者番号　39131149　給付割合 10 9 8 7（　）

公費負担者番号①　公費負担医療の受給者番号①
公費負担者番号②　公費負担医療の受給者番号②

被保険者証・被保険者手帳等の記号・番号　12344321　（枝番）

氏名　駒井うめ
1男 ②女　1明 2大 ③昭 4平 5令 22・9・18生
職務上の事由　1 職務上　2 下船後3月以内　3 通勤災害

特記事項

保険医療機関の所在地及び名称　（　床）

傷病名	診療開始日
(1) 脊髄腫瘍、下半身麻痺	(1) 平成29年6月3日
(2) 左肩関節周囲炎	(2) 平成29年6月20日
(3) 上気道炎	(3) 令和6年7月20日

転帰：治ゆ　死亡　中止
診療実日数：保険 4 日　公費① 日　公費②

区分	項目	点数×回数	回	点
⑪ 初診	時間外・休日・深夜		回	点
⑫ 再診	再診	75×	2回	150
	外来管理加算	52×	1回	52
	時間外	65×	1回	65
	休日	×	回	
	深夜	×	回	
⑬ 医学管理				
⑭ 在宅	往診		1回	720
	夜間		1回	2020
	深夜・緊急		回	
	在宅患者訪問診療		2回	1776
	その他			300
	薬剤			
⑳ 投薬	㉑ 内服 薬剤		単位	
	㉑ 内服 調剤	×	回	
	㉒ 屯服 薬剤		単位	
	㉓ 外用 薬剤		単位	
	㉓ 外用 調剤	×	回	
	㉕ 処方	×	回	
	㉖ 麻毒		回	
	㉗ 調基			
㉚ 注射	㉛ 皮下筋肉内		回	
	㉜ 静脈内		回	
	㉝ その他		2回	252
㊵ 処置			3回	180
	薬剤			21
㊿ 手術麻酔			回	
	薬剤			
60 検査病理			回	
	薬剤			
70 画像診断			回	
	薬剤			
80 その他	処方箋		2回	120
	薬剤			

⑭ ＊(在支援1)
在宅患者訪問診療料(5、13日)　888×2
訪問看護指示料　(5日)　300×1

㉝ ＊点滴注射　53×2
生食　100mL　1袋
ホスミシンS　静注用 1g　1瓶　73×2

㊵ ＊創傷処置(100cm²～500cm² 未満)　60×3
フエナゾール軟膏5%　5g　7×3

80 ＊処方箋料　60×2

療養の給付	請求 点	※決定 点	一部負担金額 円
保険	5,656		減額 割(円)免除・支払猶予
公費①	点	点	円
公費②	点	点	円

※高額療養費 円　※公費負担点数 点　※公費負担点数 点

● 解説 8

患者は昭和 22 年生まれの後期高齢者です。自宅療養を行っており、在宅療養支援診療所にて訪問診療を実施しています。

7 月 5 日

再診料：在宅患者訪問診療料を算定しているため、再診料は算定できません。

在　宅：自宅療養中の患者の居宅を定期的に訪問して診療を行っているので、C001 在宅患者訪問診療料 1 のイ 888 点を算定します。また、医師が訪問看護の必要を認め、訪問看護指示書を交付しているので C007 訪問看護指示料 300 点を算定できます。

投　薬：投薬を行っていますが外用薬です。院外処方なので処方箋料 60 点を算定します。

処　置：重度褥瘡処置（腰部）を行っていますが、初回の処置を行った日から 2 か月をこえているため創傷処置の点数で算定します。$100cm^2$〜$500cm^2$ 未満は、J000 創傷処置 60 点を算定します。なお処置に使った薬剤料は

フエナゾール軟膏 5%　5g　14.90×5g＝74.50→ 7 点

7 月 13 日

再診料：在宅患者訪問診療料を算定しているため再診料は算定できません。

在　宅：在宅患者訪問診療料 1 のイ　888 点

投　薬：処方箋料　60 点

処　置：5 日と同じ処置　60 点＋薬剤料 7 点

7 月 20 日

再診料：定期的に訪問診療を行っている患者でも、急性増悪のための診療の場合は往診料と再診料を算定します。なお、この場合は在

解説

宅患者訪問診療料は算定できません。再診料は時間内で **75** 点。
処置を行っているので外来管理加算は算定できません。

在　宅：C000 往診料　**720** 点

注　射：
生食　100mL　1袋　147
ホスミシンS静注用 1g 1瓶　587
} 734→**73** 点

G004 点滴注射（その他）実施料 **53** 点＋薬剤料 73 点＝**126** 点

処　置：5日と同じ処置です。**60** 点＋薬剤料 **7** 点

7月26日

再診料：午後8時30分に往診を行っています。時間外加算を加算できます。

時間内再診料 75 点＋時間外加算 65 点＝**140** 点

外来管理加算 **52** 点も算定します。

在　宅：夜間の往診なので、再診料の加算とは別に往診料にも夜間・休日往診加算を算定できます。この医療機関は在宅療養支援診療所なので、C000 往診料 720 点に夜間・休日往診加算として 1300 点を算定します。

720＋1300＝**2020** 点

注　射：20日と同様。

● 練習問題 9　次の診療録から診療報酬明細書を作成しなさい。

○施設の概要等：病院（内科・外科・小児科・眼科・耳鼻咽喉科）90 床
○職員の状況：薬剤師常勤
○診療時間：月曜～金曜　9 時～17時
土曜　9 時～12時
日曜・祝日　休診

診　療　録

公費負担者番号	
公費負担医療の受給者番号	

保険者番号	0 6 2 7 0 8 5 4
被保険者証・被保険者手帳　記号・番号	300・654321
有効期限	令和　年　月　日
被保険者氏名	千　葉　信　二
資格取得	昭・平・令　年　月　日
事業所（船舶所有者）所在地	
事業所（船舶所有者）名称	
保険者 所在地	
保険者 名称	

受診者	
氏名	千　葉　佳　彦
生年月日	明・大・昭・(平)・令 3 年 6 月29日　(男)・女
住所	電話　局　番
職業	被保険者との続柄：家　族

傷病名	職務	開始	終了	転帰	期間満了予定日
急性気管支炎	上・外	令和 6 年 6 月11日	6 年 6 月25日	治ゆ・死亡・(中止)	年　月　日
急性中耳炎	上・外	令和 6 年 6 月25日	年　月　日	治ゆ・死亡・中止	年　月　日
	上・外	年　月　日	年　月　日	治ゆ・死亡・中止	年　月　日
	上・外	年　月　日	年　月　日	治ゆ・死亡・中止	年　月　日

既往症・原因・主要症状・経過等	処方・手術・処置等
R 6.6.11　PM 10：30　緊急来院 発熱　39.6℃ のどの痛み　(+)	6.6.11　初診 Rp ブルフェン錠　100　3 T ケフラールカプセル 250mg 3 C ムコソルバン錠　15mg　3 T ／分 3×3 日分 検査 U-検、沈（鏡検法） B-末梢血液一般、ESR、像（自動機械法） 胸部アナログ X-P（四×2）
R 6.6.14　熱は下がる のどの痛み　(+) 咳　(+) 鼻水　(+)	6.6.14 Rp ペオン錠　80　3 T ムコソルバン錠 15mg　6 T ／分 3×3 日分 ポララミン錠 2mg　2 T／分 2×3 日分

カルテ

既往症・原因・主要症状・経過等	処方・手術・処置等
R6.6.25　耳鳴り　(+) 閉塞感、難聴　(+) 急性中耳炎	6.6.25 Rp クロロマイセチン錠　250 3T/分 1×3日分 処置 耳垢一部除去 耳管通気法（カテーテルによる耳管通気法）　(両側)
R6.6.28　閉塞感がつづき病状改善のため鼓膜切開し中耳に溜まっている分泌液の排出を行う。	6.6.28 手術 鼓膜切開術 イオントフォレーゼ使用 キシロカイン注射液 1%　3mL IV スルバシリン 静注用 0.75g 1V Aq(注射用水) 20mL 1A

● 解答例 9

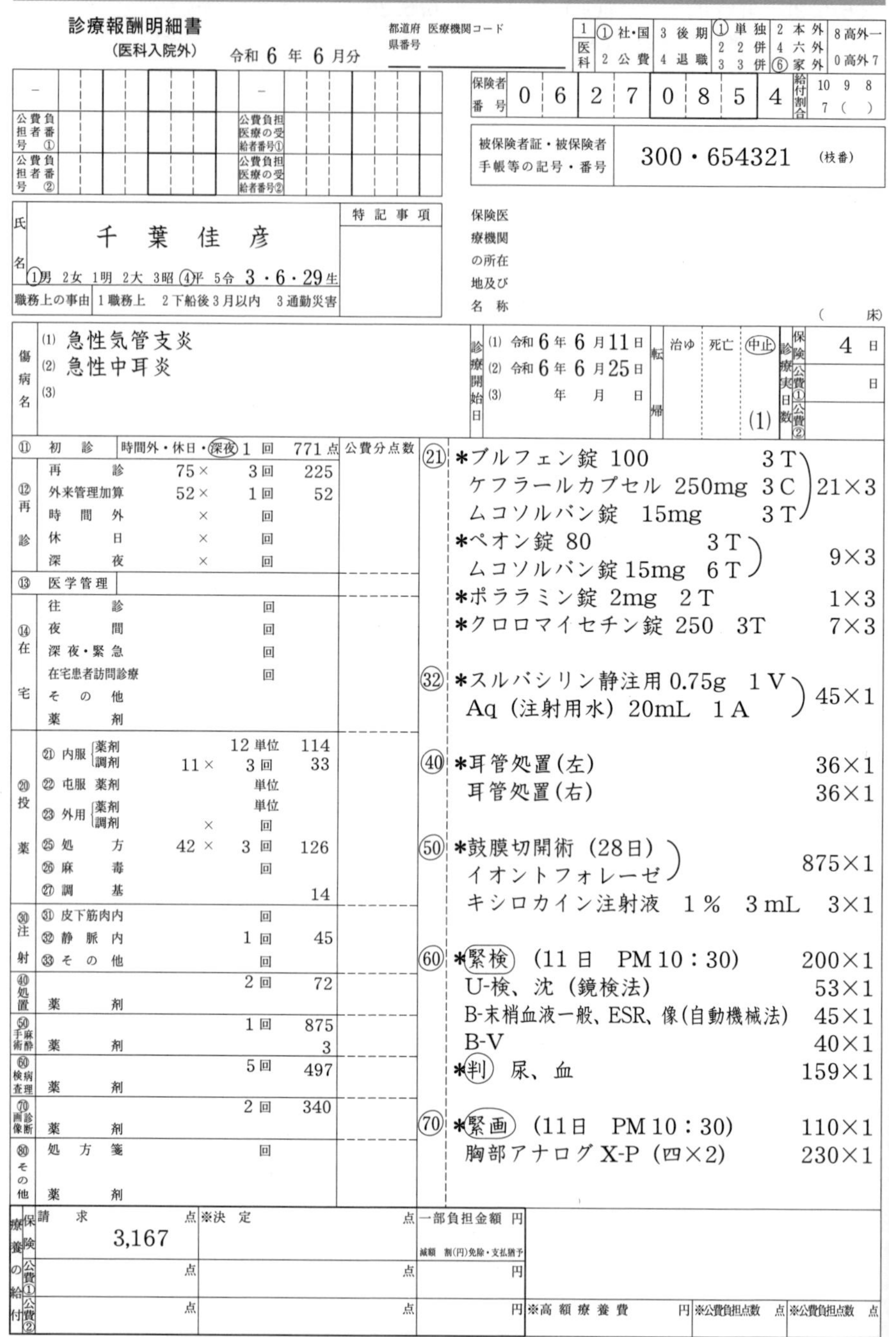

診療報酬明細書（医科入院外）　令和 6 年 6 月分

都道府県番号　医療機関コード

1 医科　① 社・国　2 公費　3 後期　4 退職　① 単独　2 2併　3 3併　2 本外　4 六外　⑥ 家外　8 高外一　0 高外7

保険者番号　06270854　給付割合 10 9 8 7（　）

公費負担者番号①　公費負担医療の受給者番号①

公費負担者番号②　公費負担医療の受給者番号②

被保険者証・被保険者手帳等の記号・番号　300・654321（枝番）

氏名　千　葉　佳　彦

①男 2女 1明 2大 3昭 ④平 5令 3・6・29生

職務上の事由　1 職務上　2 下船後3月以内　3 通勤災害

特記事項

保険医療機関の所在地及び名称

（　床）

傷病名
(1) 急性気管支炎
(2) 急性中耳炎
(3)

診療開始日
(1) 令和 6 年 6 月 11 日
(2) 令和 6 年 6 月 25 日
(3) 年 月 日

転帰　治ゆ　死亡　中止 (1)

診療実日数　保険 4 日　公費① 日　公費②

区分	項目	点数×回数	回数	点数
⑪ 初診	時間外・休日・深夜		1 回	771 点
⑫ 再診	再診	75×	3 回	225
	外来管理加算	52×	1 回	52
	時間外	×	回	
	休日	×	回	
	深夜	×	回	
⑬ 医学管理				
⑭ 在宅	往診		回	
	夜間		回	
	深夜・緊急		回	
	在宅患者訪問診療		回	
	その他			
	薬剤			
⑳ 投薬	㉑ 内服 薬剤		12 単位	114
	㉑ 内服 調剤	11×	3 回	33
	㉒ 屯服 薬剤		単位	
	㉓ 外用 薬剤		単位	
	㉓ 外用 調剤	×	回	
	㉕ 処方	42×	3 回	126
	㉖ 麻毒		回	
	㉗ 調基			14
㉚ 注射	㉛ 皮下筋肉内		回	
	㉜ 静脈内		1 回	45
	㉝ その他		回	
㊵ 処置			2 回	72
	薬剤			
㊿ 手術麻酔			1 回	875
	薬剤			3
⑥⓪ 検査病理			5 回	497
	薬剤			
⑦⓪ 画像診断			2 回	340
	薬剤			
⑧⓪ その他	処方箋		回	
	薬剤			

公費分点数

区分	摘要	点数×回数
㉑	*ブルフェン錠 100 3T ケフラールカプセル 250mg 3C ムコソルバン錠 15mg 3T	21×3
	*ペオン錠 80 3T ムコソルバン錠 15mg 6T	9×3
	*ポララミン錠 2mg 2T	1×3
	*クロロマイセチン錠 250 3T	7×3
㉜	*スルバシリン静注用 0.75g 1V Aq（注射用水）20mL 1A	45×1
㊵	*耳管処置（左）	36×1
	耳管処置（右）	36×1
㊿	*鼓膜切開術（28日） イオントフォレーゼ	875×1
	キシロカイン注射液 1% 3mL	3×1
⑥⓪	*緊検（11日 PM 10：30）	200×1
	U-検、沈（鏡検法）	53×1
	B-末梢血液一般、ESR、像（自動機械法）	45×1
	B-V	40×1
	*判 尿、血	159×1
⑦⓪	*緊画（11日 PM 10：30）	110×1
	胸部アナログ X-P（四×2）	230×1

療養の給付	請求 点	※決定 点	一部負担金額 円
保険	3,167		減額 割(円)免除・支払猶予
公費①	点	点	円
公費②	点	点	円

※高額療養費 円　※公費負担点数 点　※公費負担点数 点

● 解説 9

ポイント 時間外緊急院内検査加算、時間外緊急院内画像診断加算のレセプト摘要欄への表示（日付、時間等）を忘れないようにしましょう。

6月11日 午後10時30分に緊急来院です。

初　診： 初診料は291点、深夜加算の480点を加算して合計771点。

投　薬：

ブルフェン錠100	5.90×3	207.6 → 21点×3 TD
ケフラールカプセル250mg	54.70×3	
ムコソルバン錠　15mg	8.60×3	

内服薬調剤料11点、処方料42点、調剤技術基本料14点

検　査： 検体検査が深夜に行われたので時間外緊急院内検査加算200点を算定します。検査料は、D000 U-検（尿中一般物質定性半定量検査）26点、D002 沈（尿沈渣（鏡検法））27点、D005 末梢血液一般検査 21点、D005 ESR（赤血球沈降速度）9点、D005 像（末梢血液像（自動機械法））15点、D400 B-V の40点を算定し、判断料は尿の34点と血の125点を算定します。

画　像： 画像診断にも時間外の加算があります。時間外緊急院内画像診断加算110点を算定します。

胸部X-P(四ツ切2枚)は撮影回数が2回でアナログ撮影ですから

写真診断料	85＋85×0.5 → 128点	230点
撮影料	60＋60×0.5 → 90点	
フィルム料（四ツ切×2）	6.2×2 → 12点	

6月14日

再　診： 時間内再診料75点、外来管理加算52点を算定。

投　薬： ペオン錠80とムコソルバン錠15mgは分3×3日分、ポララミン錠2mgは分2×3日分というように服用方法がちがいます。このようなときは内服薬が同時に処方されていても、薬剤料は別々に算定します。

ペオン錠　80　　　　11.50×3
ムコソルバン錠 15mg　8.60×6
} 86.1 → **9** 点×3 TD

ポララミン錠　2mg　5.70×2＝11.40 → **1** 点×3 TD

内服薬調剤料 **11** 点、処方料 **42** 点

6月25日

再　診： 時間内再診料 **75** 点。処置が行われているので外来管理加算は算定できません。

投　薬：

クロロマイセチン錠 250　24.60×3＝73.8 → **7** 点×3TD

内服薬調剤料 **11** 点、処方料 **42** 点

処　置： 耳垢（じこう）一部除去は基本診療料に含まれ、別に算定できません。また耳管通気法（じかんつうきほう）は J096 耳管処置（カテーテルによる耳管通気法）（片側）36 点ですが両側施行なので 左右別々に算定 します。このように耳などの左右対称器官は、処置名の次に（片側）とあるものを両側施行（しこう）したときは、左右別々に算定します。

耳管処置(左)　**36** 点　　耳管処置(右)　**36** 点

6月28日

再　診： 再診料 **75** 点。手術が行われているので外来管理加算は算定できません。

注　射： スルバシリン静注用 0.75g 1Vは Aq (20mL) 1A に溶（と）かして使用します。

スルバシリン静注用 0.75g 1V　392
Aq 20mL 1A　62
} 454 → **45** 点

なお、手術当日に手術に関連して行う注射の実施料 は、術前・術後にかかわらず、算定できません。

手　術： K300 鼓膜（こまく）切開術 **830** 点に手術医療機器の K933 イオントフォレーゼ加算 **45** 点を算定します。なお、イオントフォレーゼを使用した場合は麻酔料は別に算定できません。麻酔に使用した 薬剤料のみ を算定します。

キシロカイン注射液 1％ 3mL　110×0.3＝33.0 → **3** 点

● 練習問題 10　次の診療録から診療報酬明細書を作成しなさい。

○施設の概要等：診療所、運動器リハビリテーション届出
明細書発行体制等加算 1

○診療時間：月曜～金曜　9 時～17 時
土曜　9 時～12 時
日曜・祝日　休診

診　療　録

公費負担者番号		保険者番号	1 3 3 0 7 4
公費負担医療の受給者番号		被保険者証・被保険者手帳 記号・番号	75 - 29 ・ 93
		有効期限	令和　年　月　日

受診者					
氏名	平井恵美			世帯主(組合員)氏名	平井太郎
生年月日	明・大・(昭)・平・令 48年9月19日		男・(女)	資格取得	昭・(平)・令 10 年 9 月 1 日
住所	電話 3634 局 1131 番			保険者	
職業		世帯主との続柄	家族	一部負担金の割合	3 割　　割

傷病名	開始	終了	転帰
左下腿骨骨折	令和 6 年 3 月 12 日	年 月 日	治ゆ・死亡・中止
頸肩腕症候群	令和 6 年 5 月 11 日	年 月 日	治ゆ・死亡・中止
後頭神経痛	令和 6 年 5 月 11 日	年 月 日	治ゆ・死亡・中止
	年 月 日	年 月 日	治ゆ・死亡・中止

既往症・原因・主要症状・経過等	処方・手術・処置等
R 6.5.9 (4.3.12　左下腿手術) 左下腿術後良好	6.5.9 1) 運動器リハビリテーション(Ⅱ) 個別 1 単位
R 6.5.11 右肩の関節部に疼痛、運動制限 頸部、後頭部に放散痛 上肢小筋の萎縮？ 処方薬剤の情報提供 (文書)	6.5.11 1) リハビリテーション　do 2) 上肢マッサージ 3) オピソート注射用　100mg1A　iM 4) 後頭神経ブロック 1%カルボカイン　10 mL 5) Rp ｛オパイリン　3T リンラキサー錠 250mg　3T｝ 分 3×4TD
R 6.5.16 上肢にしびれ感	6.5.16 1) 消炎鎮痛等処置 (マッサージ、ホットパック) 2) ｛ビタメジン 1 瓶　iV ブドウ糖注 20%　20 mL｝
R 6.5.18 消炎鎮痛等処置後、カーマスプラスターを用いて両肩の大部に湿布処置 処方薬剤の情報提供 (文書)	6.5.18 1) ホットパック 2) 消炎鎮痛等処置 (湿布) ハップスター ID　6 枚 3) Rp　i) do　7TD ii) ハップスター ID　14 枚
R 6.5.25	6.5.25 1) (点) ｛プラスアミノ輸液 500 mL　1 袋 ビタメジン　1 瓶｝ 2) Rp　i) do　7TD ii) 外用　do　10 枚

● 解答例 10

診療報酬明細書
（医科入院外）　令和 6 年 5 月分

都道府県番号　医療機関コード

1 医科　① 社・国　2 公費　3 後期　4 退職　① 単独　2 2併　3 3併　2 本外　4 六外　⑥ 家外　8 高外一　0 高外7

保険者番号	1	3	3	0	7	4	給付割合 10 9 8 ⑦（ ）

公費負担者番号①　公費負担医療の受給者番号①
公費負担者番号②　公費負担医療の受給者番号②

被保険者証・被保険者手帳等の記号・番号　75-29・93　（枝番）

氏名　平　井　恵　美
1男 ②女　1明 2大 ③昭 4平 5令 48・9・19 生
職務上の事由　1 職務上　2 下船後 3 月以内　3 通勤災害

特記事項

保険医療機関の所在地及び名称　（　床）

傷病名	診療開始日
(1) 左下腿骨骨折	(1) 令和 6 年 3 月 12 日
(2) 頸肩腕症候群	(2) 令和 6 年 5 月 11 日
(3) 後頭神経痛	(3) 令和 6 年 5 月 11 日

転帰：治ゆ　死亡　中止
診療実日数：保険 5 日　公費① 日　公費② 日

区分	項目	点数×回数	回数	点
⑪ 初診	時間外・休日・深夜		回	点
⑫ 再診	再診	76 ×	5 回	380
	外来管理加算	52 ×	1 回	52
	時間外	×	回	
	休日	×	回	
	深夜	×	回	
⑬ 医学管理				8
⑭ 在宅	往診		回	
	夜間		回	
	深夜・緊急		回	
	在宅患者訪問診療		回	
	その他			
	薬剤			
⑳ 投薬	㉑ 内服 薬剤		18 単位	90
	㉑ 内服 調剤	11 ×	3 回	33
	㉒ 屯服 薬剤		単位	
	㉓ 外用 薬剤		2 単位	29
	㉓ 外用 調剤	8 ×	2 回	16
	㉕ 処方	42 ×	3 回	126
	㉖ 麻毒		回	
	㉗ 調基			
㉚ 注射	㉛ 皮下筋肉内		1 回	62
	㉜ 静脈内		1 回	59
	㉝ その他		2 回	152
㊵ 処置			2 回	70
	薬剤			7
㊿ 手術麻酔			1 回	90
	薬剤			11
60 検査病理			回	
	薬剤			
70 画像診断			回	
	薬剤			
80 その他	処方箋		回	
			2 回	340
	薬剤			

公費分点数

⑫ ＊㊊明
⑬ ＊㊊薬情　4×2
㉑ ＊オパイリン錠 125mg　3T
リンラキサー錠 250mg　3T　5×18
㉓ ＊ハップスター ID 70mg 10cm×14cm　14 枚　17×1
＊ハップスター ID 70mg 10cm×14cm　10 枚　12×1
㉛ ＊オピソート注射用 0.1g 100mg 1A　62×1
㉜ ＊ビタメジン静注用　1 瓶
ブドウ糖注「日医工」20%20mL　1A　59×1
㉝ ＊点滴注射　102×1
＊プラスアミノ輸液 500mL　1 袋
ビタメジン静注用　1 瓶　50×1
㊵ ＊消炎鎮痛等処置（ホットパック）（上肢）　35×2
＊ハップスター ID 70mg 10cm×14cm　6 枚　7×1
㊿ ＊後頭神経ブロック（局所麻酔剤）（11 日）　90×1
＊カルボカイン注〔1%〕 10mL　11×1
80 ＊運動器リハビリテーション料（Ⅱ）
（左下腿骨骨折、手術日 3 月 12 日）
実施日数 2 日　170×2

療養の給付	請求 点	※決定 点	一部負担金額 円
保険	1,525		減額 割（円）免除・支払猶予
公費①	点	点	円
公費②	点	点	円

※高額療養費 円　※公費負担点数 点　※公費負担点数 点

● 解説 10

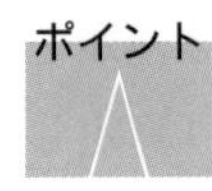

令和6年3月12日に左下腿の手術をし、リハビリテーションを行っている患者です。併せて算定できない処置等に注意します。

5月9日　3月から傷病を継続しているので、再診です。

再　診：再診料 75点＋明細書発行体制等加算 1点＝76点
リハビリテーション料を算定しているときは、外来管理加算は算定できません。

リハビリ：運動器リハビリテーション（Ⅱ）を1単位個別で行っています。
H002「2」 運動器リハビリテーション料（Ⅱ）1単位　170点

5月11日　リハビリテーションと併せて、処置を行っています。

再　診：再診料 75点＋明細書発行体制等加算 1点＝76点

医学管理：薬剤情報提供料　4点

投　薬：内服薬の処方です。

オパイリン錠 125mg	3T	7.40×3	52.50 → 5点×4TD
リンラキサー錠 250mg	3T	10.10×3	

内服薬調剤料 11点、処方料 42点

注　射：iM　オビソート注射用 0.1g　100mg　1A　371 → 37点＋実施料 25点＝62点

処　置：上肢マッサージを行っていますが、リハビリテーションの費用に含まれるため、算定できません。

麻　酔：神経ブロックを行っています。 L100「7」　後頭神経ブロック料　90点
カルボカイン注〔1%〕10mL　112 → 11点

リハビリ：9日と同様です。運動器リハビリテーション料（Ⅱ）　170点

5月16日

再　診：再診料 75点＋明細書発行体制等加算 1点＝76点

注　射：iV　ビタメジン静注用　1瓶　156　ブドウ糖注「日医工」〔20%〕20mL 1A　67　} 223 → 22点 ＋実施料37点＝59点

処　置：消炎鎮痛等処置のうち、マッサージとホットパックの2種類を行っていますが、この場合主たる療法の所定点数により算定します。 J119「2」器具等による療法　35点

5月18日

再　診：再診料75点＋明細書発行体制等加算1点＝76点

医学管理：薬剤情報提供料　4点

投　薬：内服薬と外用薬の処方です。

内服薬　11日と同様です。5点×7TD

外用薬　ハップスターID 70mg 10cm×14cm 14枚　11.80×14＝165.2→17点

内服薬調剤料11点、外用薬調剤料8点

処方料42点

処　置：消炎鎮痛等処置のうち、ホットパックと湿布処置を行っています。主たる療法の所定点数により算定しますので、ここではホットパックを算定します。 J119「2」器具等による療法　35点

なお、処置に使用した薬剤は、別に算定できます。

ハップスターID 70mg 10cm×14cm 6枚　11.80×6＝70.80→7点

5月25日

再　診：再診料75点＋明細書発行体制等加算1点＝76点、外来管理加算52点

投　薬：内服薬と外用薬の処方です。

内服薬　11日と同様です。　5点×7TD

外用薬　18日と同様です。11.80×10＝118.00＝12点

内服薬調剤料11点、外用薬調剤料8点

処方料42点

注　射：点滴実施料（500mL以上）　102点

プラスアミノ輸液500mL　1袋　347　ビタメジン静注用　1瓶　156　} 503 → 50点

解説

● 練習問題 11　次の診療録から診療報酬明細書を作成しなさい。

○**施設の概要等**：無床診療所（内科・外科・整形外科）
○**職員の状況**：薬剤師常勤

○**診療時間**：月曜～金曜　9時～17時
土曜　9時～12時
日曜・祝日　休診

診　療　録

公費負担者番号		保険者番号	0 1 2 1 5 4 3 3
公費負担医療の受給者番号		被保険者証・被保険者手帳 記号・番号	2 1 5 4 3 2 1 2 ・ 1 2
		有効期限	令和　年　月　日

受診者			
氏名	高　橋　さゆり	被保険者氏名	高　橋　裕次郎
生年月日	明・大・(昭)・平・令 50年10月19日　男・(女)	資格取得	昭・平・令　年　月　日
住所	電話　局　番	事業所（船舶所有者） 所在地 / 名称	
職業	被保険者との続柄：妻	保険者 所在地 / 名称	

傷病名	職務	開始	終了	転帰	期間満了予定日
左変形性膝関節症、腰椎症	上・外	令和 6 年 2 月13日	年　月　日	治ゆ・死亡・中止	年　月　日
脳挫傷、顔面擦過傷	上・外	令和 6 年 6 月22日	年　月　日	治ゆ・死亡・中止	年　月　日
	上・外	年　月　日	年　月　日	治ゆ・死亡・中止	年　月　日
	上・外	年　月　日	年　月　日	治ゆ・死亡・中止	年　月　日

既往症・原因・主要症状・経過等	処方・手術・処置等
R 6. 6. 8 腰、左膝　Pain (＋) 膝の曲げ伸ばしが大変で階段がつらい 慢性疼痛の緩和のための指導 処方薬剤の情報提供 （文書）	6. 6. 8 1) 慢性疼痛疾患管理 2) ホットパック、介達牽引 3) 湿布処置 ハップスターID 70mg　3枚 4) 左膝アナログX－P（六×2） 5) Rp ハップスターID 70mg　35枚
R 6. 6. 14	6. 6. 14 1) ホットパック、介達牽引 2) 湿布処置 ハップスターID 70mg　3枚 3) Rp ハップスターID 70mg　35枚
R 6. 6. 20 腰が痛くて起き上がれない 薬の変更希望	6. 6. 20 1) ホットパック、介達牽引 2) 湿布処置 モーラステープ 20mg　3枚 3) 腰部硬膜外ブロック キシロカイン注射液　1% 5mL

既往症・原因・主要症状・経過等	処　方・手　術・処　置　等
処方薬剤の情報提供 (文書)	4) Rp ①ボルタレン錠 25mg　3T 分 3×7 TD ②ゼスタッククリーム　10g ③モーラステープ 20mg　7 枚
R 6. 6. 22 階段から落ち、顔をぶつけた 緊急検査(PM4:20)	6. 6. 22 1) 頭部 CT(マルチスライス以外)大角 1 枚 2) ECG(12) 3) 顔面創傷処置 (100cm² 未満) (イソジン液 10%　2mL ゲンタシン軟膏 0.1%　1g 4) ホットパック、介達牽引 5) 湿布処置 (ゼスタッククリーム　2g モーラステープ 20mg　3 枚
R 6. 6. 28 膝 Pain (++)	6. 6. 28 1) 関節腔内注射 (塩プロ 0.5%　2mL　1A プレドニン 20mg　1A 2) ホットパック、介達牽引 3) 湿布処置 モーラステープ 20mg　3 枚 4) Rp ① 3T　分 3×3TD ② 10g ③ 35 枚

● 解答例 11

診療報酬明細書
（医科入院外）　令和 6 年 6 月分

都道府県番号　医療機関コード

1 医科　①社・国　3 後期　①単独　2 本外　8 高外一
2 公費　4 退職　2 2併　4 六外　0 高外7
3 3併　⑥家外

保険者番号　0 1 2 1 5 4 3 3　給付割合 10 9 8 7（ ）

被保険者証・被保険者手帳等の記号・番号　21543212・12（枝番）

公費負担者番号①　公費負担医療の受給者番号①
公費負担者番号②　公費負担医療の受給者番号②

氏名　高橋　さゆり
1男 ②女 1明 2大 ③昭 4平 5令 50・10・19 生
職務上の事由　1 職務上　2 下船後 3 月以内　3 通勤災害

特記事項

保険医療機関の所在地及び名称　（　床）

傷病名	診療開始日
(1) 左変形性膝関節症、腰椎症	(1) 令和 6 年 2 月 13 日
(2) 脳挫傷、顔面擦過傷	(2) 令和 6 年 6 月 22 日
(3)	(3) 年 月 日

転帰：治ゆ　死亡　中止
診療実日数：保険 5 日　公費① 日　公費② 日

区分	項目		点数
⑪ 初診	時間外・休日・深夜	回	点
⑫ 再診	再診	75 × 5 回	375
	外来管理加算	× 回	
	時間外	× 回	
	休日	× 回	
	深夜	× 回	
⑬ 医学管理			138
⑭ 在宅	往診	回	
	夜間	回	
	深夜・緊急	回	
	在宅患者訪問診療	回	
	その他		
	薬剤		
⑳ 投薬	㉑ 内服 薬剤	10 単位	20
	㉑ 内服 調剤	11 × 2 回	22
	㉒ 屯服 薬剤	単位	
	㉓ 外用 薬剤	6 単位	174
	㉓ 外用 調剤	8 × 4 回	32
	㉕ 処方	42 × 4 回	168
	㉖ 麻毒	回	
	㉗ 調基		14
㉚ 注射	㉛ 皮下筋肉内	回	
	㉜ 静脈内	回	
	㉝ その他	1 回	114
㊵ 処置		1 回	52
	薬剤		29
(50) 手術麻酔		1 回	800
	薬剤		5
(60) 検査病理		1 回	130
	薬剤		
(70) 画像診断		2 回	1194
	薬剤		
(80) その他	処方箋	回	
	薬剤		

公費分点数

⑬ ＊薬情　4×2
＊疼痛　130×1

㉑ ＊ボルタレン錠 25mg　3T　2×10

㉓ ＊ハップスター ID 70mg　35 枚　41×2
＊ゼスタッククリーム　10g　5×2
モーラステープ 20mg 7cm×10cm 7 枚　14×1
モーラステープ 20mg 7cm×10cm 35 枚　68×1

㉝ ＊関節腔内注射　80×1
塩プロ　0.5%　2mL　1A
プレドニン　20mg〔水溶性〕1A　34×1

㊵ ＊ハップスター ID 70mg　3 枚　4×2
＊創傷処置(100cm² 未満)　52×1
イソジン液 10%2mL
ゲンタシン軟膏 0.1%　1g　2×1

＊ゼスタッククリーム　2g
モーラステープ 20mg 7cm×10cm 3 枚　7×1

＊モーラステープ 20mg 7cm×10cm 3 枚　6×2

(50) ＊腰部硬膜外ブロック（20 日）　800×1
キシロカイン注射液 1% 5mL　5×1

(60) ＊ECG12　130×1

(70) ＊左膝アナログ X-P（六×2）　165×1
頭部 CT(マルチスライス以外)(画像記録用 大角×1)
コンピューター断層診断　1029×1

療養の給付	請求 点	※決定 点	一部負担金額 円
保険	3,267		減額 割(円)免除・支払猶予
公費①	点	点	円
公費②	点	点	円

※高額療養費 円　※公費負担点数 点　※公費負担点数 点

● 解説 11

慢性疾患疼痛管理料を算定しているときには算定できないものがいくつかあります。点数表を参照して確認しておきましょう。

6月8日

再　診：診療開始日は令和6年2月13日なので、今月は再診になります。時間内再診料75点。慢性疼痛疾患管理料を算定している月は外来管理加算は算定できません。

医学管理：変形性膝関節症を主病としている患者に指導を行っているので、B001「17」慢性疼痛疾患管理料130点を算定できます。また、薬剤の情報提供も行っています。薬剤情報提供料4点を算定します。

投　薬：　ハップスターID 70mg　1枚11.80×35枚＝413.00→41点
　外用薬調剤料8点、処方料42点、調剤技術基本料14点

処　置：「ホットパック」、「湿布処置」は、J119消炎鎮痛等処置になりますが、今月は慢性疼痛疾患管理料を算定しているため、消炎鎮痛等処置とJ118介達牽引の費用は所定点数に含まれ、別に算定できません。使用した薬剤は算定できます。
　ハップスターID 70mg　1枚11.80×3枚＝35.4→4点

画　像：左膝X-Pは単純撮影の四肢です。
左膝X-P撮影料(アナログ撮影2回)＋診断料 155点
フィルム料（六ツ切×2枚）9.6→10点
（計）165点

6月14日

再　診：時間内再診料75点。外来管理加算は算定できません。

投　薬：8日と同じ。薬剤料41点、外用薬調剤料8点、処方料42点。

処　置：8日と同じ。消炎鎮痛等処置、介達牽引は算定できません。
薬剤料　4点

6月20日

再　診：時間内再診料 75 点

医学管理：処方内容に変更がありました。薬剤情報提供料 4 点を算定します。

投　薬：①ボルタレン錠 25mg　3T　7.90×3＝23.7→2 点×7TD
②ゼスタッククリーム　10g　5.50×10＝55→5 点×1
③モーラステープ 20mg 7cm×10cm 7 枚
19.30×7＝135.1 → 14 点×1
内服薬調剤料 11 点、外用薬調剤料 8 点、処方料 42 点

処　置：消炎鎮痛等処置、介達牽引は算定できません。処置に使用した薬剤料は、
モーラステープ 20mg 7cm×10cm 3 枚　19.30×3＝57.9 →6 点

麻　酔：腰部硬膜外ブロックは、局所麻酔剤を使用しているので、L100 神経ブロック（局所麻酔剤又はボツリヌス毒素使用）で算定します。腰部硬膜外ブロックは 800 点を算定します。麻酔に使用した薬剤料は、
キシロカイン注射液 1% 5mL　110×0.5＝55.0→5 点

6月22日

再　診：時間内再診料 75 点

処　置：階段から落ちて顔をぶつけたため創傷処置を行っています。
J000 創傷処置（100cm² 未満）52 点
イソジン液 10% 2mL　24.20×0.2＝4.84
ゲンタシン軟膏 0.1%　1g　11.00
} 15.84 → 2 点
消炎鎮痛等処置、介達牽引は算定できません。処置に使用した薬剤料は、
ゼスタッククリーム　2g　5.50×2
モーラステープ 20mg 7cm×10cm 3 枚 19.30×3
} 68.9→7 点

検　査：ECG（12）は D208 心電図検査 12 誘導 130 点を算定します。なお、心電図検査に判断料はありません。

画　像：頭部CT（マルチスライス以外）はE200コンピューター断層撮影（CT撮影）の560点を算定します。また、診断料として450点を月1回算定できます。

診断料　450点
撮影料　560点
フィルム料（画像記録用・大角1枚）
18.8→19点
} 1,029点

6月28日

再　診：時間内再診料75点

投　薬：20日と薬剤は同じですが、処方日数、投与量がちがいます。

①　2点×3TD
②　5点×1
③　モーラステープ20mg　7cm×10cm　35枚
19.30×35＝675.5→68点×1

内服薬調剤料11点、外用薬調剤料8点、処方料42点

注　射：G010関節腔内注射は80点を算定。薬剤料は、

塩プロ　0.5%　2mL　1A　94
プレドニン20mg〔水溶性〕　1A　244
} 338→34点

処　置：消炎鎮痛等処置、介達牽引は算定できません。処置に使用した薬剤は、

モーラステープ20mg 7cm×10cm 3枚
19.30×3＝57.9→6点

● **練習問題 12**　次の診療録から診療報酬明細書を作成しなさい。

○**施設の概要等**：病院（内科・外科・整形外科・産婦人科・耳鼻咽喉科・眼科）250床
○**届け出等の状況**：急性期一般入院料1、食(Ⅰ)、療養環境加算
○**職員の状況**：薬剤師常勤
○**診療時間**：月曜～金曜　9時～17時
土曜　9時～12時
日曜・祝日　休診

診　療　録

9割給付　入院

公費負担者番号		保険者番号	3 9 1 3 1 1 6 4
公費負担医療の受給者番号		被保険者証・被保険者手帳 記号・番号	02145655
		有効期限	令和　年　月　日

受診者			
氏名	渡辺とみ	被保険者氏名	渡辺とみ
生年月日	明・大・(昭)・平・令 10年5月5日　男・(女)	資格取得	昭・平・令　年　月　日
住所	電話 3841 局 7747 番	事業所（船舶所有者） 所在地	
		名称	
職業	被保険者との続柄：本人	保険者 所在地	
		名称	

傷病名	職務	開始	終了	転帰	期間満了予定日
高血圧症	上・外	昭和60年6月2日	年　月　日	治ゆ・死亡・中止	年　月　日
心不全	上・外	昭和60年6月2日	年　月　日	治ゆ・死亡・中止	年　月　日
脳動脈硬化症	上・外	令和6年5月1日	年　月　日	治ゆ・死亡・中止	年　月　日
腰痛症・不眠症	上・外	令和6年6月4日	6年6月7日	(治ゆ)・死亡・中止	年　月　日

既往症・原因・主要症状・経過等	処方・手術・処置等
R6.6.1 R6.5.1から入院中 BD 160～90 6.6.1　生Ⅰ診断料初回加算算定	6.6.1 1)　U－Z、E、ウロ、沈渣（鏡検法） 2)　B－ 総蛋白、ALP、カルシウム、カリウム、中性脂肪、AST、ALT、総コレステロール、LD、アミラーゼ、クレアチニン 3)　iV　10% G 20mL アデホス-L コーワ注　20mg 4)　Rp　ノイキノン　3T ミニプレス錠 0.5mg　3T ヘプロニカート錠　3T 分3×4TD
R6.6.2	6.6.2
R6.6.3	6.6.3
R6.6.4 腰に痛み、不眠 BD 158～90	6.6.4 1)　(点) ソリターT3　500mL アデホス-L コーワ注　20mg×2A D－マンニトール 20%　200mL ジピリダモール静注液 10mg 2mL 1A

既往症・原因・主要症状・経過等	処方・手術・処置等
	2) 消炎鎮痛等処置(腰部湿布) MS冷シップ 40g 3) Rp ベンザリン(5) 2T 1P 4) ESR
R 6.6.5 BD 160～90	6.6.5 1) ㊀ do 2) 処置 do 3) オビソート注射用 1A iM 4) Rp do 1P
R 6.6.6 BD 158～90	6.6.6 1) ㊀ do 2) 処置 do
R 6.6.7 BD 155～89、腰痛楽になった	6.6.7 1) ㊀ do 2) Rp do 分3×4TD
R 6.6.8 BD 155～89	6.6.8 ㊀ do
R 6.6.9	6.6.9 ㊀ do
R 6.6.10 明日退院予定	6.6.10 ㊀ do
R 6.6.11 PM3:00 退院 朝・昼食摂取	6.6.11 Rp do 分3×4TD (退院時に投薬)

● 解答例 12

診療報酬明細書（医科入院） 令和 6 年 6 月分

都道府県番号　医療機関コード

1 医科　1 社・国　③後期　①単独　1 本入　⑦高入一　2 公費　4 退職　2 2 併　3 六入　9 高入 7　3 3 併　5 家入

保険者番号	3 9 1 3 1 1 6 4	給付割合	10 9 8 7（ ）
被保険者証・被保険者手帳等の記号・番号	02145655	（枝番）	

公費負担者番号①　公費負担医療の受給者番号①
公費負担者番号②　公費負担医療の受給者番号②

区分　精神　結核　療養　　特記事項

氏名　渡辺　とみ
1男 ②女　1明 2大 ③昭 4平 5令 10・5・5 生

職務上の事由　1 職務上　2 下船後 3 月以内　3 通勤災害

保険医療機関の所在地及び名称

傷病名	診療開始日	転帰
(1) 高血圧症	(1) 昭和 60 年 6 月 2 日	治ゆ (4)
(2) 心不全	(2) 昭和 60 年 6 月 2 日	
(3) 脳動脈硬化症	(3) 令和 6 年 5 月 1 日	
(4) 腰痛症・不眠症	(4) 令和 6 年 6 月 4 日	

死亡　中止　診療実日数：保険 11 日　公費① 日　公費②

区分	項目	回数等	点数
⑪ 初診	時間外・休日・深夜	回	点
⑬ 医学管理			
⑭ 在宅			
⑳ 投薬	㉑ 内服	12 単位	72
	㉒ 屯服	2 単位	4
	㉓ 外用	単位	
	㉔ 調剤	10 日	70
	㉖ 麻毒	2 日	2
	㉗ 調基		42
㉚ 注射	㉛ 皮下筋肉内	1 回	37
	㉜ 静脈内	1 回	13
	㉝ その他	7 回	1183
㊵ 処置		回	
	薬剤		9
㊿ 手術麻酔		回	
	薬剤		
⑥⓪ 検査病理		4 回	488
	薬剤		
⑦⓪ 画像診断		回	
	薬剤		
⑧⓪ その他	薬剤		

公費分点数

入院年月日　令和 6 年 6 月 1 日

⑨⓪ 入院　病 診　⑨⓪ 入院基本料・加算　点
急一般1　環境
1713 × 11 日間 18843
× 日間
× 日間
× 日間
× 日間

⑨② 特定入院料・その他

㉑ *ノイキノン錠 5mg 3T
ミニプレス錠 0.5mg 3T
ヘプロニカート錠 100mg「CH」3T 6×12
「退院時 4 日分投薬」
㉒ *ベンザリン錠 5 2T 2×2
㉛ *オビソート注射用 0.1g 1A 37×1
㉜ *G 10% 20mL 1A
アデホス-L コーワ注 20mg 1A 13×1
㉝ *点滴注射 102×7
*ソリタ-T3 号輸液 500mL 1 袋
アデホス-L コーワ注 20mg 2A
D-マンニトール注射液 20%200mL 1 瓶
ジピリダモール静注液 10mg「日医工」0.5%2mL 1A 67×7
㊵ *MS 冷シップ「タイホウ」40g 3×3
⑥⓪ *U-検、沈（鏡検法） 53×1
*B-ESR 9×1
*B-総蛋白、ALP、カルシウム、カリウム、中性脂肪、AST、ALT、総コレステロール、LD、アミラーゼ、クレアチニン(11 項目)、入院時初回加算 123×1
*判 尿、生Ⅰ、血 303×1
⑨⓪ *急一般 1（31 日以上） 環境 1713×11

※高額療養費　円　※公費負担点数　点　※公費負担点数　点

⑨⑦ 食事・生活			
基準Ⅰ	670 円×32 回	基準(生)	円× 回
特別	円× 回	特別(生)	円× 回
食堂	円× 日	減・免・猶・Ⅰ・Ⅱ・3 月超	
環境	円× 日		

療養の給付	請求 点	※決定 点	負担金額 円
保険	20,763		減額 割(円)免除・支払猶予
公費①	点	※ 点	円
公費②	点	※ 点	円

食事・生活療養	回	請求 円	※決定 円	(標準負担額) 円
保険	32	21,440		15,680
公費①	回	円	※ 円	円
公費②	回	円	※ 円	円

● 解説 12

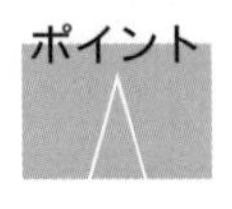

昭和 10 年 5 月 5 日生まれで、法別番号が 39 ですので、後期高齢者です。令和 6 年 5 月 1 日から入院していますので、入院期間は 31 日以上です。

投　薬：調剤料は 1 日につき算定します。また、外来同様、調基は月 1 回です。

1 日　内服薬　ノイキノン錠 5mg 3T 8.90×3
ミニプレス錠 0.5mg 3T 5.90×3
ヘプロニカート錠 100mg「CH」3T 5.90×3
} 62.10 → 6 点×4TD

調剤料 **7** 点×4 日分＝**28** 点、調基 **42** 点

4 日　屯服薬 ベンザリン錠 5 2T 8.40×2＝16.80→**2** 点×1P

1 日に調剤料を 4 日分算定していますので、今回は算定できません。

向精神薬が処方されています。　麻薬等加算　**1** 点

5 日　屯服薬　4 日と同様 → **2** 点×1P

調剤料が算定済みなのは 4 日までですので、今回は調剤料が算定できます。 → **7** 点

麻薬等加算　**1** 点

7 日　内服薬　1 日と同様 → **6** 点×4TD

調剤料が算定済みなのは 5 日までですので、今回は調剤料が算定できます。

調剤料 **7** 点×4 日分＝**28** 点

11 日　内服薬　1 日と同様 → **6** 点×4TD

入院患者に対し退院時に投薬を行っていますので摘要欄に「退院時 4 日分投薬」と記入します。

退院時に処方された薬の調剤料は、入院実日数をこえた分は算定できません。

調剤料 **7** 点× 1 日分＝**7** 点

注　射：外来と入院では実施料の点数や算定方法が違う場合があるので、注意します。

1日　iV　G10%　20mL　1A　66
アデホス-L コーワ注 20mg 1A 69 } 135 → 13点

iV の実施料は、外来のみの算定です。

4日　点滴　ソリタ-T3号輸液 500mL 1袋 176
アデホス-L コーワ注 20mg 2A 69×2
D-マンニトール注射液 20% 200mL 1瓶 268
ジピリダモール静注液 10mg「日医工」0.5% 2mL 1A 88
} 670 → 67点＋実施料 102点＝169点

点滴の実施料は、500mL以上の場合のみ算定します。

5日　点滴　4日と同様 → 67点＋実施料102点＝169点
iM　オビソート注射用 0.1g 100mg 1A　371 → 37点
iM の実施料は、外来のみの算定です。

6日　点滴　4日と同様 → 67点＋実施料102点＝169点
7日　点滴　4日と同様 → 67点＋実施料102点＝169点
8日　点滴　4日と同様 → 67点＋実施料102点＝169点
9日　点滴　4日と同様 → 67点＋実施料102点＝169点
10日　点滴　4日と同様 → 67点＋実施料102点＝169点

処　置：4日　消炎鎮痛等処置の湿布処置を行っていますが、湿布処置は診療所のみの算定です。
薬剤料のみ算定します。
MS冷シップ「タイホウ」 40g　8.60×4＝34.40＝3点
5日　4日と同様 → 3点
6日　4日と同様 → 3点

検　査：検体検査を行っています。
1日　U−Z、E、ウロ
→尿一般26点＋沈渣（鏡検法）27点＝53点
B−総蛋白、ALP、カルシウム、カリウム、中性脂肪、AST、ALT、総コレステロール、LD、アミラーゼ、クレアチニン

→生（Ⅰ）　11項目→103点

入院時初回加算　20点

判断料　尿34点＋生（Ⅰ）144点＝178点

4日　ESR→9点

判断料　血　125点

入　院：A100　急性期一般入院料1　1,688点
A219　療養環境加算　25点　} 1,713点×11日＝18,843点

食　事：食（Ⅰ）なので、670円×32食＝21,440円
患者標準負担額は、490円×32食＝15,680円

解説

● 練習問題 13　次の診療録から診療報酬明細書を作成しなさい。

○**施設の概要等**：病院（内科・外科・整形外科・産婦人科・神経内科・アレルギー科・耳鼻咽喉科・眼科）180床

○**届け出等の状況**：地域一般入院料3、食（Ⅰ）、食堂、看護補助加算1、2級地、療養環境加算、看護師比率70%以上

○**職員の状況**：医師の数は医療法標準を満たしているが、標準をこえてはいない。薬剤師および看護職員数は医療法標準を満たしている。

○**診療時間**：月曜～金曜　9時～17時
土曜　9時～12時
日曜・祝日　休診

診　療　録

入院

公費負担者番号		保険者番号	2 7 3 0 1 1
公費負担医療の受給者番号		被保険者証・被保険者手帳 記号・番号	整国・1010
		有効期限	令和　年　月　日

受診者			
氏名	三浦克己	世帯主(組合員)氏名	三浦康介
生年月日	明・大・(昭)・平・令 63年9月7日 (男)・女	資格取得	(昭)・平・令 60年3月21日
住所	電話 57局 1496番	保険者	
職業	世帯主との続柄：家族	一部負担金の割合	3割

傷病名	開始	終了	転帰
胃潰瘍	令和6年7月29日	年　月　日	治ゆ・死亡・中止
	年　月　日	年　月　日	治ゆ・死亡・中止
	年　月　日	年　月　日	治ゆ・死亡・中止
	年　月　日	年　月　日	治ゆ・死亡・中止

既往症・原因・主要症状・経過等	処方・手術・処置等
R6.8.29　昼から特別食 手術のため本日入院 BD 145～85 KT 36.2℃ （図：ニッシュ） * Brust … 胸 Magen … 胃	6.8.29 1) U－ Z、E、ウロ、潜血、沈渣（鏡検法） 2) B－ W、R、Hb、Ht、像（自動機械法）、出血 総コレステロール、AST、ALT、LD、ZTT、ALP、クレアチニン、Na、 初回 Cl、K、Bil/総、蛋白分画 3) Brust デジタル X-P（画像記録用 大角1枚） 4) MagenX-D、 デジタル X-P（画像記録用 六×7） SP（画像記録用 六×1） 4分画 バリトップHD　300g バロス発泡顆粒　2.5g ラキソベロン　1T 5) 点滴注射 5%ブドウ糖 1L 1瓶 ハルトマンD 500mL 1瓶
R6.8.30　特別食	6.8.30 1) 点滴　do 2) iM 塩酸メトクロプラミド注射液 10mg 0.5% 2mL 1A 3) (屯) ネルボン(10) 1T 1P

既往症・原因・主要症状・経過等	処 方 ・ 手 術 ・ 処 置 等
R 6. 8. 31　　禁食 ope　AM 10:00 執刀 ＊O_2＝1L…0.19 円 輸血について文書で説明	6. 8. 31 1)　高圧浣腸（生食 100 mL　1 袋） 2)　閉麻　(5)ロ　(9:50〜11:30) 　ソセゴン　30mg 　ハロタン　20mL 　笑気ガス　110L 　O_2（液化酸素 CE）　300L 3)　胃切開術 4)　保存血液輸血 　人全血液-LR「日赤」　200mL×2 袋 　血液型（ABO、Rh） 　交叉試験　2 回 5)　点滴 　5%ブドウ糖　1L　1 瓶 　ハルトマン D　500mL 　C　500mg「フソー」 　コアキシン注射用 2g 　アドナ 注　100mg 　生食注　20mL　1A

カルテ

● 解答例 13

診療報酬明細書
（医科入院）　令和 6 年 8 月分

都道府県番号　医療機関コード

1 医科	①社・国 2 公費	3 後期 4 退職	①単独 2 2併 3 3併	1 本入 3 六入 ⑤家入	7 高入一 9 高入 7

保険者番号	2 7 3 0 1 1	給付割合 10 9 8 ⑦（ ）

公費負担者番号①		公費負担医療の受給者番号①	
公費負担者番号②		公費負担医療の受給者番号②	

被保険者証・被保険者手帳等の記号・番号	整国・1010　（枝番）

区分	精神　結核　療養	特記事項
氏名	三　浦　克　己 ①男 2女 1明 2大 ③昭 4平 5令 63・9・7 生	
職務上の事由	1 職務上　2 下船後 3 月以内　3 通勤災害	

保険医療機関の所在地及び名称

傷病名	診療開始日	転帰	診療実日数
(1) 胃潰瘍	(1) 令和 6 年 7 月 29 日	治ゆ　死亡　中止	保険 3 日
(2)	(2) 年 月 日		公費① 日
(3)	(3) 年 月 日		公費②

区分	項目	回数等	点数
⑪ 初診	時間外・休日・深夜	回	点
⑬ 医学管理			
⑭ 在宅			
⑳ 投薬	㉑ 内服	単位	
	㉒ 屯服	1 単位	1
	㉓ 外用	単位	
	㉔ 調剤	1 日	7
	㉖ 麻毒	1 日	1
	㉗ 調基		42
㉚ 注射	㉛ 皮下筋肉内	1 回	6
	㉜ 静脈内	回	
	㉝ その他	3 回	440
㊵ 処置		回	
	薬剤		15
㊿ 手術麻酔		5 回	19731
	薬剤		179
60 検査病理		4 回	530
	薬剤		
70 画像診断		2 回	1371
	薬剤		49
80 その他	薬剤		

公費分点数

区分	内容	点数×回数
㉒	*ネルボン錠 10mg　1T	1×1
㉛	*塩酸メトクロプラミド注射液 10mg「タカタ」0.5%　2mL　1A	6×1
㉝	*点滴注射	102×2
	*G 5%　1L　1 瓶 ハルトマン液「コバヤシ」500mL　1 瓶	45×2
	*G 5%　1L　1 瓶 ハルトマン液「コバヤシ」500mL　1 瓶 ビタミンC注「フソー」500mg　1A コアキシン注射用 2g　1 瓶 アドナ注（静脈用）100mg 0.5%　20mL　1A 生理注 20mL「HP」　1A	146×1
㊵	*生理食塩液 100mL　1 袋	15×1
㊿	*閉鎖循環式全身麻酔「5」「ロ」31 日 1 時間 40 分	6000×1
	*ソセゴン注射液 30mg　1A ハロタン 1mL 笑気ガス 110L	179×1
	*液化酸素 CE300L（300L×0.19 円×1.3）÷10	7×1
	*胃切開術　31 日	11140×1
	*保存血液輸血 400mL 血液交叉試験 2 回 血液型（ABO、Rh）	914×1
	*人全血液-LR「日赤」200mL　2 袋	1670×1
60	*U-検、沈（鏡検法）	53×1
	*B-末梢血液一般、像（自動機械法）、出血	51×1
	*B-総コレステロール、AST、ALT、LD、ZTT、ALP、クレアチニン、Na、Cl、K、T-Bil、蛋白分画（11 項目） 入院初回加算	123×1
	*㊙判 尿、血、生Ⅰ	303×1
70	*胸部デジタル X-P（画像記録用　大角×1）	172×1
	*胃 X-D デジタル X-P（六×7） デジタル SP（六×1）	1199×1
	*バリトップ HD99%　300g バロス発泡顆粒　2.5g ラキソベロン錠 2.5mg　1T	49×1
90	*地一般 3（14 日以内）㊗補1 看配 環境 2 級地	1659×3

90 入院	入院年月日　令和 6 年 8 月 29 日		
㊖病 診	90 入院基本料・加算		点
地一般3 看配 補1 環境	1659 ×	3 日間	4977
	×	日間	
	×	日間	
	×	日間	
	×	日間	
	92 特定入院料・その他		

※高額療養費　円　※公費負担点数　点　※公費負担点数　点

97 食事・生活			
基準Ⅰ	670 円×	5	回
特別	76 円×	5	回
食堂	50 円×	2	日
環境	円×		日

基準(生)　円×　回
特別(生)　円×　回
減・免・猶・Ⅰ・Ⅱ・3月超

療養の給付	請求 点	※決定 点	負担金額 円
保険	27,349		減額　割(円)免除・支払猶予
公費①	点	※ 点	円
公費②	点	※ 点	円

食事・生活療養	回	請求 円	※決定 円	（標準負担額） 円
保険	5	3,830		2,450
公費①	回	円	※ 円	円
公費②	回	円	※ 円	円

● 解説 13

ポイント　外来に引き続き入院しています。手術、麻酔、輸血等様々な医療行為を行っていますので、算定もれ等に注意します。

初　診：29 日　傷病開始日が 7 月 29 日ですので、初診料は算定できません。

投　薬：30 日　屯服薬の処方です。

ネルボン錠 10mg　1T　　13.20×1＝13.20 → **1** 点×1P

調剤料 **7** 点×1 日＝**7** 点、麻薬等加算 **1** 点

調基 **42** 点

注　射：29 日　点滴 ブドウ糖注射液 5% 1L 1瓶 220 ｝ 451 → **45**点＋

ハルトマン液「コバヤシ」500mL 1瓶 231 ｝ 実施料**102**点＝**147**点

30 日　点滴　29 日と同様 → **45** 点＋実施料 **102** 点＝**147** 点

iM　塩酸メトクロプラミド注射液 10mg「タカタ」0.5% 2mL 1A　57.00 → **6** 点

31 日　点滴　ブドウ糖注射液 5%　1L　1 瓶　220

ハルトマン液「コバヤシ」500mL 1 瓶　231

ビタミン C 注「フソー」500mg 1A　84　｝ 1460 →

コアキシン注射用　2g　1 瓶　731　　**146** 点

アドナ注(静脈用) 100mg 0.5% 20mL 1A　132

生食注　20mL「Hp」1A　62

手術当日の点滴実施料は算定不可です。

処　置：31 日　高圧浣腸→手術当日に手術に関連して行われた処置の手技料は、算定不可です。

生食　100mL　1 袋　147 → **15** 点

手　術：31 日　K648　胃切開術　**11,140** 点

輸　血：31 日　K920「2」 保存血液輸血　**450** 点＋**350** 点＝**800** 点

人全血液-LR「日赤」200mL 2 袋　8350×2＝16700 → **1,670** 点

血液型検査（ABO、Rh）→ **54** 点

解説

血液交叉試験加算　2回→30点×2回＝60点

麻　酔：31日　閉麻→L008　閉鎖循環式全身麻酔　「5」「ロ」6,000点

ソセゴン注射液 30mg 1A 171	1787.30→179点
ハロタン 1mL 53.80×20＝1076	
笑気ガス　110L　540.3	

O_2加算　300L　0.19×300×1.3＝74.1→7点

※酸素の価格（単位：円）＝酸素の単価（単位：円）×当該患者に使用した酸素の容積（単位：リットル）×補正率（1.3）

※酸素の価格÷10＝□点（端数は四捨五入）

検　査：検体検査を行っています。

29日　U－Z、E、ウロ、潜血→検　26点

＋沈渣（鏡検法）→27点＝53点

B－W、R、Hb、Ht→末梢血液一般　21点

＋像（自動機械法）15点＋出血15点＝51点

B－総コレステロール、AST、ALT、LD、ZTT、ALP、クレアチニン、Na、Cl、K、T-Bil、蛋白分画→生（Ⅰ）

12項目　103点＋入院時初回加算20点＝123点

判断料　尿34点＋血125点＋生（Ⅰ）144点＝303点

画　像：29日　Brust（胸部）とMagen（胃）の撮影を行っています。

胸部デジタルX－P（大角1枚）→153点＋フィルム料19点＝172点

胃X－D　110点

デジタルX－P(六×7)→678点＋フィルム料81点＝759点

デジタルSP（六×1）→318点＋フィルム料12点＝330点

バリトップHD 99% 300g 14.80×30	486.65→49点
バロス発泡顆粒　2.5g　14.70×2.5	
ラキソベロン錠2.5mg　1T　5.90×1	

入　院：	A100	地域一般入院料 3　1,003 点	1,659 点×3 日 ＝4,977 点
		初期加算（14 日以内）　450 点	
	A213	看護配置加算　25 点	
	A214	看護補助加算 1　141 点	
	A218	地域加算　2 級地　15 点	
	A219	療養環境加算　25 点	

食　事：食事療養費（Ⅰ）　670 円×5 食＝3,350 円
　特別食加算　76 円×5 食＝380 円
　食堂加算　50 円×2 日＝100 円
患者標準負担額　490 円×5 食＝2,450 円

● 練習問題 14　次の診療録から診療報酬明細書を作成しなさい。

○施設の概要等：有床診療所（産婦人科）5床
○届け出等の状況：有床診療所入院基本料1
○職員の状況：薬剤師非常勤

○診療時間：月曜～金曜　9時～17時
　　　　　　土曜　　　　9時～12時
　　　　　　日曜・祝日　休診
○所 在 地：東京都文京区　（1級地）

診　療　録

入院

公費負担者番号	
公費負担医療の受給者番号	

保険者番号	0 6 1 3 4 0 0 1
被保険者証・被保険者手帳　記号・番号	3200-105
有効期限	令和　年　月　日
被保険者氏名	市 川 秋 雄
資格取得	昭・平・令　年　月　日
事業所（船舶所有者）所在地	
事業所（船舶所有者）名称	
保険者　所在地	
保険者　名称	

受診者			
氏名	市川　三津子		
生年月日	明・大・(昭)・平・令 63年9月10日	男・(女)	
住所	電話　局　番		
職業		被保険者との続柄	妻

傷病名	職務	開始	終了	転帰	期間満了予定日
妊娠6週　切迫流産	上・外	令和6年6月20日	年　月　日	治ゆ・死亡・中止	年　月　日
不正性器出血	上・外	年　月　日	年　月　日	治ゆ・死亡・中止	年　月　日
妊娠7週　進行流産	上・外	令和6年6月25日	年　月　日	治ゆ・死亡・中止	年　月　日
	上・外	年　月　日	年　月　日	治ゆ・死亡・中止	年　月　日

既往症・原因・主要症状・経過等	処方・手術・処置等
R 6. 6. 20に外来で受診 R 6. 6. 25より入院	
R 6. 6. 25　　　食なし GS(−)　FHB(＋) “絶対安静”の指示 昨日より出血多量 不正出血増悪し　GS消失のため 流産手術施行 BT　36.9℃ BP　98/50　P78	6. 6. 25　出血(＋)とのことで 超音波検査(断層)(腹部) AM 10：00 流産手術（11週まで） IM）アトロピン硫酸塩注射液　1A DIV）ソリタ-T3号輸液(200mL)　1V メチルエルゴメトリン注 0.2mg「あすか」1A 静脈麻酔（短時間のもの） セルシン注射液（10mg）1A 病理）病理組織標本作製
BP 120/80　　腹痛（−） 出血（少）	Rp）フロモックス錠(100mg) 3T メチルエルゴメトリン錠(0.125mg)「あすか」3T 分3×5日分 退院処方とする PM 2：00　退院

● 解答例 14

診療報酬明細書
（医科入院）　令和 6 年 6 月分　都道府県番号　医療機関コード

1 医科	①社・国 2 公費	3 後期 4 退職	①単独 2 2併 3 3併	1 本入 3 六入 ⑤家入 7 高入一 9 高入 7

保険者番号	0 6 1 3 4 0 0 1	給付割合	10 9 8 7（ ）
被保険者証・被保険者手帳等の記号・番号	3200-105	（枝番）	

公費負担者番号①	公費負担医療の受給者番号①
公費負担者番号②	公費負担医療の受給者番号②

区分　精神　結核　療養　　特記事項

氏名　市川　三津子
1男 ②女　1明 2大 ③昭 4平 5令 63・9・10生

職務上の事由　1 職務上　2 下船後 3 月以内　3 通勤災害

保険医療機関の所在地及び名称

傷病名	診療開始日	転帰	診療実日数
(1) 妊娠7週　進行流産	(1) 令和 6 年 6 月 25 日	治ゆ　死亡　中止	保険 1 日
(2)	(2) 年 月 日		公費① 日
(3)	(3) 年 月 日		公費②

区分	項目		回数等	点数
⑪ 初診	時間外・休日・深夜		回	点
⑬ 医学管理				
⑭ 在宅				
⑳ 投薬	㉑内服		5 単位	75
	㉒屯服		単位	
	㉓外用		単位	
	㉔調剤		1 日	7
	㉖麻毒		日	
	㉗調基			
㉚ 注射	㉛皮下筋肉内		1 回	9
	㉜静脈内		回	
	㉝その他		1 回	23
㊵ 処置			回	
	薬剤			
(50) 手術麻酔			2 回	2120
	薬剤			8
(60) 検査病理			3 回	1520
	薬剤			
(70) 画像診断			回	
	薬剤			
(80) その他	薬剤			

(90) 入院	入院年月日	6 年 6 月 25 日		
	病　診	(90) 入院基本料・加算		点
	診Ⅰ	950 ×	1 日間	950
		×	日間	
		×	日間	
		×	日間	
		×	日間	
		(92) 特定入院料・その他		

公費分点数

㉑ *「退院時5日分投薬」
フロモックス錠 100mg　3T
メチルエルゴメトリン錠 0.125mg「あすか」3T　15×5

㉛ *アトロピン硫酸塩注射液 0.05%　1mL 1A　9×1

㉝ *ソリタ-T3号輸液 200mL 1袋
メチルエルゴメトリン注 0.2mg
「あすか」1A　23×1

(50) *流産手術（11週まで）（ロ　その他のもの）（25日）　2000×1
静脈麻酔「1」　120×1
セルシン注射液 10mg 1A　8×1

(60) *超音波検査断層（腹部）　530×1
*病理組織標本作製（組織切片）　860×1
*㊞判　病理判断料　130×1

(90) *診Ⅰ（14日以内）　932×1
1級地　18×1

※ 高額療養費 円	※ 公費負担点数 点			
	※ 公費負担点数 点			
(97) 食事・生活	基準 円× 回		基準(生) 円× 回	
	特別 円× 回		特別(生) 円× 回	
	食堂 円× 日		減・免・猶・Ⅰ・Ⅱ・3月超	
	環境 円× 日			

療養の給付	請求 点	※決定 点	負担金額 円
保険	4,712		減額 割(円)免除・支払猶予
公費①	点	※ 点	円
公費②	点	※ 点	円

食事・生活療養	回	請求 円	※決定 円	（標準負担額）円
保険	回	円	※ 円	円
公費①	回	円	※ 円	円
公費②	回	円	※ 円	円

● 解説 14

ポイント　流産手術は妊娠の週数により点数がちがうので注意しましょう。

投　薬： 内服薬 2 種類を 5 日分処方しています。なお、薬剤師が非常勤なので調剤技術基本料は算定できません。入院の調剤料 7 点と薬剤料を算定します。

フロモックス錠 100mg　41.10×3
メチルエルゴメトリン錠 0.125mg「あすか」　10.10×3
} 153.6 → 15 点×5 TD

注　射： 注射に使用した 25 日の薬剤料のみを合算して算定します。

アトロピン硫酸塩注射液 0.05%　1mL　1 A　95 → 9 点
ソリタ-T 3 号輸液 200mL　1 袋　173
メチルエルゴメトリン注 0.2mg「あすか」　1 A　59
} 232 → 23 点

手　術： K909 流産手術は 妊娠 11 週まで の場合と、11 週をこえた 21 週まで の場合、また、妊娠 11 週までの場合、術式によって点数が異なります。本問では妊娠 7 週の患者であって、特に術式の指示がないため「ロ　その他のもの」の 2,000 点を算定します。

なお流産手術は、原則として術式(じゅつしき)を問わず、またあらかじめ頸管拡張を行った場合でも、別に算定することはできません。流産手術の所定点数のみを算定 します。

麻　酔： L001-2 静脈麻酔の実施料は「短時間のもの」120 点を算定。麻酔に使用した薬剤料は、

セルシン注射液　10mg　1 A　82×1＝82 → 8 点

検　査： D215 超音波検査「2」「ロ」（胸腹部）　530 点

なお、超音波検査の記録に使用したフィルム料などの費用は所定点数に含まれ、別に算定できません。

病　理： N000 病理組織標本作製「組織切片によるもの（1 臓器につき）」860 点と、N007 病理判断料 130 点を算定します。なお、手術中に検体採取を行っているため、採取料は算定できません。

入　院：A108 有床診療所入院基本料 1 の 14 日以内 932 点を算定。地域加算 1 級地は 18 点。

解説

● 練習問題 15　次の診療録から診療報酬明細書を作成しなさい。

○**施設の概要等**：病院（内科・外科・整形外科・脳神経外科・産婦人科・神経内科・小児科・アレルギー科・耳鼻咽喉科・眼科・麻酔科・放射線科）230 床

○**届け出等の状況**：地域一般入院料 3、看護補助 2、医療安全対策加算 2、療養環境加算、診療録管理体制加算 2、がん診療連携拠点病院加算、手術前医学管理料、手術後医学管理料、検体検査管理加算Ⅰ・Ⅱ、画像診断管理加算 1・2、麻酔管理料(I)、入院時食事療養(I)、食堂加算

○**職員の状況**：医師の数は医療法標準を満たしているが、標準をこえてはいない。薬剤師は医療法標準を満たしている。看護師比率 70% 以上

○**診療時間**：月曜～金曜　9 時～17 時
　土曜　9 時～12 時
　日曜・祝日　休診

○**所在地**：千葉県船橋市（3 級地）

診　療　録

入院

公費負担者番号		保険者番号	2 7 0 0 6 6
公費負担医療の受給者番号		被保険者証・被保険者手帳 記号・番号	吹国・19786
		有効期限	令和　年　月　日

受診者			
氏名	佐野雅也	被保険者氏名	
生年月日	明・大・(昭)・平・令 60年3月9日　(男)・女	資格取得	昭・平・令　年　月　日
住所	電話　局　番	事業所（船舶所有者） 所在地	
		名称	
職業		保険者 所在地	
被保険者との続柄	本人	名称	

傷病名	開始	終了	転帰
小腸癌	令和 6 年 4 月18日	年　月　日	治ゆ・死亡・中止
腸閉塞	令和 6 年 4 月18日	年　月　日	治ゆ・死亡・中止
	年　月　日	年　月　日	治ゆ・死亡・中止
	年　月　日	年　月　日	治ゆ・死亡・中止

既往症・原因・主要症状・経過等	処方・手術・処置等
R 6.4.18 〇〇診療所より紹介 外科にて緊急入院 入院診療計画書を作成し、本人と家族に説明 本日禁食 検査結果に基づき治療管理（略）	6.4.18 （入院時検査） U-検、沈（鏡検法） B-末梢血液一般、像（自動機械法） B-出血、血液ガス分析(動脈血) B-（総蛋白、直接ビリルビン、CK、ChE、尿素窒素、アルカリホスファターゼ、糖、総コレステロール、ナトリウム、クロール、AST、ALT、アルブミン、クレアチニン、γ-GT B-ABO、Rh（D）、ASO（定量）、ASK（半定量）、HBs 抗原（定性）、TPHA(定性)、HCV 抗体(定量)、CRP B-CEA（半定量）、CA19-9、 細菌顕微鏡検査、細菌培養同定検査(消化管) ECG（12）

既往症・原因・主要症状・経過等	処 方 ・ 手 術 ・ 処 置 等
単純撮影・CT施行 放射線科医の読影文書(略)	胸部アナログX-P (大角×1) 腹部アナログX-P (大角×1) 腹部CT(マルチスライス以外)大角3枚 点滴注射 ①(パンスポリン静注用 1g、生食100mL、 VB1 10mg、VB2 10mg、VC100mg 混注 ブスコパン注 20mg 1A プラスチックカニューレ型 静脈内留置針(1) 1本
R6.4.19 明日16:00〜手術予定 腫瘍マーカーの結果(陽性) 今後の治療方針決める 手術のための麻酔を行うに際して、問題なし (麻酔医 佐藤Dr) 禁食	6.4.19 点滴注射 ① do
R6.4.20 本日 16:00 手術施行 手術時間 16:20〜19:00 禁食	6.4.20 前投薬 硫アト 1A、 アタラックス-P注射液(50mg/ml) 1A 点滴注射 ① do、ソルラクト輸液 500mL 膀胱カテーテル設置 膀胱留置用ディスポーザブルカテーテル 2管一般(Ⅱ) 1本 閉鎖循環式全身麻酔(16:10〜19:20) O_2 (CE) 610L、 セボフレン吸入麻酔液 87.5mL 笑気ガス 515L 小腸切除術 自動縫合器使用(1個)

既往症・原因・主要症状・経過等	処方・手術・処置等
	小腸腫瘍摘出術 イソジン液 200mL、生食 100mL、 ディプリバン注「1%」(200mg 20mL) 2A、 エスラックス静注 50mg 5mL 3瓶、 ワゴスチグミン注 0.5mg 4A、 硫アト注 2A、 リドカイン塩酸塩ゼリー 2%「日新」10mL
R 6.4.21 術後経過順調 手術後の麻酔合併症なし (麻酔医　佐藤 Dr) 禁食	6.4.21 U-検、末梢血液一般、CRP、出血、凝固、 ナトリウム、クロール 心臓超音波検査「経胸壁心エコー法」 血液ガス(動脈血) 胸部アナログ X-P(四×1) 腹部アナログ X-P(半切×2) 腹部造影 CT(半切×2) オムニパーク 300 注 シリンジ　100mL(点滴注入) 創傷処置(100cm^2～500cm^2 未満) ドレナージ 点滴注射 ① do
R 6.4.22 ～ R 6.4.25 経過順調 禁食 創部はクリアー	6.4.22～30.4.25 点滴注射 ① do ドレナージ 創傷処置　do

● 解答例 15

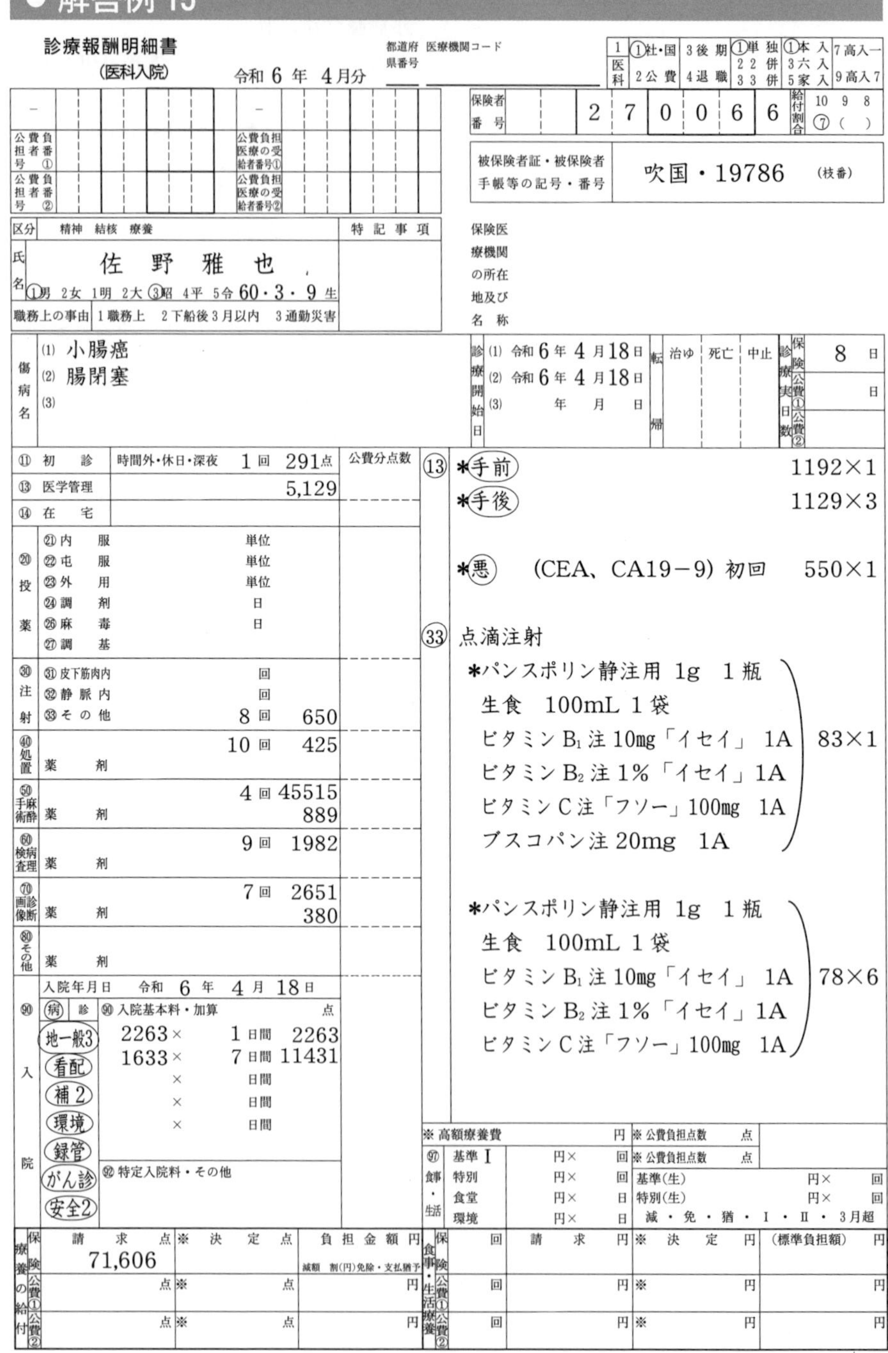

診療報酬明細書
（医科入院）　令和 6 年 4 月分

都道府県番号　医療機関コード

1 医科	①社・国 2 公費	3 後期 4 退職	①単独 2 2 併 3 3 併	①本入 3 六入 5 家入	7 高入一 9 高入 7

保険者番号	2 7 0 0 6 6	給付割合	10 9 8 ⑦（ ）

公費負担者番号①　公費負担医療の受給者番号①
公費負担者番号②　公費負担医療の受給者番号②

被保険者証・被保険者手帳等の記号・番号	吹国・19786 （枝番）

区分　精神　結核　療養　　特記事項

氏名　佐野雅也
①男 2女　1明 2大 ③昭 4平 5令 60・3・9 生

職務上の事由　1 職務上　2 下船後 3 月以内　3 通勤災害

保険医療機関の所在地及び名称

傷病名	診療開始日	転帰	診療実日数
(1) 小腸癌	(1) 令和 6 年 4 月 18 日	治ゆ　死亡　中止	保険 8 日
(2) 腸閉塞	(2) 令和 6 年 4 月 18 日		公費① 日
(3)	(3) 年 月 日		公費②

区分		回数	点数	公費分点数
⑪ 初診	時間外・休日・深夜	1 回	291 点	
⑬ 医学管理			5,129	
⑭ 在宅				
⑳ 投薬	㉑ 内服	単位		
	㉒ 屯服	単位		
	㉓ 外用	単位		
	㉔ 調剤	日		
	㉖ 麻毒	日		
	㉗ 調基			
㉚ 注射	㉛ 皮下筋肉内	回		
	㉜ 静脈内	回		
	㉝ その他	8 回	650	
㊵ 処置		10 回	425	
	薬剤			
㊿ 手術・麻酔		4 回	45515	
	薬剤		889	
60 検査・病理		9 回	1982	
	薬剤			
70 画像診断		7 回	2651	
	薬剤		380	
80 その他	薬剤			

⑬	*手前	1192×1
	*手後	1129×3
	*悪 (CEA、CA19−9) 初回	550×1

㉝ 点滴注射

*パンスポリン静注用 1g 1瓶 生食 100mL 1袋 ビタミン B_1 注 10mg「イセイ」 1A ビタミン B_2 注 1%「イセイ」 1A ビタミン C 注「フソー」100mg 1A ブスコパン注 20mg 1A	83×1
*パンスポリン静注用 1g 1瓶 生食 100mL 1袋 ビタミン B_1 注 10mg「イセイ」 1A ビタミン B_2 注 1%「イセイ」 1A ビタミン C 注「フソー」100mg 1A	78×6

㉐ 入院
入院年月日　令和 6 年 4 月 18 日

病　診　㉐ 入院基本料・加算　点

加算	点数		日数	点数
地一般3	2263	×	1 日間	2263
看配	1633	×	7 日間	11431
補2		×	日間	
環境		×	日間	
録管		×	日間	
がん診				
安全2				

㉒ 特定入院料・その他

※ 高額療養費　円　※ 公費負担点数　点　※ 公費負担点数　点

㊼ 食事・生活			
基準 I	円×	回	基準(生) 円× 回
特別	円×	回	特別(生) 円× 回
食堂	円×	日	減・免・猶・I・II・3月超
環境	円×	日	

療養の給付	請求 点	※ 決定 点	負担金額 円
保険	71,606		減額 割(円)免除・支払猶予
公費①	点	※ 点	円
公費②	点	※ 点	円

食事・生活療養	回	請求 円	※ 決定 円	(標準負担額) 円
保険	回	円	※ 円	円
公費①	回	円	※ 円	円
公費②	回	円	※ 円	円

	＊パンスポリン静注用 1g 1瓶 生食 100mL 1袋 ビタミンB_1注10mg「イセイ」 1A ビタミンB_2注1%「イセイ」1A ビタミンC注「フソー」100mg 1A ソルラクト輸液 500mL 1袋	99×1
㊵	＊創傷処置「2」	60×5
	＊ドレーン法「2」	25×5
㊿	＊小腸切除術(「1」複雑なもの)(20日) (小腸腫瘍摘出術)	34150×1
	自動縫合器加算	2500×1
	＊生食 100mL 1瓶 ディプリバン注「1%」(200mg 20mL) 2A エスラックス静注50mg 5mL 3瓶 ワゴスチグミン注0.5mg 4A 硫アト 0.05% 1mL 2A リドカイン塩酸塩ゼリー 2%「日新」10mL	383×1
	＊閉麻(190分) O_2 (0.19×610×1.3)÷10	7815×1
	＊硫アト 0.05% 1mL 1A アタラックス-P注射液(50mg/ml) 1A セボフレン吸入麻酔液 87.5mL 笑気ガス 515L	506×1
	＊麻管Ⅰ	1050×1
(60)	＊U－沈(鏡検法)	27×1
	＊血液ガス分析	131×1
	＊動脈血採取(1日につき)	60×1
	＊ABO血液型、Rh(D)血液型	24×2
	＊排泄物・滲出物又は分泌物の 細菌顕微鏡検査 (その他のもの)	67×1
	＊細菌培養同定検査(消化管)	200×1

	*出血、CRP　31×1
	*心臓超音波検査(経胸壁心エコー法)　880×1
	*(判)　微、(検管Ⅱ)、生Ⅰ、免　538×1
(70)	*フィルム料(大角×1)(アナログ)　12×2
	腹部CT(大角×3) 診断料　1066×1
	*(コ画2)　175×1
	*胸部アナログX-P(四×1)　151×1
	*腹部アナログX-P(半切×2)　242×1
	*腹部造影CT(半切×2)　993×1
	オムニパーク300注シリンジ　100mL　380×1
(90)	*地一般3(14日以内)、(看配)、(補2)、(環境)、3級地、(録管2)、(がん診)、(安全2)　2263×1
	*地一般3(14日以内)、(看配)、(補2)、(環境)、3級地　1633×7

● 解説 15

入院料の1日につき算定できるもの、入院初日のみ算定できるものに注意しましょう。また手術前医学管理料、手術後医学管理料に包括される項目にも注意してください。

4月18日

初　診：時間内初診料 291点

医学管理：小腸癌の病名が確定している患者に対して D009 腫瘍マーカーの検査2項目以上（B-CEA、CA19-9）を行っているので、B001「3」悪性腫瘍特異物質治療管理料 400点を月1回に限り算定します。
なお悪性腫瘍特異物質治療管理にかかわる腫瘍マーカーの検査を行った場合は、1回目の悪性腫瘍特異物質治療管理料を算定する月に限り初回加算 150点を算定します。合計で 550点。

注　射：点滴注射を行っていますが、1日の注射量が 500mL に満たないので、入院では注射実施料は算定できません。また混注として、ブスコパン注を点滴の途中から入れています。点滴注射の薬剤料と合算して算定します。
ビタミン剤を投与していますが、食事をとっていないので栄養摂取のためのビタミン剤の薬剤料が算定できます。

パンスポリン静注用 1g　1瓶	373	835→83点
生食　100mL　1袋	147	
ビタミン B_1 注 10mg「イセイ」　1A	84	
ビタミン B_2 注 1%「イセイ」1A	88	
ビタミンC注「フソー」100mg　1A	84	
ブスコパン注 20mg　1A	59	

プラスチックカニューレ型静脈内留置針(1)標準型は実施料に含まれます。

検　査：入院に際して検査を行っています。しかし、20日に手術前医学管理料を算定しているため、算定できない検査があります。算定できる検査は、

D002 尿沈渣（鏡検法） 27 点
D007 血液ガス分析 131 点
D419 動脈血採取 60 点
D011 ABO 血液型、Rh（D） 24＋24＝48 点
D017 細菌顕微鏡検査（その他のもの） 67 点
D018 細菌培養同定検査（消化管） 200 点
D026 生化学的検査（Ⅰ）判断料 144 点
免疫学的検査判断料 144 点
微生物学的検査判断料 150 点
検体検査管理加算(Ⅱ) 100 点

また腫瘍マーカー検査（CEA，CA19-9）の費用は、悪性腫瘍特異物質治療管理料の所定点数に含まれ別に算定できません。

画　像：胸・腹部の写真診断を行っていますが、手術前医学管理料の所定点数に含まれます。フィルム料は別に算定できます。

大角　1 枚　11.5→12 点×2

腹部 CT（マルチスライス以外）はコンピューター断層撮影で算定します。

E200 コンピューター断層撮影
CT 撮影「ニ」 560 点
フィルム料（画像記録用・大角 3 枚） 56 点
E203 コンピューター断層診断 450 点
（計）1,066 点

また、画像診断管理加算 1 と 2 の届出保険医療機関で、コンピューター断層診断を行っているので画像診断管理加算 2 の 175 点を算定します。

4 月 19 日

注　射：18 日の点滴注射①と同じ。混注ブスコパンは行っていません。

パンスポリン静注用1g　1瓶	373	776→**78**点
生食　100mL　1袋	147	
ビタミンB_1注10mg「イセイ」　1A	84	
ビタミンB_2注1%「イセイ」1A	88	
ビタミンC注「フソー」100mg　1A	84	

4月20日

医学管理：B001-4手術前医学管理料の届出医療機関です。20日に閉鎖循環式全身麻酔を行っているので、**1,192**点を算定できます。

注　射：注射量500mL以上ですが、手術に関連して行う注射の実施料は算定できません。薬剤料のみ算定します。

パンスポリン静注用1g　1瓶	373	991→**99**点
生食　100mL　1袋	147	
ビタミンB_1注10mg「イセイ」　1A	84	
ビタミンB_2注1%「イセイ」　1A	88	
ビタミンC注「フソー」100mg　1A	84	
ソルラクト輸液　500mL　1袋	215	

処　置：膀胱留置用ディスポーザブルカテーテル設置を行っていますが、手術のために行われた処置のため、使用した特定保険医療材料料のみ算定します。

膀胱留置用ディスポーザブルカテーテル　2管一般(II)標準型1本については、手技料に含まれます。

手　術：K716小腸切除術　「1」複雑なものとK717小腸腫瘍、小腸憩室摘出術を同時に行っているが、同一手術野の手術なので、主たる手術の所定点数のみを算定します。したがって、K716小腸切除術　「1」複雑なもの**34,150**点を算定。また、手術時に自動縫合器1個を使用しているのでK936自動縫合器加算**2,500**点を算定できます。

手術に使用した薬剤も算定できます。ただし、イソジン液は外皮用殺菌剤なので手術の所定点数に含まれ算定できません。

生食 100mL　1瓶	145	3828→**383**点
ディプリバン注「1%」(200 mg 20mL) 2A	752×2	
エスラックス静注 50mg 5mL 3瓶	513×3	
ワゴスチグミン注 0.5mg 4A	96×4	
硫アト 0.05% 1mL 2A	95×2	
リドカイン塩酸塩ゼリー2%「日新」10mL	6.60×10	

麻　酔：L008 マスク又は気管内挿管による閉鎖循環式全身麻酔を 190 分行っています。2時間をこえているので加算ができます。

120分 **6,000**点＋70分**1,800**点＝**7,800**点を算定します。

酸素は610Lを使用しているので、

0.19×610L×1.3÷10＝15.067→**15**点

したがって、麻酔料は**7,800**点＋**15**点＝**7,815**点となります。

手術のための前投薬も麻酔の薬剤と合算して算定します。

硫アト 0.05% 1mL 1A	95	5063.9
アタラックス-P 注射液(50mg/ml) 1A	59	→**506**点
セボフレン吸入麻酔液 1mL	27.20×87.5＝2380	
笑気ガス 515L	2529.9	

また、閉鎖循環式全身麻酔を行っていて麻酔医による麻酔前後の診察を行っているので、L009 麻酔管理料(I) **1,050**点を算定できます。

4月21日

医学管理：手術後医学管理料を算定します。入院日から10日以内に行われたマスク又は気管内挿管による閉鎖循環式全身麻酔をともなう手術後に必要な医学管理を行った場合に、手術を行った次の日から3日間算定できます。手術後医学管理料は術後の管理を目的としているので、総計で所定点数×3が算定できるということで、3日間のうち検査を実施しない日があっても算定できます。なお本例の場合、同じ月に手術前医学管理料を算定しているので、手術後医学管理料は100分の95で算定します。

解説

B001-5 手術後医学管理料 1,188 点×$\frac{95}{100}$＝1128.6 点

→1,129 点

注　射：19 日と同じ 78 点

処　置：J000 創傷処置「100cm²～500cm² 未満」60 点を算定します。またドレナージは、J002 ドレーン法「2」のその他のもの 25 点を算定します。

検　査：手術後医学管理料を算定した場合、包括され、別に算定できない検査があります。算定できる検査は、

D006 出血　15 点

D015 CRP　16 点

D215 心臓超音波検査「経胸壁心エコー法」　880 点

画　像：胸部アナログ X-P（四ツ切×1）　145＋6＝151 点

腹部アナログ X-P（半切×2）218＋24＝242 点

画像診断管理加算 1 の届出をしていますが、この日は放射線科医が文書により読影を行った旨の記載がないため算定できません。

腹部造影 CT（半切×2）は今月 2 回目ですので所定点数の $\frac{80}{100}$ で算定します。560×$\frac{80}{100}$＝448 点とフィルム料 45 点、造影剤使用加算 500 点を算定します。また、コンピューター断層診断は月 1 回の算定です。18 日に算定済みなので算定しません。

なお造影剤を点滴注入していますが、造影剤注入手技料は造影剤加算に含まれ算定できません。造影剤の薬剤料は、

オムニパーク 300 注 シリンジ　100mL　3802 円→380 点

4 月 22 日～25 日

医学管理：22 日、23 日のみ 21 日と同じ。1,129 点×2 日。

注　射：19 日と同じ。78 点×4 日

処　置：21日と同じ。ドレナージ25点×4日、創傷処置60点×4日。

入　院：
地域一般入院料3	1003点	1,633点
初期加算（14日以内）	450点	
A213 看護配置加算	25点	
A214 看護補助加算2	116点	
A219 療養環境加算	25点	
A218 地域加算（3級地）	14点	

A207 診療録管理体制加算2（入院初日）100点

A232 がん拠点病院加算（入院初日。がん診療連携拠点病院加算イ）500点

A234 医療安全対策加算2（入院初日）30点

なお看護配置加算は、看護師比率が40%と規定されている入院基本料を算定している病棟全体において、70%をこえて看護師を配置している場合に算定します。

診療録管理体制加算、がん拠点病院加算、医療安全対策加算は入院初日のみ算定できる加算です。したがって、

18日は、1,633点＋100点＋500点＋30点＝2,263点×1日

19日～25日は、1,633点×7日

食　事：18日より禁食となっているので入院時食事療養費は算定できません。

薬価基準〈抜粋〉（令和6（2024）年4月現在）

［内用薬］

品名	規格・単位	薬価（円）	後発品
アスベリンシロップ 0.5%	0.5% 10mL	19.70	
アプレゾリン錠 10mg	10mg 1錠	9.40	
アリメジンシロップ 0.05%	0.05% 10mL	17.00	
アルドメット錠 250	250mg 1錠	16.80	
オパイリン錠 125mg	125mg 1錠	劇 7.40	
カナマイシンカプセル 250mg「明治」	250mg 1カプセル	40.00	
キョーリン AP2 配合顆粒	1g	10.30	
クロロマイセチン錠 250	250mg 1錠	24.60	
ケフラールカプセル 250mg	250mg 1カプセル	54.70	
ケフレックスシロップ用細粒 100	100mg 1g	36.30	
小児用ペレックス配合顆粒	1g	劇 6.30	
セルシン錠〔2mg〕	2mg 1錠	向 6.00	
タンナルビン	1g	7.00	
トレーラン G 液 75g	225mL 1瓶	205.20	
ニトラゼパム 5mg 錠	5mg 1錠	向 5.50	●
ネルボン錠 10mg	10mg 1錠	向 13.20	
ノイキノン錠 5mg 〃 錠 10mg	5mg 1錠 10mg 1錠	8.90 9.50	
バランス錠 10mg	10mg 1錠	向 9.80	
バリトップ HD	99% 10g	造 14.80	
バロス発泡顆粒	1g	14.70	
パンクレアチン	1g	7.30	
ビクシリンドライシロップ 10%	100mg 1g	12.00	
ヒドロクロロチアジド錠 25mg「トーワ」	25mg 1錠	5.70	●
プリンペラン錠 5	5mg 1錠	6.50	
ブルフェン錠 100	100mg 1錠	5.90	
ブロムヘキシン塩酸塩シロップ 0.08%「トーワ」	0.08% 1mL	0.90	●

品　　　名	規格・単位	薬価（円）	後発品
フロモックス錠 100mg	100mg 1錠	41.10	
ペオン錠 80	80mg 1錠	劇　11.50	
ヘプロニカート錠 100mg「CH」	100mg 1錠	5.90	
ベンザリン錠 5	5mg 1錠	向　8.40	
ポララミン錠 2mg	2mg 1錠	5.70	
ボルタレン錠 25mg	25mg 1錠	劇　7.90	
ミニプレス錠 0.5mg	0.5mg 1錠	5.90	
ムコソルバン錠 15mg	15mg 1錠	8.60	
メイラックス錠 1mg	1mg 1錠	向　10.40	
メジコン配合シロップ	10mL	17.30	
メチルエルゴメトリン錠 0.125mg「あすか」	0.125mg 1錠	劇　10.10	
メプチンシロップ 5μg/mL	0.0005% 1mL	6.70	
ラキソベロン錠 2.5mg	2.5mg 1錠	5.90	
ラリキシンドライシロップ小児用 10%	100mg 1g	24.20	
リンラキサー錠 250mg	250mg 1錠	10.10	
レンドルミン錠 0.25mg	0.25mg 1錠	向　12.50	
ワイドシリン細粒 20%	200mg 1g	11.80	●

[注 射 薬]

品　　　名	規格・単位	薬価（円）	後発品
アタラックス-P注射液（50mg/ml）	5% 1mL 1管	59	
アデホス-Lコーワ注 20mg	20mg 1管	69	
アドナ注（静脈用）100mg	0.5% 20mL 1管	静　132	
アトロピン硫酸塩注射液	0.05% 1mL 1管	劇　95	
エスラックス静注 50mg/5.0mL	50mg 5mL 1瓶	毒 静　513	
塩酸メトクロプラミド注射液 10mg「タカタ」	0.5% 2mL 1管	57	●
塩プロ	0.5% 2mL 1管	劇　94	
オビソート注射用 0.1g	100mg 1管（溶解液付）	劇　371	

品　　名	規格・単位	薬価（円）	後発品
オムニパーク300注 シリンジ100mL	64.71% 100mL 1筒	造　3,802	
カピステン筋注50mg	50mg 1管	劇　108	
カルボカイン注〔1%〕	1% 10mL バイアル	劇　112	
キシロカイン注射液1%	1% 10mL バイアル	劇　110	
グリセオール注	200mL 1袋	306	
コアキシン注射用2g	2g 1瓶	731	●
ジピリダモール静注液10mg「日医工」	0.5% 2mL 1管	静　88	●
診断用アレルゲン皮内エキス「トリイ」大麦1:1,000 〃「トリイ」米1:1,000 〃「トリイ」スギ花粉1:1,000 〃「トリイ」ススキ花粉1:1,000 〃「トリイ」ブタクサ花粉1:1,000	2mL 1瓶 2mL 1瓶 2mL 1瓶 2mL 1瓶 2mL 1瓶	4,332 4,332 4,332 4,332 4,332	
スルバシリン静注用0.75g	(0.75g) 1瓶	静 Aq　392	
スルピリン注射液	25% 1mL 1管 25% 2mL 1管	94 94	
生食	100mL 1瓶 100mL 1袋	静　145 147	
生食注20mL「Hp」	20mL 1管	静　62	
セフメタゾン静注用0.25g	250mg 1瓶	静 Aq　270	
セルシン注射液10mg	10mg 1管	向　82	
ソセゴン注射液15mg 〃　注射液30mg	15mg 1管 30mg 1管	劇向　89 劇向　171	
ソリタ-T3号輸液	200mL 1袋 500mL 1袋	173 176	
ソルラクト輸液	500mL 1袋	215	
注射用水（Aq）	20mL 1管	62	
ディプリバン注〔1%〕	200mg 20mL 1管	劇　752	
D-マンニトール注射液	20% 200mL 1瓶	268	
ハイ・プレアミンS注-10%	(10%) 20mL 1管	静　59	
ハルトマン液「コバヤシ」	500mL 1瓶	231	
パンスポリン静注用1g	1g 1瓶	静 Aq　373	

品　　名	規格・単位	薬価（円）	後発品
ビタミンB_1注10mg「イセイ」	10mg 1管	84	
ビタミンB_2注1%「イセイ」	10mg 1管	88	
ビタミンC注「フソー」−100mg 〃　注「フソー」−500mg	100mg 1管 500mg 1管	84 静　84	
ビタメジン静注用	1瓶	静 Aq　156	
人全血液-LR「日赤」	血液200mL に由来する血液量 1袋	8,350	
ブスコパン注20mg	2% 1mL 1管	劇　59	
ブドウ糖注射液（G）	5% 250mL 1瓶 5% 500mL 1瓶 5% 1L 1瓶 10% 20mL 1管	284 332 220 66	
ブドウ糖注「日医工」〔20%〕	20% 20mL 1管	67	
プラスアミノ輸液	500mL 1袋	347	
プレドニン20mg〔水溶性〕	20mg 1管	244	
プロテアミン12注射液	（12%）200mL 1袋	570	
ホスミシンS静注用1g	1g 1瓶	静 Aq　587	
メチルエルゴメトリン注0.2mg「あすか」	0.02% 1mL 1管	劇　59	●
リドカイン注射液	0.5% 3mL 1管	劇　119	
硫アト	0.05% 1mL 1管	劇　95	
ワゴスチグミン注0.5mg	0.05% 1mL 1管	劇　96	

［外用薬］

品　　名	規格・単位	薬価（円）	後発品
アルピニー坐剤50	50mg 1個	19.70	
イソジン液10%	10% 10mL	24.20	
MS冷シップ「タイホウ」	10g	8.60	●
ゲンタシン軟膏0.1%	1mg 1g	11.00	
スタデルム軟膏5%	5% 1g	12.30	
ゼスタッククリーム	1g	5.50	●

品　　　名	規格・単位	薬価（円）	後発品
セボフレン吸入麻酔液	1mL	劇　27.20	
ソフラチュール貼付剤 10cm	(10.8mg) 10cm×10cm 1枚	77.50	
パスタロンソフト軟膏 10%	10% 1g	4.20	
ハップスターＩＤ 70mg	10cm×14cm 1枚	11.80	
ハロタン	1mL	劇　53.80	
パンデル軟膏 0.1%	0.1% 1g	18.80	
フエナゾール軟膏 5%	5% 1g	14.90	
ボルタレンサポ 50mg	50mg 1個	劇　29.00	
ミドリンＰ点眼液	1mL	27.60	
モーラステープ 20mg	7cm×10cm 1枚	19.30	
リドカイン塩酸塩ゼリー 2%「日新」	2% 1mL	6.60	●

[材料等の価格]

品　　　名	規格・単位	価格（円）
液化酸素 CE	1L	0.19

[笑気ガスの価格]

品　　　名	使用立数	使用薬価
亜酸化窒素（笑気ガス）	110L	540.3
	515L	2529.9

※160%程度に拡大コピーしてお使いください。

診療報酬明細書
（医科入院外）　令和　年　月分

都道府県番号　医療機関コード

1 医科	1 社・国 2 公費	3 後期 4 退職	1 単独 2 2併 3 3併	2 本外 4 六外 6 家外	8 高外一 0 高外7

公費負担者番号①		公費負担医療の受給者番号①	
公費負担者番号②		公費負担医療の受給者番号②	

保険者番号		給付割合	10 9 8 7（　）
被保険者証・被保険者手帳等の記号・番号	（枝番）		

氏名	1男 2女 1明 2大 3昭 4平 5令　・　・　生	特記事項
職務上の事由	1 職務上　2 下船後3月以内　3 通勤災害	

保険医療機関の所在地及び名称

（　床）

傷病名	診療開始日	転帰	診療実日数
(1)	(1)　年　月　日	治ゆ　死亡　中止	保険　日
(2)	(2)　年　月　日		公費①　日
(3)	(3)　年　月　日		公費②

区分	項目			公費分点数
⑪ 初診	時間外・休日・深夜		回　点	
⑫ 再診	再診	×	回	
	外来管理加算	×	回	
	時間外	×	回	
	休日	×	回	
	深夜	×	回	
⑬	医学管理			
⑭ 在宅	往診		回	
	夜間		回	
	深夜・緊急		回	
	在宅患者訪問診療		回	
	その他			
	薬剤			
⑳ 投薬	㉑ 内服 {薬剤		単位	
	{調剤	×	回	
	㉒ 屯服 薬剤		単位	
	㉓ 外用 {薬剤		単位	
	{調剤	×	回	
	㉕ 処方	×	回	
	㉖ 麻毒		回	
	㉗ 調基			
㉚ 注射	㉛ 皮下筋肉内		回	
	㉜ 静脈内		回	
	㉝ その他		回	
㊵ 処置			回	
	薬剤			
㊿ 手術麻酔			回	
	薬剤			
60 検査病理			回	
	薬剤			
70 画像診断			回	
	薬剤			
80 その他	処方箋		回	
	薬剤			

療養の給付	請求	※決定	一部負担金額			
保険	点	点	円 減額　割(円)免除・支払猶予			
公費①	点	点	円			
公費②	点	点	円	※高額療養費　円	※公費負担点数　点	※公費負担点数　点

※160%程度に拡大コピーしてお使いください。

診療報酬明細書
(医科入院)

令和　年　月分

都道府県番号　医療機関コード

1 医科	1 社・国 2 公費	3 後期 4 退職	1 単独 2 2併 3 3併	1 本入 3 六入 5 家入	7 高入一 9 高入7

公費負担者番号①		公費負担医療の受給者番号①	
公費負担者番号②		公費負担医療の受給者番号②	

保険者番号		給付割合	10 9 8 7 ( )

被保険者証・被保険者手帳等の記号・番号	(枝番)

区分	精神　結核　療養	特記事項
氏名	1男 2女 1明 2大 3昭 4平 5令　・　・　生	
職務上の事由	1 職務上　2 下船後3月以内　3 通勤災害	

保険医療機関の所在地及び名称

傷病名	診療開始日	転帰	診療実日数
(1)	(1)　年　月　日	治ゆ　死亡　中止	保険　日
(2)	(2)　年　月　日		公費①　日
(3)	(3)　年　月　日		公費②

区分	項目		公費分点数
⑪ 初診	時間外・休日・深夜　回	点	
⑬ 医学管理			
⑭ 在宅			
⑳ 投薬	㉑ 内服	単位	
	㉒ 屯服	単位	
	㉓ 外用	単位	
	㉔ 調剤	日	
	㉖ 麻毒	日	
	㉗ 調基		
㉚ 注射	㉛ 皮下筋肉内	回	
	㉜ 静脈内	回	
	㉝ その他	回	
㊵ 処置		回	
	薬剤		
㊿ 手術麻酔		回	
	薬剤		
⑥⓪ 検査病理		回	
	薬剤		
⑦⓪ 画像診断		回	
	薬剤		
⑧⓪ その他			
	薬剤		
⑨⓪ 入院	入院年月日　年　月　日		
	病　診　⑨⓪ 入院基本料・加算	点	
	×	日間	
	×	日間	
	×	日間	
	×	日間	
	×	日間	
	⑨② 特定入院料・その他		

※ 高額療養費	円	※ 公費負担点数　点
		※ 公費負担点数　点

⑨⑦ 食事・生活	基準	円×	回	基準(生)	円×	回
	特別	円×	回	特別(生)	円×	回
	食堂	円×	日	減・免・猶・Ⅰ・Ⅱ・3月超		
	環境	円×	日			

療養の給付	請求　点	※ 決定　点	負担金額　円
保険			減額　割(円)免除・支払猶予
公費①	点	※　点	円
公費②	点	※　点	円

食事・生活療養	回	請求　円	※ 決定　円	(標準負担額)　円
保険	回			
公費①	回	円	※　円	円
公費②	回	円	※　円	円

MEMO

◎ 本書の内容につきましてのお問い合わせは、ＮＩメディカルオフィスまでお願いいたします。

FAX：03-5645-8551
MAIL：info@ni-medical-office.co.jp

＊ お電話でのお問い合わせは受け付けておりません。
＊ 質問指導は行っておりません。

医療事務 診療報酬請求事務－医科 練習問題集〔第2版〕

2023年1月25日　初　版　第1刷発行
2024年8月28日　第2版　第1刷発行

編著者　NIメディカルオフィス
発行者　多田敏男
発行所　TAC株式会社　出版事業部
（TAC出版）

〒101-8383
東京都千代田区神田三崎町3-2-18
電話 03(5276)9492（営業）
FAX 03(5276)9674
https://shuppan.tac-school.co.jp

印　刷　日新印刷株式会社
製　本　東京美術紙工協業組合

ISBN 978-4-300-11230-4
N.D.C. 499

書籍の正誤に関するご確認とお問合せについて

書籍の記載内容に誤りではないかと思われる箇所がございましたら、以下の手順にてご確認とお問合せをしてくださいますよう、お願い申し上げます。
なお、正誤のお問合せ以外の**書籍内容に関する解説および受験指導などは、一切行っておりません。**
そのようなお問合せにつきましては、お答えいたしかねますので、あらかじめご了承ください。

1 「Cyber Book Store」にて正誤表を確認する

TAC出版書籍販売サイト「Cyber Book Store」の
トップページ内「正誤表」コーナーにて、正誤表をご確認ください。

CYBER BOOK STORE TAC出版書籍販売サイト

URL:https://bookstore.tac-school.co.jp/

2 1の正誤表がない、あるいは正誤表に該当箇所の記載がない ⇒ 下記①、②のどちらかの方法で文書にて問合せをする

★ご注意ください★

お電話でのお問合せは、お受けいたしません。
①、②のどちらの方法でも、お問合せの際には、「お名前」とともに、
「対象の書籍名(○級・第○回対策も含む)およびその版数(第○版・○○年度版など)」
「お問合せ該当箇所の頁数と行数」
「誤りと思われる記載」
「正しいとお考えになる記載とその根拠」
を明記してください。
なお、回答までに1週間前後を要する場合もございます。あらかじめご了承ください。

① ウェブページ「Cyber Book Store」内の「お問合せフォーム」より問合せをする

【お問合せフォームアドレス】

https://bookstore.tac-school.co.jp/inquiry/

② メールにより問合せをする

【メール宛先 TAC出版】

syuppan-h@tac-school.co.jp

※土日祝日はお問合せ対応をおこなっておりません。
※正誤のお問合せ対応は、該当書籍の改訂版刊行月末日までといたします。

乱丁・落丁による交換は、該当書籍の改訂版刊行月末日までといたします。なお、書籍の在庫状況等により、お受けできない場合もございます。
また、各種本試験の実施の延期、中止を理由とした本書の返品はお受けいたしません。返金もいたしかねますので、あらかじめご了承くださいますようお願い申し上げます。

TACにおける個人情報の取り扱いについて
■お預かりした個人情報は、TAC(株)で管理させていただき、お問合せへの対応、当社の記録保管にのみ利用いたします。お客様の同意なしに業務委託先以外の第三者に開示、提供することはございません(法令等により開示を求められた場合を除く)。その他、個人情報保護管理者、お預かりした個人情報の開示等及びTAC(株)への個人情報の提供の任意性については、当社ホームページ(https://www.tac-school.co.jp)をご覧いただくか、個人情報に関するお問い合わせ窓口(E-mail:privacy@tac-school.co.jp)までお問合せください。

(2022年7月現在)